日本語の会話授業のデザインと実践

―基礎から発展へ―

中井陽子　編著

鎌田修・大場美和子・寅丸真澄
尹智鉉・伊達宏子・相場いぶき　著

スリーエーネットワーク

Published by 3A Corporation.
Trusty Kojimachi Bldg., 2F, 4, Kojimachi 3-Chome, Chiyoda-ku, Tokyo 102-0083, Japan

ISBN978-4-88319-944-0 C0081

First published 2024
Printed in Japan

はじめに

昨今のグローバル化に伴い、日本の国内外を問わず、多様な背景やニーズを持つ日本語学習者が増加しています。中でも、日本語を使って人間関係を築きたい、日本と繋がることで自分の世界を広げて自己実現をしたいという希望を持って日本語を学習している人が多いのではないでしょうか。まさに日本語のグローバル化の証拠だと言えます。そういった学習者達の希望を叶えるべく、日本語教育の現場で学習支援をしたいと考える方々も増えてきています。

そこで、本書では日本語教育の中でも特に会話教育に焦点を当て、日本語で会話をしながらコミュニケーションができるようになりたいと考える学習者に対して、様々な会話授業を提供するためのヒントについて、多様な観点からまとめました。

本書は、スリーエーネットワーク発行の『日本語教育叢書「つくる」会話教材を作る』（関正昭・土岐哲・平高史也（編), 尾﨑明人・椿由紀子・中井陽子（著), 2010）の一部をもとに、最新の日本語教育の知見を加え、内容を大幅に改めてまとめなおしたものです。新たに各章をご執筆くださった方々は、日本語教育の様々な分野で活躍されており、会話教育をはじめ、話し合い教育、プロジェクト学習、発音教育の他、会話能力の評価研究、教育工学、外国人介護人材教育など、多様な分野の研究と実践に携わってこられました。さらに、オンライン化が進む現在の状況を踏まえ、教育現場へのICT（Information and Communication Technology（情報通信技術））の利用についても、研究と実践の積み上げをお持ちです。各著者が、これまでの研究成果と教育現場での経験を踏まえた最新の知見をもとに、初学者向けに各章を分かりやすくまとめました。

本書は、主に、日本語教育学、日本語学の分野を学ぶ学部生・大学院生や、日本語教員養成課程の受講生、市民講座の受講生などを対象に、会話授業のデザインと実践について、基本から応用まで学んでいただけるようになっています。現職日本語教師の方々にも、新たな会話教育の知見を広げていただけると期待しています。この他に、コミュニケーション教育、外国語教育などの分野の方々にも会話授業を考える上で参考にしていただけると思います。

【本書の構成】

本書の構成は、以下のようになっています。

第 1 部「会話教育の理論編」では、会話と会話能力とは何かを確認し、会話教育のための授業デザインと実践について紹介します。そして、会話能力の測定と評価についても確認し、教育に活かすヒントについて述べます。さらに、会話教育に活かせる教育工学の知見についても紹介します。

第 2 部「会話教育の基礎編」では、会話授業で扱うことが多い、モデル会話や語彙・文型練習、ロールプレイの基礎概念について述べた上で、楽しく効果的な学習方法の例について具体的に紹介します。さらに、教室内外で行うインタビュー活動や会話による交流の活動の実施についても、具体的な手順や方法を紹介します。

第 3 部「会話練習活動の多様なデザイン」では、学習者の会話能力をバランス良く伸ばすために、様々な会話の形態を意識した練習活動を紹介します。具体的には、コミュニケーションの基本的な機能、会話のフロアー、談話技能という会話に特有の概念を取り上げ、それらを考慮に入れた会話練習活動のデザインと教材作成について述べます。その上で、こうした会話練習活動における学習者へのフィードバックの方法についても述べます。

第 4 部「会話教育の発展」では、より多様な教育内容、活動、教育方法、教材を扱った発展的な会話教育について紹介します。具体的には、音声に焦点を当てた学習・指導の他、ナラティブ、話し合い、アニメ・映画・テレビ番組・演劇を扱った活動を取り上げます。さらに、学習者が問題解決をしていくプロジェクト活動の例も紹介します。また、外国人介護人材に特化した会話教育、およびオンラインで行う会話教育についても紹介し、日本語会話教育の広がりを見ます。

第 5 部「会話教育のための会話研究と実践」では、会話教育を行うために、自律的に研究と実践を連携させながら自己研鑽していける教師に必要とされることについて述べます。具体的には、授業改善のための「実践研究」の必要性の他、会話データ分析、会話教育実践、会話指導学習項目化を行うという、会話教育のための「研究と実践の連携」の重要性を指摘します。

【各章の構成】

第1章～第22章の構成は、以下の通りです。

考えてみよう！	各章の最初に設けており、各章を読むために必要な前提知識を自身の経験と結び付けて思い起こすブレインストーミングを行えるようになっています。
⇩	
本文	基礎的な理論や研究を押さえながら、具体的な会話教育の方法や活動例、教材例を紹介していきます。
⇩	
やってみよう！	本文から得られた知見をもとに、実践的なタスクが行えるようになっています。例えば、実際の会話教科書を調べてみたり、自身で会話教材を作ってみたり、会話授業のアイデアを考えてみたり、教師役になって活動を行ってみたりするタスクです。

巻末には、本書で学んできたことの集大成として取り組むプロジェクトが3つ設けてあります。

プロジェクト①	**「会話授業を観察しよう！」** 実際に行われている会話授業に参加して、観察したことについて報告する課題が設けてあります。
プロジェクト②	**「ロールプレイのフィードバックをしよう！」** 実際にロールプレイのフィードバックを行い、振り返る課題が設けてあります。
プロジェクト③	**「会話授業をデザインしよう！」** 本書で学んだ理論や実践例を踏まえて、独自の会話授業をデザインして報告する課題が設けてあります。グループで取り組むと様々なアイデアが出て、より完成度の高い授業デザインを行うことができるでしょう。また、授業に必要な教材もあわせて作成し、それを実際に使って模擬授業をするデモンストレーションを行ってもよいでしょう。

以上のような各章の課題を段階的に行っていくことにより、理論を踏まえた実践的な会話教育を行える力が身に付くことが期待できます。

なお、本書の付属教材（ワークシート、動画資料など）は、https://www.3anet.co.jp/np/books/4868/ に公開していく予定です。（付属教材にはパスワードがかかっています。パスワードは Jpcsms4868 です。）参考文献や参考動画などは、各章で紹介しているので、適宜、ご活用ください。

本書を通して、より豊かな会話授業が活発に生み出されていくとともに、今後の会話教育の研究と実践がより発展していくことを願います。

2024年3月

執筆者代表　中井 陽子

目次

第3部　会話練習活動の多様なデザイン

第4部　会話教育の発展

第1部

会話教育の理論編

概要

より充実した会話教育を行うためには、その場限りの思いつきではなく、理論的な枠組みを知った上で、それらの観点をもとに、1学期間、1コマずつの授業の設計（デザイン）を綿密に行っていく必要がある。つまり、会話教育の理論的な枠組みは、会話教育を考える上でより強固な基盤となるのである。

そこで、第1部「会話教育の理論編」では、第1章で会話と会話能力とは何かを確認し、第2章で会話教育のための授業デザインと実践について述べる。そして、第3章で会話能力の測定と評価について述べ、これをさらに発展させて、第4章で外国語教授法における会話能力評価法の位置付けについて述べる。さらに、第5章で会話教育に活かせる教育工学の知見についても紹介する。

第1章　会話と会話能力

中井 陽子

考えてみよう！

(1) 学習者は、日本語でどのような会話に参加するでしょうか。
(2) どのような人が会話能力が高いと思いますか。具体的な場面を例にして考えましょう。

1. はじめに

会話教育を行う際、まず会話とは何か、育成すべき会話能力とは何かについて検討する必要がある。そこで、本章では、まず、会話とは何かについて概観していく。次に、会話能力を考える際に参考になる、インターアクション能力について見ていく。さらに、インターアクションの実際を知るための会話データ分析の例を見て、会話の中でどのようなインターアクション能力が用いられているのか、日本語非母語話者の会話参加の特徴は何かについて検討する。その上で、母語話者の歩み寄りの姿勢についても考える。これにより、会話教育に求められることについて検討する。

2. 会話とは何か

中井（2012, p. 5）は、会話とは、「音声言語やそれに付随する非言語を介して、二者以上の間で交わされるコミュニケーションの機能をもったやり取り」であり、「人と人が会って別れるまでがひとまとまりとなり、会話参加者同士の協力によって形成されるもの」であると定義している。つまり、会話は他者との言語・非言語によるコミュニケーションをもとに生まれるものであるため、独り言は会話には含まれないが、他者を意識して話すスピーチなどの独話も会話に含まれると考えられる。こうした定義を踏まえると、会話教育では、音声言語だけでなく、非言語による他者とのコミュニケーションを意識した会話ができるようになるための授業活動を行う必要があると言える。さらに、単なる1文レベルでの文型代入練習にとどまらず、会話としての1つのまとまりを意識して練習を行う必要がある。例えば、「京都に行きました。」といった文を作るパターン・プラクティスをした後は、「～さん、去年の冬、何をしましたか。－京都に行きました。－そうですか。いいですね。」などと、「質問－情報提供－反応」といった会話としての1つのまとまりで発話練習をするのがよいだろう。

会話には様々な種類や機能がある（図1-1）。会話の種類としては、例えば、挨拶、雑談、議論、相談、物語、インタビュー、スピーチ、講義、商談などがある。会話の機能は、関説的機能、心情的機能、動能的機能、交話的機能、メタ言語的機能、詩的機能といった6つのコミュニケーションの機能（Jakobson, 1963= 川本他, 1973 和訳）から考えることができる[1)]。あるいは、「交渉（transactional）機能」と「交流（interactional）機能」（Brown & Yule, 1983）[2)] という区分から会話の機能を捉えることもできる。会話教育では、こうした会話の種類や機能のバリエーションを考慮に入れて、学習者のニーズに合わせて授業活動をデザインしていく必要がある。

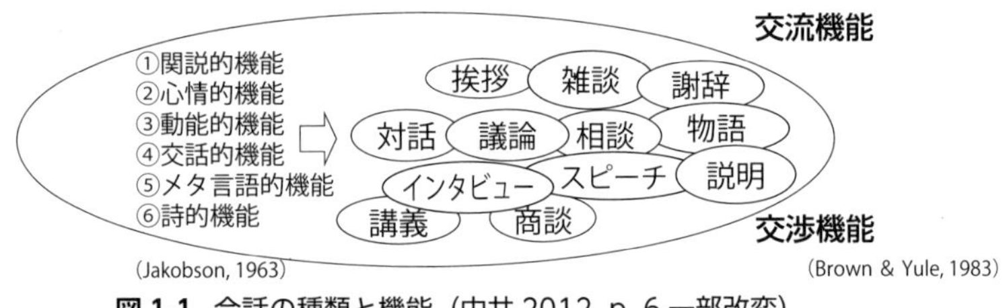

図1-1　会話の種類と機能（中井 2012, p. 6 一部改変）

---

1) 南（1974, pp. 25-26）と国立国語研究所（1994）は、この6つの機能について、次のように説明している。①関説的機能とは、主に事実などの情報交換をする働きがある。②心情的機能とは、感情などの主観的なものを伝える働きがある。③動能的機能とは、他者に働きかけて行為をさせる、了承を得るなどの働きがある。④交話的機能とは、おしゃべりなど、会話をすることにより、相手への関心を示したり自分のことを知ってもらったりして、友好な人間関係を構築する働きがある。⑤メタ言語的機能とは、発話している言語自体について説明する働きがある。⑥詩的機能とは、言葉自体の響きや美しさ、リズム、繰り返しなどに焦点を当てて楽しむような働きがある。

2) Brown & Yule（1983）によると、「交渉機能」は、「事実や命題的な情報」を伝える処理を行うものであり、話したり書いたりする「内容」を明確にすることに重点が置かれるという。例えば、警官が観光客に道案内をする、科学者が実験について説明するものだとされている。つまり、情報交換が主な目的となる。一方、「交流機能」は、社会的関係や個人の態度を表すことに関わる機能であり、社会的関係を構築・維持することを目的とするものだとされている。例えば、仲間同士の連帯感を示したり、会話を開始・終了したり、会話の中のターンのやり取りをしたり、話し手と聞き手双方の面子を保ったり、天気の話をしたりするようなものであるという。つまり、人間関係の構築・維持が主な目的となる。

会話というものを考える際、メタメッセージ（Tannen, 1986）というものも考慮に入れなければならない。中井（2012, p. 13）では、メタメッセージについて、「発話のメッセージに付随して用いられるトーンやポーズ、動作、表情などの言語的・非言語的なシグナルや、発話自体で二次的に伝達・解釈されるもので、会話参加者の態度やお互いの関係について付随的に伝えられるものである」と定義している。

例えば、「おはよう」という挨拶に対して、相手が少し間を置いて暗い調子で下を向きながら「おはよう」と返してきた場合、何か悪いメタメッセージが伝わってくる。あるいは、「おはようございます」と挨拶したのに、相手が目も合わさずに無言で歩き去って行った場合、あなたのことは嫌いだから声をかけないで欲しいといったメタメッセージが伝わってくる。一方、「おはよう」に対して、相手が笑顔で手を振りながら明るい声で「おはよう！」と返してきた場合は、今日もあなたのことが好きで関係を続けたいというメタメッセージが伝わってくるだろう。

Tannen（1986）によると、こうしたメタメッセージは、言語や文化によって異なるため、しばしばメタメッセージの読み違えによって誤解が起こるとしている。そのため、会話教育を行う際も、話す際に付随的に伝わるメタメッセージも意識していく必要があると言える。

3. インターアクション能力の基本的な概念

前述の会話の特徴を踏まえ、会話教育を行っていくべきであるが、会話というものをインターアクションという学習者の日常の行動全てを範疇に入れたもう少し広い視野から捉えると、会話教育の範囲もより広がりが出る。

ネウストプニー（1995）は、インターアクションを言語行動、社会言語行動、社会文化行動という３段階から捉えている。中井（2012）では、ネウストプニー（1995, p. 42, pp. 68-69）をもとに、図 1-2 のように、実質行動といった社会文化行動がインターアクションの基盤となり、その中に言語や非言語を用いたコミュニケーションとしての社会言語行動があり、さらにその中の言語の中核的な部分が言語行動であるとする、入れ子型の３段階で捉えている。

まず、言語行動とは、語彙、文法、音声、文字といった言語の中核になるものである。日本語教育、会話教育を考える際、こうした言語の中核となる言語能力の育成は外せないであろうし、教育の中心になることが考えられる。だが、学習者が語彙、文法、音声、文字といった言語能力だけを身に付けても、日本語の会話に十分に参加できるようになるとは言えない。

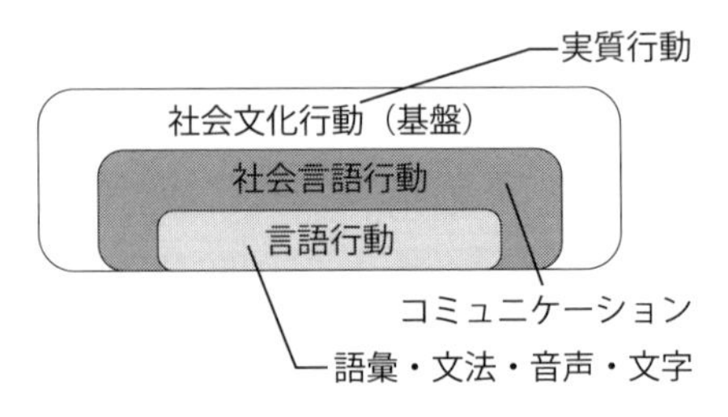

図 1-2 インターアクションの３段階
(ネウストプニー, 1995, p. 42, pp. 68-69;
中井 2012, p. 9 一部改変)

会話に参加していくためには、言語能力だけでなく、社会言語能力が必要になる。社会言語能力とは、表 1-1 のような「だれが、どこで、何を、どう言う（聞く、書く、読む）か」（ネウストプニー, 1995, p. 41）という社会言語行動のルールについての知識を持ち、それを適切に運用できる能力のことである。社会言語行動のルールのうち、点火ルールには、会話の始め方、継続の仕方、終わり方などが含まれるが、相手に声をかけて会話を自ら開始して人間関係を作っていける能力や、あいづちや評価的発話などを用いて聞き手として積極的に会話の継続に協力していける能力などの育成が重要であると言える。また、会話の場面や人間関係（親疎・上下関係など）なども考えながら、適切な言葉遣いと順序・構造で内容を伝えていける能力（セッティング、参加者、バラエティ、内容、形）の育成も大切である。さらに、話し言葉、書き言葉、音声言語、文字言語、非言語、オンラインなど、様々な媒体が適宜使いこなせる能力（媒体ルール）の育成も必要であろう。そして、会話の中でうまく言葉が出てこない、聞き取れないなどの問題があった際に自律的または協働的に処理できる調整能力（操作ルール）や、これらのルールの運用能力（運用ルール）の育成も十分に行うべきである。こうした社会言語能力の育成を意識的に行っていくべきだと考えられる。

言語行動、社会言語行動は、主に言語を用いる活動、つまり会話の中心になると考えられるが、学習者が社会生活を送る際、言語を用いることを中心とした活動だけに参加するわけではない。飲食する、買い物する、観光する、仕事するといった社会文化行動を日常生活の基盤とし、そうした個々の活動の中で、必要な時に会話をすると言える。そこで、ネウストプニー（1995）は、社会文化行動について、日常生活の食べる・ものを作るなどの行動や政治・

表1-1 社会言語行動のルール（ネウストプニー, 1982; 1995; 中井, 2012, p. 46 一部改変）

点火ルール	どんな場合、何のためにコミュニケーションを始めるか、会話維持 コミュニケーションへの協力性・貢献度・参加度・参加の積極性
セッティングルール	いつ、どこでコミュニケーションをするか コミュニケーションを行う時間と場所、約束
参加者ルール	誰と誰がコミュニケーションをし、どんなネットワークを形成するか 話し相手の選択
バラエティルール	コミュニケーションのルール・手段のセット（言語）の使い方 方言、文体、ことばの調子（例：まじめな調子、冗談めかした調子）
内容ルール	どのような内容を伝えるか、何を伝えるか
形ルール	内容項目をどのようにメッセージの中で並べるか
媒体ルール	メッセージをどのように具体化するか 非言語的コミュニケーションのチャンネル 物理的な媒体、話し言葉、書き言葉
操作ルール	コミュニケーションをどのように評価し、直したりするか 適当な単語をもっていない時、間違えて誤解されそうな場合の処理
運用ルール	多くのストラテジー、ルールを必要な瞬間に同時に活動させる

経済、思考、および、個人の態度や性格など、言語行動、社会言語行動を含むインターアクションそのものであるとしている。これをもとに、中井（2012, p. 47）では、社会文化行動が適切にできる「社会文化能力」について、「社会の中で適切な実質行動ができる」「人を引き付ける話題が出せる」「広く深い知識や洞察力をもつ」「意見交換ができる」「信頼される」などの能力も含まれるとしている。さらには、インターアクション能力には、メタ認知力、自己分析力、自己改善力、協働する力、創造力、自己表現力、問題発見解決力、批判的思考力などの人間生活で重要な能力も含まれると考えられる。よって、社会文化能力は、日常生活のあらゆる場面で必要な基盤となる能力であると言える。

こうしたインターアクション能力は、単に紋切り型の表現を覚えて行使されるものではなく、人と人がやり取りを行う中でその場の状況を読み取り、調整しながら、瞬間瞬間に発揮される動態的な能力であると言える。これを踏まえ、中井（2012, p. 9）では、インターアクション能力とは、「状況や人間関係などの社会的な文脈の中で人と関わりをもつ際、相手と協力して、瞬間瞬間に生成されるインターアクションを動態的に調整しつつ、言語行動（語彙・文法・音声）、社会言語行動（コミュニケーション）、社会文化行動（実質行動）が適切に行える能力である」と定義している。

以上、会話とインターアクション能力の基本的な概念について述べた。こうした会話やインターアクションの特徴を十分に考慮に入れて、会話教育を行っていくべきであろう。そのため、会話やインターアクションにはどのような特徴があるのかについて具体的に探っていく必要がある。その有効な方法の１つとして、実際に人と人がやり取りをしている会話を分析していく会話データ分析の手法が挙げられる。次節で、会話データ分析の例をいくつか紹介する。

4. インターアクションの実際を知るための会話データ分析

会話データ分析とは、会話を録音・録画したデータをもとに、会話の中で実際に何が起こっているのかを詳細に記述・分析し、どのような言語的・非言語的な特徴があり、どのようなメタメッセージを送り合ってインターアクションを行っているのかを探るものである（中井, 2012）。そのため、母語話者同士が会話する「母語場面」だけでなく、学習者が非母語話者として母語話者と会話する「接触場面」の分析を行うことで、会話教育で何をどのように取り上げるべきかがより明確になると言える[3]。

以下、会話データ分析の例を示し、学習者の参加する会話で実際に何が起こっているのかを知り、それをもとに、会話教育で取り上げるべき指導学習項目と授業活動例について検討する。まず、主に言語を用いた会話を中心とした社会言語行動の例として、初対面の会話の分析例を紹介する。次に、キャンパス探検といった実質行動を主な目的にした社会文化行動の中に現れる会話の分析例も紹介する。

---

3) ネウストプニー（1995, p. 186）では、以下のように、日本語教育における接触場面研究の重要性について指摘している。

> 日本語教育の目的が、日本語を外国人の話し手に使わせることにあるなら、外国人の話し手が実際に日本語をどのように使っているかを研究してみる価値があるはずである。むしろ、これは日本語教育の出発点であり、かつ到着点であるべきかもしれない。つまり、外国人はどのような場面で日本語を使っているのか、その時どのようなコミュニケーション問題がおこるか、ということから出発して、はじめて効果的な対策をたてることができるであろう。

4.1 社会言語行動

中井（2002; 2004）、Kato [Nakai]（1999）では、日本語学習者（米国の大学３年生、日本語初中級レベル）と日本語母語話者（米国の大学に留学中の学生）が参加する初対面の会話の話題開始部と終了部の特徴を分析している。その中から、以下３つの会話例を示し、初中級の学習者の会話への参加の仕方の特徴を述べる。

会話例（1）では、学習者Nが日本に留学していた頃にカラオケに行っていたことについて話している話題の終了部である。Nの話に対し、母語話者Mが聞き手として、質問表現、繰り返し、確認、あいづち、評価的発話などを用いて、Nに協力しながら、積極的に会話に参加している。ここから、母語話者Mが学習者Nの話に興味があるというメタメッセージを伝えていると言える。

会話例（1） 話題「カラオケ」母語話者M、学習者N（中井, 2002, p. 29）

1N：	あのー、学校ー、学校じゃない所でのアクティビティ？	
2N：	// うん。	
3M：	かー、な、何か、しました？	**質問表現**
4N：	うーん、そうです。	
5M：	じゃ、何したんですか？	**質問表現**
6N：	あのへー、学校、学校の近いにあるーバーによくー、{笑い}	
7M：	あー、バーに行ってー？{笑い}	**繰り返し**
8N：	行きました。{笑い}	
9M：	へー、カラオケもしたんですか？	**確認**
10N：	うー // ん、カラオケも。{笑い}	
11M：	{笑い}	
12N：	でも、私はとっても音痴です。	
13M：	{笑い} いやー、音痴？へーーー。	**繰り返し、あいづち**
14N：	カラオケ、あんまりー、聞いていただけ。{笑い}	
15M：	あーーん、あ、聞いていただけ？	**繰り返し**
16N：	うん。	
17M：	へーーー、なるほどねー。そっか、そっか。	**あいづち**
18N：	でも、とてもおもしろかった。	
19M：	へーーー、よかったねーーー。 じゃ、そっか、あと、二年いて、学校行ってー、　**【話題転換】** (1.1) ずっと二年間秋田？	**評価的発話** **質問表現**
20N：	ううん、(1.3) 静岡、住ん。	

会話例（2）は、母語話者Mが米国の大学で日本語ティーチング・アシスタント（TA）をしていなかった頃は学費の免除がなくて経済的に大変だったことを話している話題の終了部である。学習者Nは、聞き手としてMの話を聞いているが、「うん」「そう」「うーん」というあいづちを打つだけで、それ以上、質問をしたり評価的発話で感想を述べたりして話題を展開させようとしていない。そして、1.9秒の沈黙が起こり、２人で笑った後、母語話者Mが「話すことがないですかねー」と笑い、学習者Nがジュースを飲み、母語話者Mもジュースを飲んで、沈黙の気まずい雰囲気を埋めようとしている。そして、母語話者Mが「明日の授業の、面接の練習をしてるんですか？今」と学習者Nに質問することで、新しい話題を開始している。この部分について、母語話者Mは、自身の苦労話に対する学習者Nの反応があまりなく、Mのことや Mの話に興味がない、または日本語が難しくて理解できなかったのだと感じたという。一方、学習者Nは、この部分について日本語は理解しており、母語話者Mが米国留学で経済的に苦労していたことは、

会話例（2）話題「学費」母語話者M、学習者N（中井, 2002, p. 30）

1N：	ここで、ここの勉強している日本人は、大変。	
2M：	大変ですね、// 今ね。	
3M：	ま、私は、TA してますからー、あのー、ね、ジャパニーズ・// デパートメント、	
4N：	うん。	**あいづち**
5M：	今、二年生教えてるんですけど、だから、ま、学費は、それ、TA で // 大丈夫ですけど、	
6N：	そう。	**あいづち**
7M：	でもー、あのー、アンダーグラジュエイトの時はー、あのー、自分で払ってたからー、はー、高いー、	
8N：	うーん。	**あいづち**
9M：	とっても、とっても高いと思いましたけど。	
10M：	うーん、(沈黙 1.4 秒) そうですねー。	
11--：	(沈黙 1.9 秒)	**沈黙**
12M：	{ 笑い }	
13N：	{ 笑い }	**笑い**
14M：	// 話すことがないですかねー。{ 笑い }	
15N：	{ ジュースを飲む }	
16M：	{ ジュースを飲む } (沈黙 3.3 秒) うーん、じゃ、明日の、明日の授業の、面接の練習をしてるんですか？　今。	**【話題転換】**
17N：	うーん、	

他の日本人留学生からも同様の苦労を聞いていたので、非常に同情していたという。しかし、聞き手として、「うん」「うーん」「そう」といった単調なあいづちしか打てず、他に気の利いた反応の仕方がないか考えていたら沈黙になってしまったのだと述べていた。このように、学習者Nの聞き手としての反応の仕方によって、母語話者Mの話に興味を持っていた気持ちが十分に伝わらず、興味がないといったメタメッセージが伝わってしまったと言える。

会話例（3）は、母語話者Yがあと少しで米国の大学を卒業できるという話題の終了部である。学習者Lは、Yがもうすぐ卒業できるということを聞いたため、あとどのぐらいで卒業できるか質問し、また、あいづちをテンポ良くはさむことによって、Yの話題への興味を示している。また、「あと

会話例（3） 話題「卒業」母語話者Y、学習者L
(Kato[Nakai], 1999, pp. 263-264, pp. 316-317)

487Y：	だけど、今はもう普通の取って、	
488Y：	(2.0) で、もうちょっとで終わります。{笑い}	
489L：	どのぐら、あー、どのぐらい？	**質問表現**
490Y：	あと？	
491L：	うーん。	**あいづち**
492Y：	夏ー、夏、日本に帰るんですけど。	
493L：	あーはは。	**あいづち**
494L：	家族とー？	**質問表現**
495Y：	うん。	
496Y：	でー、あとワンクウォーター、で終わります。	
497L：	はい。	**あいづち**
498Y：	うん。	
499L：	良かった。{笑い}	**評価的発話**
500Y：	大変です。	
501L：	うーん。	**あいづち**
502-：	(1.6)	
503Y：	今、チャイルド・ディベロップメントを取ってるんだけど、	
504L：	ん。	**あいづち**
505Y：	もうー{笑い}大変。{笑い}	
506Y：	もう、ほんとに苦労してる。	
507Y：	疲れてる。	
508Y：	うん。	
509L：	はい。	**あいづち**
510L：	家族、兄弟？	**【話題転換】質問表現**
511Y：	うーん。	
512L：	brothers and sis//ters?	**質問表現**
513Y：	うん、うん、兄弟。	

ワンクウォーター」つまり、あと1学期でYが卒業できるということを聞いて、Lは「良かった」という評価的発話を用いて共感を示している。しかし、Yがアメリカの授業は大変だと話し出すと、Lは共感を示したり質問したりはせず、「うーん」というあいづちしか打っていない。その後も、Yが卒業するのは大変で苦労していると述べるのに対し、Lは「ん」「はい」というあいづちを打つだけで、突然、家族、兄弟がいるかという質問をYに投げかけて、話題を変えている。この部分に対して、母語話者Yは、Lの話題転換が唐突で話が続かないと感じていた。この前の話題でも何度か唐突な話題転換があり、Yは話を続けることを半ば諦めていたという。一方、学習者Lは、「苦労してる」など、Yの話す言葉が分からず辛くなり、早くその話題から抜け出そうと、話題を突然に変えてしまったのだという。こうした唐突な話題転換は、相手の話が分からない、あるいは、興味がないといったメタメッセージを伝えてしまう恐れがあると言える。

以上の初対面の会話例（1）（2）（3）の会話データ分析から、初中級の学習者の社会言語行動での特徴と問題点として、あいづちや評価的発話、質問表現などを効果的に用いることができないため、自身の意図に反して、その話題に関心がないというメタメッセージを送ってしまい、誤解されてしまうといったことが挙げられる。このような問題を防ぎ、学習者が会話に積極的に参加していけるような社会言語能力を育成するためには、例えば、あいづち、評価的発話、質問表現などの談話技能を指導学習項目として取り上げた会話教育を行うことも必要である。こうした談話技能に焦点を当てた会話授業については、第13章で詳細に述べる。

4.2 社会文化行動（キャンパス探検中の会話）

4.1では、話す、聞くといった社会言語行動が主たる目的の場面での会話の特徴を見た。一方、歩く、見る、写真を撮るといった社会文化行動が主たる目的の場面の場合、その中で交わされる会話には異なった特徴が見られる。中井（2012）では、社会文化行動を主たる目的とした場面として、目的地を決めて写真を撮りながら大学構内を散策するキャンパス探検の場面を分析している。以下、母語話者同士、および、母語話者と初級後半の学習者がキャンパス探検中に交わした会話の特徴を見ていく。

まず、会話例（4）は、母語話者Eと母語話者Uがキャンパス探検をしている場面である。ここでは、大学構内にある池のそばを通り、池の中にアメンボを見つけている。Eが1055Eで「わーすごいアメンボがいっぱい」とアメンボの話題を始めており、Uがそれを発展させて1057Uで自身が子供の頃に池の虫や魚をよく捕っていたという話題を開始している。そして、Uがザリガニを発見し、1061Uで「あっ、ザリガニじゃない？　ほら」と、今度はザリガニの話題を開始し、さらに子供の頃にザリガニを捕った経験について話題を展開させている。このように、歩きながら何かを見て話している会話では、1つの話題についてじっくり話すというよりは、視覚情報から得た現場性のある話題を瞬時に取り上げて、話題を展開させるという特徴が見られる。目の前のものに注目しながら話題を展開させていくことで、共感を示し、共にその場にいることを楽しんでいるというメタメッセージを伝え合っていると言える。

会話例 (4) キャンパス探検中の会話「アメンボ＆ザリガニ」母語話者E、母語話者U
(中井, 2012, p. 104)

小話題 11.1：アメンボ

1055E：　わーすごいアメンボがいっぱい。
1056U：　おう。

小話題 11.2：Uの虫捕りの思い出

1057U：　あー、こういう所ね // よく、いろんな虫とか魚がいたの、捕りましたよ。
1058E：　　　　　　　　　　ええ。
1059E：　あ、そうですか。
1060U：　ええ。

小話題 11.3：ザリガニ

1061U：　あっ、ザリガニじゃない？　ほら。
1062E：　あーっ、ザリガニ // だー。{しゃがむ}
1063U：　　　　　　　　　ねえ、死んでるけど。
1064E：　死んでる。{笑い}
1065U：　いるんだ、こんな所に // ねえ。
1066E：　　　　　　　　　　いるんですねえ。

小話題 11.4：ザリガニの捕り方

1067U：　よくねえ、あの干したイカ、するめのイカとかね、
1068E：　あー、餌に。
1069U：　そう。
1070U：　あれをね，タコ糸でこう結んでね、
1071E：　ええ。
1072U：　垂らすんですよ。

会話例（5）は、母語話者Eと学習者Sがキャンパス探検をしている一場面である。ここでは、大学構内にある銀杏並木の道に差し掛かり、Sが「この道はとても涼しいです」と道について評価的発話で感想を述べている。これに対し、Eが「そうですね。銀杏がたくさん生えてる」と銀杏のある方に手をかざしながらコメントしている（図1-3）。Sは、このEが発話した「銀杏がたくさん生えてる」という語彙の意味が分からなかったが、Eが手をかざす目の前の銀杏並木の視覚情報で意味が理解できたそうである。このように、歩きながら何かを見て話している会話では、視覚情報をもとにコメントをしていくとともに、学習者にとって未習の語彙でも、その視覚情報によって理解を可能とすることがあると言える。

会話例 (5) キャンパス探検中の会話「イチョウ」
母語話者E、学習者S（中井, 2012, p. 109）

316S： そーう、{道を指す}この道はとても涼しいです。
317E： そうですね。銀杏がたくさん生えてる。
318S： うーん。

図1-3 イチョウ
（中井, 2012, p. 108）

こうしたキャンパス探検を会話授業で行ってみると、図1-4のように、教室内の活動とは異なった、言語行動、社会言語行動、社会文化行動のインターアクションを行う機会が与えられるだろう。

現場性を利用した話題提供
（社会言語行動）

水を勧める、喫煙許可求め
（社会文化行動）

構内にいる学生への道聞き
（社会文化行動）

商品を指しながらの情報提供
（社会言語行動）

協働的な課題達成（社会文化行動）・
状況を伴った語彙の理解（言語行動）

図1-4 キャンパス探検中のインターアクション（中井, 2012, pp. 231-232, pp. 234-237）

このように、キャンパス探検など、授業の一環でフィールドトリップを行うことで、社会文化行動を中心としたインターアクション能力が育成されることが分かる。中井（2012）では、村岡（2003）を参考に、表1-2のように、母語話者と非母語話者が参加する「アクティビティ」を（1）言語的アクティビティと（2）実質的アクティビティに分けて定義している。（1）言語的アクティビティは、4.1で見た初対面の会話のように社会言語行動を中心としたインターアクション能力を発揮する場として授業活動に取り入れることができるだろう。一方、（2）実質的アクティビティは、4.2で見たキャンパス探検のように社会文化行動を中心としたインターアクション能力を発揮する場として授業活動に取り入れることができるだろう。

表1-2 アクティビティの定義（村岡, 2003; 中井, 2012, p. 52）

アクティビティ	日常生活において母語話者や非母語話者が参加する活動 すべてのアクティビティは、実質行動が基盤となっている
(1) 言語的 アクティビティ	社会言語行動をすること自体が主な目的になっており、実質行動のほとんどが社会言語行動になっている活動 例）初対面の会話、雑談、相談、対話、討論、面接、講義
(2) 実質的 アクティビティ	実質行動（社会文化行動）を行うこと自体が主な目的になっており、実質行動に社会言語行動や言語行動も付随的に含む活動 例）観光、キャンパス探検、買い物、スポーツ、料理

さらに、学習者が日常生活で様々なアクティビティに参加していくことによって、日本語の学習環境や使用領域がより広がっていくことになる。近年は、対面だけでなく、オンラインによるアクティビティの種類や参加の機会も増え、より多様な参加形態のあり方も検討していくことが望まれよう。学習者は、様々な場面で会話によって様々な人々とインターアクションを行いながら人間関係を構築していく。学習者が様々なインターアクションの場に参加するためのネットワーク構築を図りながら[4]、社会参加の機会を広げ、自己実現のためのキャリア形成を行えるように支援していくことが会話教育で求められると言えよう。

4）ネウストプニー（1995）によると、インターアクション能力はOxford（1990=宍戸・伴, 1994和訳）のいう6つの言語学習ストラテジー（記憶、認知、補償、メタ認知、情意、社会的）によって習得されるとし、その中でも「社会的ストラテジー」が最も重要であるという。「社会的ストラテジー」には、知らない人などの会話や活動に参加する「行動ネットワークに加入するストラテジー」、友人などの「グループネットワークに加入するストラテジー」、協力志向・思いやりなどによる「ネットワークへの適応能力を高めるストラテジー」、テレビや映画などの「メディアネットワークに参加するストラテジー」と、これらの「ネットワーク加入を維持するストラテジー」などがあるとしている（ネウストプニー, 1999）。

5. 母語話者の歩み寄りの姿勢

会話を行う場合、学習者が一方的に日本語の特徴を学んで積極的に会話に参加していこうとするだけでは、うまくいかない。表 1-3 のように、会話相手となる母語話者も、学習者の日本語レベルに合わせて言語行動、社会言語行動、社会文化行動を適切に行えるインターアクション能力が必要となる。つまり、学習者と母語話者双方が「歩み寄りの姿勢」(岡崎, 1994; 中井, 2012) を持つことが重要であると言える。なお、母語話者の「歩み寄りの姿勢」は、接触場面の会話データを分析する活動（中井, 2018a）や、実際に学習者と会話して接触場面を体験して振り返る活動（中井他, 2022; 2024）などによって、醸成されていくと考えられる。

表 1-3　母語話者に必要とされるインターアクション能力（中井, 2012, p. 128 一部改変）

言語能力	語彙選択、意味交渉、発音・スピードの調整、外国語能力
社会言語能力	話題維持、発話量管理、話題選択、メタ言語表現での言い換え、ジェスチャー使用など
社会文化能力	相手への理解・興味、楽しい場づくり、課題解決、実質行動への配慮など

6. 会話教育で目指すこと

以上、会話教育を行う際に必要となる会話の概念、インターアクション能力を中心にした会話能力、および、実際の会話の特徴を探るための会話データ分析の例、日本語母語話者の歩み寄りの姿勢について見た。こうした概念や具体的な会話の特徴を考慮に入れた上で、指導学習項目や授業活動を十分に検討し、会話教育を行うといった「研究と実践の連携」が重要であると言える。なお、言語行動、社会言語行動、社会文化行動といったインターアクションに関する会話指導学習項目は、中井（2012）に詳しい。

会話教育で目指すことは、学習者が日本語を用いて様々な社会場面に積極的に参加し、その中で円滑なインターアクションを行いながら人間関係を形成していける会話能力の育成を行うこと、またそれによって、学習者が自己実現のためのキャリア形成を行っていけるように支援していくことであると言えよう。

やってみよう！

(1) 図 1-1「会話の種類と機能」、または、表 1-2「アクティビティの定義」の中から、会話を 1 つ選んで、関連する会話データ分析の文献を調べ、どのような会話の特徴があるかまとめましょう。
(2) (1) でまとめた会話の特徴をもとに、どのように会話教育が行えるか考えましょう。

【付記】本章は、中井（2012; 2018b）をもとに加筆修正を行った。

参考文献

岡崎 敏雄（1994）「コミュニティにおける言語的共生化の一環としての日本語の国際化－日本人と外国人の日本語－」『日本語学』13 (13), 60-73.

国立国語研究所（1994）『日本語教育映像教材中級編関連教材　伝えあうことば　4 機能一覧表』

中井 陽子（2002）「初対面母語話者／非母語話者による日本語会話の話題開始部で用いられる疑問表現と会話の理解・印象の関係－フォローアップ・インタビューをもとに－」『群馬大学留学生センター論集』2, 23-38.

中井 陽子（2004）「話題開始部／終了部で用いられる言語的要素－母語話者及び非母語話者の情報提供者の場合－」『早稲田大学日本語研究教育センター 講座日本語教育』40, 3-26.
http://hdl.handle.net/2065/3399（2023 年 12 月 1 日閲覧）

中井 陽子（2012）『インターアクション能力を育てる日本語の会話教育』ひつじ書房

中井 陽子（2018a）「会話データ分析の手法を学ぶための授業実践－学部生の学びの分析からの考察－」『東京外国語大学論集』97, 203-225.
https://tufs.repo.nii.ac.jp/records/6682（2023 年 12 月 1 日閲覧）

中井 陽子（2018b）「基調講演　インターアクション能力を育てる会話教育のための理論・分析」『二〇一六年度メキシコ日本語教師会紀要』36-47. https://docs.wixstatic.com/ugd/5ca4e3_cb6ee9c755f74347ba5146e7f2a456dc.pdf（2023 年 12 月 1 日閲覧）

中井 陽子, 丁 一然, 夏 雨佳（2022）「オンライン日中交流会の利点と留意点－日本留学を目指す中国人学習者と日本の学部・大学院生の感想の分析をもとに－」『東京外国語大学国際日本学研究』2, 113-136. https://tufs.repo.nii.ac.jp/records/5665（2023 年 12 月 1 日閲覧）

中井 陽子, 丁 一然, 夏 雨佳（2024）「オンライン日中交流会を通した日本側学生の学び―日本語教育人材の養成・研修の観点から―」『東京外国語大学国際日本学研究』4

ネウストプニー J.V.（1982）『外国人とのコミュニケーション』岩波書店

ネウストプニー J.V.（1995）『新しい日本語教育のために』大修館書店

ネウストプニー J.V.（1999）「言語学習と学習ストラテジー」宮崎 里司, ネウストプニー J.V.（編）『日本語教育と日本語学習－学習ストラテジー論にむけて－』第 1 章, くろしお出版, 3-21.

南 不二男（1974）『現代日本語の構造』大修館書店

村岡 英裕（2003）「アクティビティと学習者の参加－接触場面にもとづく日本語教育アプローチのために－」宮崎 里司, ヘレン マリオット（編）『接触場面と日本語教育－ネウストプニーのインパクト－』明治書院, 245-259.

Brown, Gillian., & Yule, George. (1983). *Discourse analysis*. Cambridge: Cambridge University Press.

Jakobson, Roman. (1963). *Essais de linguistique générale.* Paris: Éditions de Minuit.（川本 茂雄（監修）田村 すゞ子, 村崎 恭子, 長嶋 善郎, 中野 直子（訳）(1973)『一般言語学』みすず書房）

Kato [Nakai] Yoko. (1999). Topic shifting devices used in Japanese native/native and native/non-native conversations. *Japanese Language and Literature, 36* (1), University of Minnesota: MA thesis.

Oxford, Rebecca L. (1990). *Language learning strategies: What every teacher should know*. Boston: Heinle & Heinle.（宍戸 通庸, 伴 紀子（訳）(1994)『言語学習ストラテジー－外国語教師が知っておかなければならないこと－』凡人社）

Tannen, Deborah. (1986). *That's not what I meant!: How conversational style makes or breaks relationships*. New York: Ballantine Books.

第２章　会話教育のための授業デザインと実践

中井 陽子

考えてみよう！

（1）会話練習活動には、どのようなものがあるでしょうか。
（2）（1）の会話練習活動の効果と問題点は何でしょうか。

1. はじめに

会話授業を実際にどのようにデザインすればよいのかについて検討する。まず、中井（2012a; 2012b）をもとに、授業をデザインする際に考慮すべき枠組みについて紹介する。これをもとに、今後の様々な日本語教育現場での会話授業を考える際のヒントを示す。

2. 会話授業のデザインの枠組み

会話授業のデザインの枠組みとして、(1) インターアクションの対象、(2) 計画性／即興性と練習／実際使用、(3) FACT と ACT の二分法、(4) メタ認知力の向上、(5) 会話授業の基本的な３段構成、(6) 学習指導法の４類型、という６つの概念を概観する。

2.1 インターアクションの対象

学習者がインターアクションを行う対象としては、図 2-1 のように、「学ぶ対象」、「自己」、「教師」、「仲間の学習者」、「授業外の人」が挙げられる（中井, 2012b）[1)]。まず、「学ぶ対象」は、教科書の他、映像や映画、アニメなどがある。学習者が「学ぶ対象」と向き合い、その内容を分析・解釈して深

1）インターアクションの対象は、舘岡（2007; 2011）の対話の対象を参考にしている。舘岡（2007）は、読解のピアリーディング活動において、学習者が「学ぶ対象」、「自己」、「仲間の学習者」と「対話」することによって、学びが促進するとしている。「学ぶ対象」とは、学習者を取り巻く社会や世界のことであり、学習者がテキストを読んで理解する過程で、テキストやその作者との対話が起きるという（舘岡, 2007; 2011）。また、「学ぶ対象」との対話を通して、学習者は「自己」と対話しながら自己の考え方を吟味し、内省を深めるという（舘岡, 2007）。

く理解した上で、その中から自身が学ぶべきことを積極的に見つけていくことが重要である。また、学習者が「学ぶ対象」と向き合う際、自身がそれに対してどのように考えるのかについて、自己と対話することになるため、「自己」もインターアクションの対象となる。さらに、教室内では「教師」や「仲間の学習者」ともディスカッションや協働を行ったりしてインターアクションを行う。その他に、「授業外の人」(例：授業ボランティア、インタビュー相手、観客)もインターアクションの対象となりうる。これらのインターアクションの対象を多様にすることで、よりインターアクティブな授業が行えると言える。

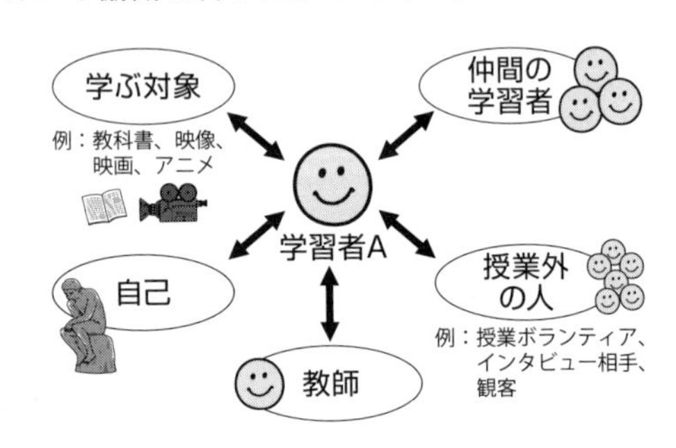

図 2-1　インターアクションの対象

2.2 計画性／即興性と練習／実際使用

図 2-2 は、会話授業で行う活動が「計画性／即興性」および「練習／実際使用」のどれに当てはまるかを横軸と縦軸から示したものである。まず、横軸は、会話活動が「計画性」の強いものか「即興性」の強いものかを示している。「計画性」の強いものとは、原稿やシナリオなどを作成・推敲するといった準備を十分に行った後に話す活動である。一方、「即興性」の強いものとは、特に事前に準備を行わずに、その場で考えながら話す活動である。

次に、縦軸は、会話活動が「練習」か「実際使用」のどちらに近いかを示している。会話授業を行う際、モデル会話の暗唱や口頭ドリル練習といった「練習」を行うことが一般

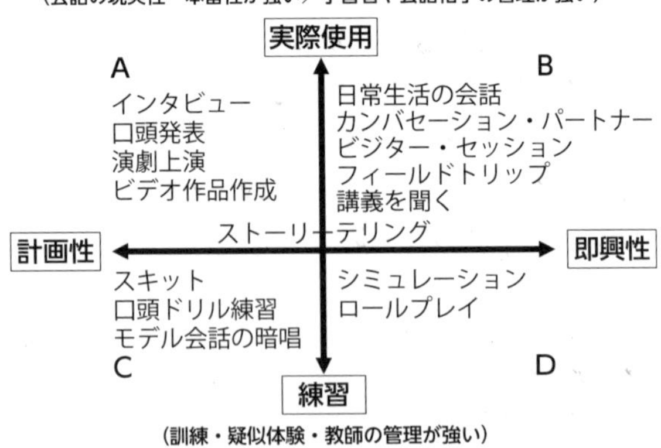

図 2-2　計画性／即興性と練習／実際使用の関係
(中井, 2012a, pp. 145-146 一部改変)

的であろう。「練習」は、暗唱やスキット作成など、ある程度あらかじめ準備しておいて話す「計画性」の強い「練習」(C 領域)と、シミュレーションやロールプレイのようにその場で会話を組み立てながら考えて話す「即興性」の強い「練習」(D 領域)に分けられる。一方、こうした架空の状況設定で疑似的に行う「練習」だけでなく、実際の状況設定の中で本当のコミュニケーションを行う「実際使用」(ネウストプニー, 1995)がある。インタビュー、口頭発表、演劇上演などは、質問する内容や話す内容をあらかじめ準備しておく「計画性」の強い「実際使用」である(A 領域)。そして、日常生活の会話をはじめ、授業外で母語話者と会話を行うカンバセーション・パートナーや、授業に母語話者を呼んで話すビジターセッション、教室の外に出かけて学習するフィールドトリップなどは、その場で考えながら話す「即興性」の強い「実際使用」だと言える(B 領域)[2)]。

こうした練習と実際使用をインターアクション(言語行動、社会言語行動、社会文化行動)の枠組み(第 1 章参照)に当てはめて考えると、次のような授業活動が考えられる。まず、「言語行動」では、単語クイズ、文型練習、発音練習、ディクテーションといった「練習」を行った後、映画やアニメなどのアフレコ(after-recording)で「実際使用」を行い、語彙や文型、発音を定着させるなどの活動が考えられる。また、「社会言語行動」では、一連の会話のまとまりを持つロールプレイなどの「練習」を行ったり、見たことやしたことについて語るストーリーテリングや、スピーチ、インタビューなどの「実際使用」を行ったりする活動が考えられる。そして、「社会文化行動」では、お辞儀しながら挨拶するといったマナーを身に付ける「練習」を行う他、映画の内容予測をしたり、視聴した映画に対する意見・感想を述べ合ったり、研究発表を行ったりするなどの「実際使用」を行う活動が考えられる。

この他に、インターアクションの「実際使用」の例として、日本語の授業にビジターを呼んで会話相手をしてもらったりする活動も挙げられる。また、名所にフィールドトリップに行き、グループの人とその場で見たものについて言及しながら楽しく会話したりする「実際使用」も考えられる[3)]。キャン

---

2) 「実際使用」に関する先行研究は、中井他 (2022) を参照。

3) 「実際使用」としてのフィールドトリップの意義については、五感を通した学び、自律的な課題解決の場、友好な関係作り、教室内と教室外を繋ぐ中間的存在などが挙げられている (中井, 2012a, pp. 243-245)。

パス探検（中井, 2012a）もその一例である。その他、日本人家庭へのホームステイやホームビジット、日本の小学校、中学校、高校などへの学校訪問もインターアクションの「実際使用」の機会となるだろう。さらに、オンライン交流会（中井他，2022; 2024）を授業活動に取り入れてみるのも「実際使用」の良い機会になるだろう。

なお、「実際使用」の活動を行う際は、事前に想定される会話を十分に練習しておく、関連する情報を収集しておくなどの準備が必要である。そして、「実際使用」の活動後は、それを振り返る活動も必要であろう。

2.3 FACT と ACT の二分法

会話授業を FACT（宣言的知識 declarative knowledge）と ACT（手続き的知識 procedural knowledge）の２段階に分けて行うことも重要である（Jorden, 1987; Jorden & Walton, 1987; Christensen & Noda, 2002; 中井, 2003; 2004; 2012a）。

まず、FACT の授業では、語彙や文法などの言語行動の他、社会言語行動、社会文化行動についての知識を導入し、ディスカッションする。そして、ACT の授業では、FACT の授業で得た知識を実際に何度も繰り返して使ってみて身に付けさせる。ACT には、2.2 で見た会話の「練習」だけでなく、「実際使用」も含まれる。

そして、FACT と ACT の授業を意識的に連携させて授業をデザインすることが重要である。例えば、教師の文法説明をひたすら聞くだけの FACT の授業ばかりだと頭の中の知識は増えるかもしれないが、実際に会話ができる運用能力が付かないだろう。反対に、ひたすら反復させる「練習」をしたり、常に「実際使用」を強いたりする ACT の授業ばかりだと学習項目についての気づきや知識の整理に時間がかかってしまうと言える。

2.4 メタ認知力の向上

会話の「練習」や「実際使用」をひたすら繰り返し行うだけでは、学習者が自身の良い点や改善点、進歩に気づいて、それをさらに伸ばしたり、改善したりすることが難しい。自身の会話を分析的に捉え、改善点を考えることが重要である。あるいは、他者の会話を分析的に観察して、良い点、改善点を考えてみることも自身の会話を振り返る上で参考になる。こうした能力を

「メタ認知力」と言う。中井（2012a, p. 266）は、三宮（1995）を参考に、メタ認知力について「自己と他者による会話に関する知識をもち、自己の会話を客観的にモニターして調整していく能力」と定義している。つまり、メタ認知力を高めることによって、学習者達は自律的に自身の会話能力を向上させていくことができると言える[4]。

2.5 会話授業の基本的な３段構成

上述の FACT と ACT、メタ認知力の概念を会話授業のデザインに取り入れると、図 2-3 のような３段構成で考えることができる（中井, 2003）。

まず、「①インターアクションに関する知識導入（FACT）」において、言語行動、社会言語行動、社会文化行動に関する知識を導入する。そして、「②インターアクションの実践（ACT）」において、FACT で学んだ知識を「練習」や「実際使用」のかたちで実際に使用し、運用能力を高める。その後、「③振り返り（内省）」で、ACT で行った自身の会話を振り返り、良かった点や改善点、進歩などを自己モニターして分析する。特に、会話振り返りシートの記入やそれをもとにしたディスカッション、あるいは、自身の参加する会話を撮影したビデオを視聴しながら教師や他者からのフィードバックを受けるなどが有効である。これにより、振り返りで意識化したことに注意して、次の会話を行うことができるため、学習者の自己改善力が育成されやすくなる。なお、メタ認知力は、特に「③振り返り（内省）」で発揮されやすいが、FACT や ACT の各段階でも、常に自身の会話の状態を分析的にモニターすることも可能であるため、必要な時に発揮されることが望ましい。

このように、インターアクションの知識の導入（FACT）をした後に、実際にその知識を文脈の中で反復して用いる「練習」や「実際使用」（ACT）を行い、その後に、自らの会話について振り返り、意識化する（内省）という過程の繰り返しが必要であると考える。

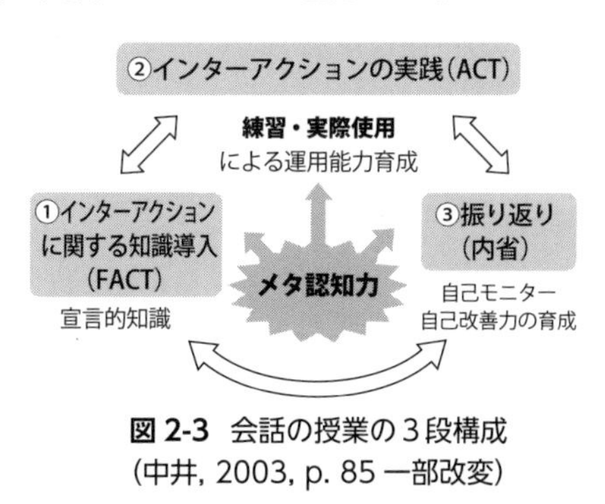

図 2-3　会話の授業の３段構成
（中井, 2003, p. 85 一部改変）

4）自己や他者の会話データを分析することによりメタ認知力を高める活動例は、中井（2012a）などを参照。

なお、この３段階の順番や時間のかけ方は、授業の目標や学習者のレベルやニーズ、活動内容を考慮に入れて、臨機応変にデザインするべきであろう。

2.6 学習指導法の４類型

会話授業をデザインする際、各活動に教師がどの程度介入し、学習者の自律性をどの程度活かしたらよいかも考慮しなければならない。森（2002）は、言語心理学、認知心理学の観点から、図2-4のような「学習指導法の４類型」を提案している。縦軸の「認知的成果を重視」する活動は、言語や文化の知識を理解したり発見したりするFACTの授業が中心になる。一方、「行動的成果を重視」する活動は、知識を実際に使用してみるACTの授業が中心になる。さらに、横軸の「指導中心」は、教師主導で授業活動を行っていくものである。一方、「支援中心」は、学習者主体で活動を行うため、参加型、自律型の学習だと言える。

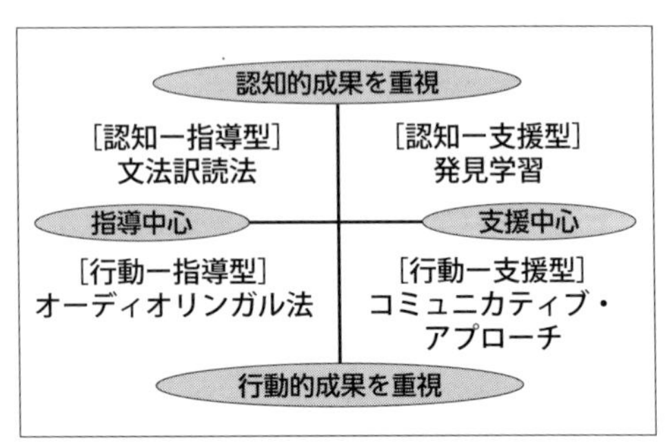

図 2-4 学習指導法の４類型
（森, 2002 筆者一部改変）

実際の会話授業をデザインする際は、学習者の日本語レベルや特性、ニーズ、ビリーフなどを考慮してこの学習指導法の４類型のどれをどの程度行っていくべきか考える必要がある。例えば、初級レベルの場合は、「指導中心」で教師の手助けを多くし、日本語レベルが上がるにつれて、「支援中心」で学習者の自律性を高めていくような授業デザインをすることが考えられる。あるいは、１学期間のコースのはじめは「指導中心」で授業活動に慣れさせ、コースが進むにつれ、徐々に学習者の主体性に任せて活動を行う「支援中心」に移行していくことも有効だと考えられる[5)]。

5)「指導中心」の会話データ分析活動から、「支援中心」のビデオ作品作成プロジェクトを段階的に行っている会話授業例は、中井（2012a）参照。

3. まとめ

以上、会話授業をデザインする際に参考になる枠組み（計画性／即興性と練習／実際使用、FACT と ACT の二分法、メタ認知力の向上、会話授業の基本的な３段構成、学習指導法の４類型）について概観した。これらの枠組みを考慮に入れることで、学習者が段階を踏みながら、自律的に会話能力を向上させていけると考えられる。

やってみよう！

（1）これまで自分が受けてきた様々な授業（例：言語、技能、知識を学ぶなど）や担当した授業、技術を教わったり教えたりした経験（例：料理、運動、音楽など）を思い出してください。そして、それらの中で行った活動を図 2-2「計画性／即興性と練習／実際使用の関係」に当てはめて、どのような効果があったかまとめましょう。

（2）（1）の経験を図 2-4「学習指導法の４類型」に当てはめて、それぞれの特徴をまとめましょう。

【付記】本章は、中井（2012a; 2018）をもとに加筆修正を行った。

参考文献

三宮 真智子（1995）「メタ認知を促すコミュニケーション演習の試み『討論編』－教育実習事前指導としての教育工学演習から－」『鳴門教育大学学校教育研究センター紀要』9, 53-61.

舘岡 洋子（2007）「ピア・ラーニングとは」池田 玲子, 舘岡 洋子（著）『ピア・ラーニング入門－創造的な学びのデザインのために－』第 3 章, ひつじ書房, 35-69.

舘岡 洋子（2011）「協働による学びがはぐくむことばの力－『教室で読む』ということをめぐって－」『早稲田日本語教育学』9, 41-49. http://hdl.handle.net/2065/31743（2023 年 12 月 1 日閲覧）

中井 陽子（2003）「談話能力の向上を目指した会話教育－ビジターセッションを取り入れた授業の実践報告－」『早稲田大学日本語研究教育センター講座日本語教育』39, 79-100. http://hdl.handle.net/2065/3395（2023 年 12 月 1 日閲覧）

中井 陽子（2004）「談話能力の向上を目指した総合的授業－会話分析活動と演劇プロジェクトを取り入れた授業を例に－」『小出記念日本語教育研究会論文集』12, 79-95. http://www.koidekinen.net/2004_12/nakai.php（2023 年 12 月 1 日閲覧）

中井 陽子（2012a）『インターアクション能力を育てる日本語の会話教育』ひつじ書房

中井 陽子（2012b）「映画視聴と演劇上演を融合させた授業の分析－インターアクション能力育成を目指して－」『IAPL オンラインジャーナル』1, 1-28. http://performinglanguage.net/wp-content/uploads/journal1/01nakai.pdf（2023 年 12 月 1 日閲覧）

中井 陽子（2018）「ワークショップ（導入）会話授業のデザインと授業例の紹介－インターアクション能力育成を目指して－」『二〇一六年度メキシコ日本語教師会紀要』48-64. https://docs.wixstatic.com/ugd/5ca4e3_cb6ee9c755f74347ba5146e7f2a456dc.pdf（2023 年 12 月 1 日閲覧）
中井 陽子, 丁 一然, 夏 雨佳（2022）「オンライン日中交流会の利点と留意点－日本留学を目指す中国人学習者と日本の学部・大学院生の感想の分析をもとに－」『東京外国語大学国際日本学研究』2, 113-136. https://tufs.repo.nii.ac.jp/records/5665（2023 年 12 月 1 日閲覧）
中井 陽子, 丁 一然, 夏 雨佳（2024）「オンライン日中交流会を通した日本側学生の学び－日本語教育人材の養成・研修の観点から－」『東京外国語大学国際日本学研究』4
ネウストプニー J.V.（1995）『新しい日本語教育のために』大修館書店
森 敏昭（2002）「学習指導の心理学エッセンス」海保 博之, 柏崎 秀子（編）『日本語教育のための心理学』10 章, 新曜社, 153-176.
Christensen, Matthew B., & Noda, Mari.（2002）. *A performance-based pedagogy for communicating in cultures: Training teachers for East Asian languages*. The Ohio State University: National East Asian Languages Resource Center.
Jorden, Eleanor H.（1987）. The target-native and the base-native: Making the team. *Journal of the association of teachers of Japanese, 21*（1）, 7-14.
Jorden, Eleanor H., & Walton, A. Ronald.（1987）. Truly foreign languages: Instructional challenges. In Lambert, Richard D., & Heston, Alan W.（Eds.）, *The annals of the American academy of political and social science, 490*, 110-124.

第3章　会話能力の測定と評価

鎌田 修

考えてみよう！

(1) 会話教育の大切な目的の1つは会話能力を高めることですが、そもそも会話能力は、どのように測り、どのように高い・低いという判定が下せるのでしょうか。これまで受けてきた会話教育も振り返り、考えをまとめてみましょう。
(2) 会話は様々な場面において様々な話題で成り立っています。どのような場面でどのような話題が話しやすい、あるいは、話しにくいと思いますか。具体的な例を挙げて考えてみましょう。

1. はじめに

文字の発明以来、何千年もの昔から書き言葉の研究は行われているが、話し言葉、ましてや、会話の研究、とりわけ、会話分析や談話分析と称されるものになると極めて新しい分野になる。さらに、外国語（「第二言語」、以下「L2」[1]）の会話能力[2]の「測定、評価」となるとほとんど手が付け加えられていない分野だと言えよう。世界的に知名度の高いTOEFL（米国の大学に入学するために必要とされる英語能力のテスト）においても、Speaking部門が導入されたのは2005年とごく最近である。1984年開始の日本語能力試験（JLPT）も、幾度かの試みはなされたものの、いまだ会話能力を評価する領域は存在しない。世界の外国語教育に影響を与えている『ヨーロッパ言語共通参照枠（CEFR）』（Council of Europe, 2001）も、「言語学習」ではなく「言語使用」というコミュニケーション的観点から能力レベルの基準を示すことに寄与してはいるものの、どう測るか、どう評価するかについて

---

1) Second Languageの略で、母語以外の言語を指すため、Third Language（L3）なども含む。個人、あるいは、民族によってはL4、L5などもあることに要注意。
2) 本章では会話能力と会話力との間に厳密な区別は認めない。また、本章では断りのない限り、第二言語（非母語）による会話能力、会話教育を念頭に置く。

は自己判断、あるいは、教育関係者に任せ、それ以上のものはないようだ。

このような状況下において、米国外国語教育協会（以下、ACTFL[3]）が1960年代より開発を始めたOral Proficiency Interview（以下、OPI）と称する「面接式口頭能力測定」は、唯一、公的なテストとして広く利用され、多大な影響力を及ぼしている[4]。本章は、会話能力を測定するには、どのようにデータを集め、さらに、それをどのように評価するのかという根源的な問題についてOPIを参照しながら考察を試みる。日々、教室において行われるダイアローグ（モデル会話）、パターン・プラクティス（文型練習）、ロールプレイなどの会話練習の根底をなす会話能力の測定・評価法について具体的に考え、会話教育の向上を目指す。

なお、ここでは「測定」とは、当該の能力を何らかの尺度（物差し）を使って示すことを意味する。一方、「評価」は測定されたものに対し、「高い」「低い」「よくできる」「あまりできない」などの「判定」を下すこととする。例えば、100メートルを9秒で走るという「測定」は人間にとっては超人的な速さと言えるが、チータにとってはむしろ「ナマケモノ」のレベルの遅さと「評価」されることになる。言語能力の場合、N1～N5、初級～上級などのラベリングがなされるのも同様である。きちんとした測定なくして、きちんとした評価もあり得ない。

2. 会話能力測定の原点

2.1 プロフィシェンシー、言語使用者、妥当性

どのようなテストも、その目的によっておおよそ次の2つのタイプに分けられる。

（A）アチーブメントテスト：あらかじめ設定された学習課題をどれだけ達成したかを測る、いわゆる「達成度テスト」と言われるもの。

（B）プロフィシェンシーテスト：受験者の学習履歴とは関係なく、テスト時における実力を測る、いわゆる、「実力テスト」と言われるもの。

---

3) American Council on the Teaching of Foreign Languagesの略。

4) 100近くの言語で行われている。https://www.actfl.org/assessments/postsecondary-assessments/opi（2023年12月1日閲覧）

会話能力の測定においても、この区分は重要である。例えば、『みんなの日本語初級』の第1課から第15課までを出題範囲とし、日本語会話を行うのに必要な語彙や文型などの学習項目をどれだけ達成できたかを問うのは「アチーブメントテスト」に当たる。いわゆる、レッスンテスト、中間テスト、期末テストなどがそれに該当する。一方、そのような学習環境、学習範囲とは関係なく、「今、ここで、どんなレベルの会話が行えるか」を問うのが「プロフィシェンシー（実力）」の測定テストになる。本章の課題は、言うまでもなく、会話能力の「実力（プロフィシェンシー）」をどう測定し、どう評価するかを示すことである。

さらに、会話能力の実力測定にとって大切な点をいくつか取り上げる。まず、当該の学習者を「言語学習者」ではなく「言語使用者」（Cook, 2002）として捉えることである[5]。語彙量、文法的知識などからなる学習の量は確かに大きな意味を持つが、だからと言って適切な会話ができること、つまり、プロフィシェンシーが高いことにはならない。言語を学習することと言語を使用できることは別物であり、会話能力とは言語使用を介した会話によるコミュニケーション活動を達成する能力だからである。

このことは、テストに不可欠な「妥当性（validity）」という概念にも関連する。会話の実力測定であるにも関わらず、会話文を読ませるとか、対話文の一方（例えば、質問文）をテスト用紙の上で与え、それに書いて答えさせるということも極めて妥当性の低い、測るべきものが測れていないテストとなる。アチーブメントを測る場合はまだ許せるとしても、それで会話能力のプロフィシェンシー測定を行ったことにはならない。L2による会話能力の測定はL2使用を介したコミュニケーション活動における会話活動そのものを観察対象にすることで高い妥当性が保たれ、その結果、当該の話者の真のプロフィシェンシーを示すことができると言えよう[6]。

---

5)「言語（日本語）使用者」という概念は母語話者と非母語話者の区別を問題にしない。ここでは取り扱わないが、「日本語話者」という概念はさらに中立的な言語使用者を示す。本章では「日本語使用者」を用いる。

6) 日本語教育の現場に立った評価法については、伊東（2022）が大変参考になる。

2.2 接触場面

ここで測定の対象となる「会話場面」とはどのようなものか見ておく。その表し方は研究者によって多少の異なりが見られるが、概ね次の表 3-1 のようになるだろう。また、ここでは単なる会話場面というより、様々な言語能力差のある非母語話者（L2 使用者）が母語話者と接し何らかのインターアクションを行う場である「接触場面」という用語を使う（ネウストプニー, 1995; Fan, 1994; ファン, 2003; 鎌田, 2002; 2003; 2004）。

表 3-1　日本語を介した接触場面の構成要素

話し手	日本語非母語話者
聞き手	日本語母語話者／日本語非母語話者（複数も可）
対人関係	母語話者／非母語話者、親疎、上下など
場面	路上、スーパー、レストラン、病院など
課題（機能）／内容	挨拶、買い物、道案内、病状説明など
言語形式	発音、語彙、文法、談話的要素、社会言語的要素、言語文化的要素、ノンバーバル要素（表情、ジェスチャーなど）

ここで使われている用語にそれほどの説明は必要ないだろうが、専門性のあるものだけ少し取り上げておく。「対人関係」における「親疎」とは、親しい、あるいは、疎遠な間柄、「上下」は社会的地位における上司や部下、先輩や後輩などを指し、私達は、それらの違いによってスピーチスタイル（砕けた、改まったなど）を決めていることを意味する。また、「言語形式」における「談話的要素」とは、語句や文などを接続詞などで結束させたり、また、意味的に筋の通った「談話」（一般に、文より長い話のまとまり）を作ったりするための言語手段を示す。「社会言語的要素」「言語文化的要素」とは社会的、文化的環境に左右される、例えば、敬語、若者言葉などの表現選択に影響を与える要素を示す。

スーパーで、郵便局で、あるいは、学校や職場でと、最近は日本語を母語としない人達が日本語を介してコミュニケーション活動（挨拶、買い物、商品説明など）を行っている接触場面に出くわすことは珍しくない。そこではお互いの意思疎通のために母語話者同士以上に多様な言語調整を含むインターアクションが行われているのは想像に難くない。例えば、ある時には英語や中国語にスイッチしたり、ある時には、言葉は諦めて、ジェスチャーに頼ったりして目的を果たす。そして、そのようなコミュニケーションを達成するために様々な手段が講じられる場面こそ、お互いの会話能力が発揮される原点、プロフィシェンシーの源点と言えよう。

具体的な例として、筆者（KA 日本語母語話者）が経験したベトナムの路上でのバイクタクシー運転手（YO ベトナム人日本語使用者）との接触場面の1コマを紹介する。以下は、YOが筆者を客としてバイクに乗せ、市内を回ろうとしている30秒足らずの情景を文字に起こした場面である。

接触場面例（1）ベトナム（ホーチミン市）の路上で行われた交渉場面

1 YO：ここに iro のこりますか？
2 KA：え？
3 YO：ここに ironi のこりますか？
4 KA：ここにはね、昨日きて
5 YO：昨日？
6 KA：うん
7 YO：昨日、〔あー〕
8 KA：　　　〔昨日〕きて
9 YO：明日、かえる？
10KA：明日、〔えー〕
11YO：　　　〔明日〕かえる
12KA：いや、えーとあの、土曜日
13YO：え、土曜日
14KA：土曜日の5日に
15YO：ホチミンやすみ
16KA：休み？
17YO：休み
18KA：うーん、何をしているんですか？　今
19YO：あなたはー、うーん、ホチミン何回ですか？
20KA：ホーチミン初めて
21YO：初めて

YO の発話 1 と 3 はローマ字とひらがなでなんとか表記したものの、聞き手の KA には何が言いたいのかはっきり分からず、聞き取れた部分を「ここに残りますか」と解釈し、4 のように返答した。ここの YO と KA とのコミュニケーションはほとんど成り立っていないことが分かる。その後、5 から 17 にかけては、なんとかコミュニケーションが行われているが、18KA からの質問に YO は全く関係のない発話 19 を返し、再び、コミュニケーションが成立しなくなっている。このように、YO 自身は自分の知っている（記憶している）表現はそのまま使えるが、単に記憶しただけのもので、常に、聞き手 KA が「察し」を入れなければならず、「バランス」[7] の悪い状態が続く。YO がこれらのバランスを調整するには、かなりプロフィシェンシーを上げなければならない。表 3-1 を利用すると、この接触場面をさらに詳しく観察することができるが、ここでは紙幅の関係上、割愛する。

最後に、非常に大切なことを述べてこの節を閉じる。「どのような接触場面もその場面を成り立たせるための機能（目的、内容）があり、それが言語化されることで表面化する」ということである。どのような会話場面も、最初に言葉があるのではなく、何らかの機能（目的、内容、テーマ）が話者の間にあり、それが言語化されるのである。また、言語化は無声の場合もありうる[8]。偶然出くわした旧友に懐かしい気持ちを表したくなり（「感情表出」という機能・内容・目的）、「お、久しぶり。どうしてる？」と言語化することは誰にでもあるだろう。あるいは、驚きを示すジェスチャー（顔の動きなど）だけで表すこともある。一般に私達は言語的に表面化したものだけで物事を判断しがちで、その奥にある、言語化を必要とした理由（機能、目的）を考えない。会話能力の測定も同様、表出した言語形式だけを見ていては、不十分である。「当該の接触場面を成立させている機能（内容、目的）はどのようなものか」、そして、それはどう言語化されたか、接触場面全体を一塊のものとして捉え、測定、評価を行う必要がある。

7）「バランス」という表現は話し手と聞き手が納得のいく、理解し合えるレベルに調整して会話を続けるという意味で使用している。

8）いわゆる「言い差し文」（白川, 2009）と言われるような文の末尾を明示的に音声化しないもの。
例：これ、つまらないものですけど……。

3. 会話能力の評価：OPI の場合

前節で考察した会話能力をプロフィシェンシー的観点から測定しようとする試みは様々なかたちで行われている。しかし、TOEFL がそうであるように、多くは人と人とのインターアクション場面（接触場面）を「原点」にするのではなく、インターネットを利用し、モニターに向かって質問に答え、それを録音し、後ほどそれを評価するというかたちが多い[9)]。接触場面は極めて個別性が高く、より客観的なテスト結果を示すには、環境に左右されない発話そのものだけを抽出し、それを評価することで結果の「信頼性（reliability）」[10)]を保つことが可能になる。しかし、それでは生きた人間の会話能力を測ったものにはならない。一方、OPI は、人を介した会話能力という点に最大のこだわりを持ち、場面だけ「面接」という形式に固定した上で、人間同士の自然な対話を展開する。かつ、どのような言語にも共通の会話能力基準に基づき、会話能力の測定、評価を行うという極意に迫ったものである。実際、OPI の「P」は “proficiency” を指し、それは “a speaker's functional language ability. … the ability to use the language effectively and appropriately in real-life situations.（現実世界において言葉を効果的にかつ適切に使用できる機能的言語能力）”（Swender & Vicars, 2012, p. 1）としている。

実は、OPI の原型は「接触場面」という用語が使われはじめた 1990 年代より遥か以前、第二次世界大戦終結時から米国国務省外交局（Foreign Service Institute）が外国に派遣される人々（外交官など）を対象に行っていた面接による会話能力測定である。そして、1960 年代に入り、当時発足したばかりの ACTFL がそれを一般の教育機関でも利用できるよう手を加え、目標言語を生活語としてコミュニケーションを行う環境である接触場面を想定して開発されたものである。例えば、日本に派遣される米国人外交官の日本語会話能力、台湾での宣教活動に従事する伝道師の中国語会話能力といった具合に、最初から外国語の「使用者」という前提で考えられ、1970 年代において *A Nation at Risk: The Imperative for Education Reform*（危機に瀕する

---

9) 由井他（2014）参照。世界中の言語の口頭能力測定方式の総覧作成を試みている。

10) 誰がテストしても同じ結果が得られるというテスト用語。

国家）（1983）と評されていた米国の貧弱な外国語教育を立てなおすきっかけとなった。このあたりの歴史的な事情は、Liskin-Gasparro（2003; 2014）、三浦（2020）を参照していただき、まずは、OPIとは何かから説明する。

3.1 OPIとは：Oral Proficiency Interview

OPIの大きな特徴は次の4点にまとめられる。

① 受験者と直接、あるいは、オンライン上で対面し、最長30分ほどのインタビューを行い、受験者が「現実世界において、どれほど、そして、どのような会話能力が発揮できるか」を測る。

② テスターは、「初級（Novice）」から「超級（Superior）」の能力レベル[11]の範囲で「難易度の異なる様々なタスクを提示」する。受験者が中級レベル（日常生活が送れるレベル）以上に関与すると思われる場合、「現実生活における会話を想定したロールプレイ」（以下、RP）も行い、能力判定に必要かつ十分な発話データを得る。

③ インタビューは、能力測定テストとは言え、テストであることをあからさまにはせず、極力、「自然な会話であることを目指す」。そのため、テスターは、インタビュー中メモを取るなど緊張を強いる行為は慎み、タスク[12]もRPも事前に用意するのではなく、会話の流れに沿って、自然発生的に考え出し、自然な会話の展開に努める。

④ テスターは、インタビュー中に得られる発話を聞きながら受験者の維持できる能力レベル（下限）と限界レベル（上限）を見極める。インタビュー後、録音した会話を聞きなおし、プロフィシェンシーガイドラインを参照の上、最終的評価を下す。

接触場面例（1）で見たような自然な会話場面を保ちつつ、受験者の会話能力を測るという至難の技がここで展開されている。バイクタクシーの運転手YOは自然にバランスの悪さ（OPIでは「上限」）を露呈したが、OPIではむしろ、テスターが自然に（しかし、計画的に）、易しいタスクや難しい

---

11) 能力レベル（プロフィシェンシーガイドライン）の詳細は3.3で述べる。

12) ここでいう「タスク」とは話題をもとにした課題を指す。例えば、話題が故郷であれば、受験者の故郷について詳述させることなどとなる。

タスクを与え、受験者の会話能力の下限と上限をあぶり出す。また、OPIは一期一会的な接触場面同様、それぞれの受験者自身を軸（主体）にして展開させるため、どれ1つとして内容的に同じものはないが、構造（手順）は、以下のような段階を必ず経るという点では同一である。

3.2 OPIの構造

どのOPIもインタビューの流れは次のようになる。

1）ウォームアップ：

簡単な挨拶などでウォームアップをし、
その間に簡単な会話ができるかどうかを確かめる。

⇩

2）レベルチェック：下限探し

容易なタスクを与え、受験者が楽に話せる
下限レベルを探す。

⇩⇧　（繰り返す）

3）突き上げ：上限探し

難易度の高いタスクを与え、受験者が話すのに
困難（挫折）を来たす上限レベルを探す。

⇩　（仮判定終了）

4）ロールプレイ：

インタビューとは異なる現実世界を想定したタスクをロールプレイとして与え、それまでの仮判定の検証を行う。

⇩

5）ワインダウン（締めくくり）：

受験者は「しっかり話した」、テスターは「しっかり調べた」という満足のうちにインタビューを終える。

ウォームアップ、レベルチェック、突き上げなどに要する時間はそれぞれのインタビューによって異なり、取り上げる話題の数も同様である。また、テスターはインタビュー中、終始、穏やかな顔で自然なおしゃべりを楽しむように努めなければならないが、心の中はかなり異なる。易しいタスクばかり与えていると、受験者は喜ぶだろうが、それでは受験者の上限が分からず、能力の幅が測定できないため、テストとしては「失敗」に終わってしまう。一方、難しいタスクばかり与えると、受験者の安定したレベルが判定できなくなってしまい、これもテストとしては失敗である。受験者が難なく話せる話題（能力の下限を示すもの）と困難を生じる話題（上限を示すもの）を話の流れをスムーズに保ちながら探していく。

「横振り」と称する、同じレベルで話題を複数与え、それらがこなせたら、そのレベルが維持できるものと判断する手法は大切だ。例えば、上級レベルの場合、旅行体験、小説の荒筋などを説明するタスクをいくつか「螺旋的」（横振りしつつ、縦に巻き上げるように）に与える。さらに上のレベルにどれくらい届くかを調べるために、安定しているレベルより一段難しい話題を与え、上限を確認する「突き上げ」（あるいは「縦振り」）という手法も同様に、重要である。例えば、上級レベルの「小説の主張点の説明」というタスクができた場合、それに対して、超級レベルの「小説の主張点に対する『反論』タスク」を与えること（「突き上げる」こと）により、当該の話者が超級に届くかどうかが判明する。

このように、OPIではインタビュアー（テスター）は受験者と交わす自然な会話の中で、「レベルチェック（下限探し）」「突き上げ（上限探し）」を螺旋的に展開させ、その後、「ロールプレイ（現実場面を想定した仮測定の検証）」を行うことで発話データを収集する。その上でL2話者の現実の生活場面（接触場面）における会話能力レベルを記した*ACTFL Proficiency Guidelines -Speaking-*（以下、「スピーキング・ガイドライン」）を参照し、最終的な評価を下すことになる。次で詳しく解説を行う。

3.3 ACTFL Proficiency Guidelines -Speaking-[13]（スピーキング・ガイドライン）の判定尺度とその構成

「スピーキング・ガイドライン」は、以下の（1）レベル、（2）能力記述についての説明から成る。最初に、「主要レベル」と呼ばれる、「初級、中級、上級、超級、卓越級」[14]の５レベルと、それに加え、初級から上級には「－上／－中／－下」の「下位区分」が設置されている。どのレベルも、まず、そのレベルの話者が総合的に「できる」ことを示す「グローバルタスク」と呼ばれる「機能的言語運用能力面」が、次に、それを言語的に表層化する「形式的言語運用能力面」の評価基準が示される。あわせて具体的内容（話題や活動）の例とともに、詳細な説明がなされている。

（1）レベル：

- 主要レベル＜超級、上級、中級、初級＞の説明
- 下位区分：初級～上級に「－上／－中／－下」の下位レベルを付与
  隣接する一段上の主要レベルとの重なり具合によって「－上」は上位主要レベルにかなり入るが、その主要レベルを維持できない。「－中」は安定して該当主要レベルに入る。「－下」は、そのレベルを維持しているが、一段下の主要レベルに落ちる可能性があることを示す。例えば、「中級－上」は「上級」の能力をかなり持っているが、「上級」を維持できるほどではない、「中級－下」は「中級」をかろうじて維持しているが、「初級」に落ちる可能性も有していることを意味する。

（2）能力記述

機能的言語運用能力：

言葉を使ってコミュニケーション自体を遂行する能力。活動自体の複雑さ、予測可能性の高低、対人関係の社会的距離（上下）、親しみ度（親疎）などによって難易度が決まる。常々繰り返され、単純かつ予測しやすく、親しみのあるものほど容易なものとする。複雑でなく、日々繰り返され、パターン化した日常生活が送れる（生き残れる）レベルを中級とし、そ

13）*ACTFL Proficiency guidelines 2012：Japanese*（ACTFL, 2012a; 2012b）の一部であり、Speakingの他、Listening, Reading, Writingのproficiency記述が含まれる。

14）超級を超えるものとして「卓越級」が考えられているが、2023年現在、まだ、実用化されていないため、ここでもその説明は省く。

れより上なら上級、それより下なら初級とする。

形式的言語運用能力：

発話自体の「正確さ」（発話の理解に要する負担の大小）と「テキストタイプ」（産出された言葉のタイプ）から成る。

正確さ：流暢さ、発音、文法、語彙、談話構成、語用論・社会言語的要素から成り、それらが聞き手（一般に、母語話者）にどれほどの違和感(聞き手がそれを理解するために必要となる「負担」[15]）を与えるものか、その度合いにより判断される。正確であればあるほど違和感（負担）の少ない、より「正確な」発話と判定される。

テキストタイプ：

どのようなタイプの発話として表出したか。「語、語句」（初級)、「文」（中級)、「連文・段落」（上級）を大枠とする表面的な発話の形である。

これらをまとめると、以下の表3-2のようになる。「機能」「形式」はそれぞれ、「機能的／形式的言語運用能力」を、「正」「テ」はそれぞれ、「正確さ」「テキストタイプ」を指す。

表3-2　主要レベルの構成

超級（Superior）	
機能	意見を裏付けて述べたり、仮説を打ち立てたり、具体的かつ抽象的に話をしたりすることができ、不慣れな話題や場面にも対応できる
形式	正）聞き手がほとんど違和感を持たない正確さ テ）起承転結などの複段落
具体例	環境、政治、経済など専門的テーマについて、広く、かつ深く話せ、議論できる
上級（Advanced）	
機能	日常レベルを超える複雑な状況に対応できる。具体的な出来事の説明、記述、報告など、文を超え、適切な時制枠を使った段落レベルの発話でやり取りができる
形式	正）聞き手は多少違和感を抱くが、非母語話者に慣れてなくても理解可能な正確さ テ）文が集まった段落構成
具体例	事故、病状、苦情、盗難報告など

15) 接触場面例(1)で見たYOの発話1は聞き手にかなり負担のかかるものである。

中級（Intermediate）	
機能	言葉を使って、単純なやり取り、場面およびタスクの処理ができ、身近な話題や活動について、聞いたり答えたりできる
形式	正）聞き手は違和感を抱くが、非母語話者の発話に慣れていれば理解可能な正確さ テ）単文、簡単な複文
具体例	日常的な活動、買い物、道案内、スケジュール作成
初級（Novice）	
機能	最低限のコミュニケーションができるレベル 「初級」というより、第二言語（外国語）による「生活入門レベル」
形式	正）聞き手にかなりの違和感を抱かせ、非母語話者の発話に慣れていても理解が困難な正確さ テ）語、語句、固定表現
具体例	決まりきった語句、暗記した表現、数値的項目リストなどによる自己紹介、値段、時間、物品、地名

ここでのレベル設定が一般の教科書などに用いられている文型積み上げ型のものとは全く異なり、現実の生活における言語活動において何ができ、何ができないかという機能論に基づいていることに注目されたい。さらに、上位は下位を含むがその逆は真ならずという「階層性」があるとする点も非常に大切である。図 3-1 が示すように、上位にいるということは、それより下位のレベルの活動は全てこなせることを意味する[16]。また、能力レベルは中級なら中級という単一的なものではなく、中級であってもその上の上級の要素も部分的に含んでいるという考え方である。同様に、上級はその上の超級の要素も部分的に含んでいると考える。あるレベルに属するというこ

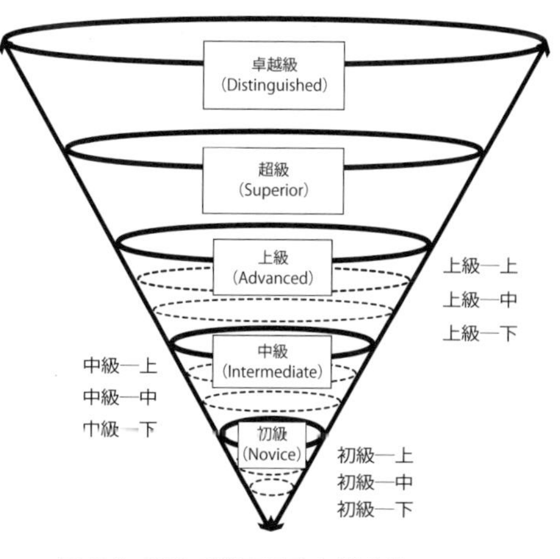

図 3-1 OPI の判定尺度と総合的タスク

16) したがって、例えば、上級であることが確実なら、初級、中級ー中ぐらいまでの確認を行う必要はなく、それだけ面接の時間が省けることになる。

とは、そのレベルにしっかり収まっているという「肯定的証拠」とそれより上のレベルには部分的にしか収まらないという「否定的証拠」から決定付けられる。

ここでOPIによって得られた具体的な発話データを用いて説明を加えよう。次の発話は鎌田他（2006）のDVDに収められている受験者（ボビー）が中級は維持しているが上級は維持できていないため、この発話に関する限り「中級－上」であると判断されるものである。「中級」の維持を示す肯定的データA）と「上級」に関与するが維持できないという否定的データB）の二片を提示する。なお、ここには示せないが、発音、流暢さは聞き手にほとんど負担のない（違和感を抱かせない）、上級レベルのものであり、それが彼の全体的な能力判定を上級レベルの近くまで引き上げている要因である。詳細は鎌田他（1996; 2006）を見ていただきたい。

A）　中級の維持を示す発話断片（○テスター、◆ボビー）

1 ○日本の食べ物はどうですか。おいしいですか。
2 ◆あの、私はちょっとあの、におい、魚は嫌いです。
3 ○は？
4 ◆におい魚[17]、魚があの、さかなーにおいがします（○におい魚）、あの、ちょっと食べられない。
5 ○あ、そうですか。
6 ◆においするの、
7 ○古い魚ですか。
8 ◆古いではなくてあのーフライ魚は食べます。フライ魚。フライ、でも、においが、あったら、だめ。
9 ○あ、においがあったらだめ。あ、というとフライ、フライはにおいがない。
10 ◆しません。
11 ○ああ、じゃあそうすると、おすしはだめですね。
12 ◆だめです。はい。

17）「におい」を形容詞扱いした発話かもしれない。中間言語的発達を示す興味深い例である。

13 ○ああ、残念ですね。

14 ◆そうです。

ここに、音声についての説明はないが、会話がテンポよく進んでいる様子は十分把握できよう。発話は文レベルであり、さらに、下線部が示すようにテスターの「フライはにおいがない」にすぐさま続けて「しません」というフォローの仕方は、上級レベルの談話構成能力と会話展開力を示す。しかし、現実世界において、日本語を使って日常的な会話活動ができる中級レベルを維持していることは分かるが、それよりも複雑な会話が行える上級にどれくらい関与するかは分からないため、次のようなデータの観察が必要になる。

B） 上級を維持できないことを示す発話断片（○テスター、◆ボビー）

1 ○えーっと1年以上いると、あの、楽しいことも、ま、悲しいこともあるでしょう？（2 ◆そうです）

3 ○えーそうですね。一番ちょっと大変だったなと思ったのは？

4 ◆そう、ありました。

5 ○何か言ってもらえますか。

6 ◆あの一私の家と大家さんの家、あの、隣です（○ はい）ちょっと問題がありました。

7 ○どんな問題です？

8 ◆あの、夜、10時、あとはあの、お客さん、だめ、です。大家さんは、言いました（○ええ）でも、友達は、ちょっとあの10時半、に、私のうちへ来ました。ちょっとあの、問題がありました。

9 ○あーなるほどね。・・・(略)

タスクは、大家さんからのクレームにどう対応したか、という説明を要する上級レベルのもので、下線部が示す通り、十分に答えられたとは言えない。文構造を見ると語句の連鎖が断片的で複文作りに苦労しており、聞き手の理解に委ねるかたちで会話が進められている[18]。もちろん、この断片だけで

18)「夜10時の後（は）お客さんはダメですと大家さんは言いました」といった複文による報告（上級の要件）がなされていない。

決定付けているのではなく、他の部分にも同様のことが見られたため、中級は維持しているが、上級は維持できていないレベル、つまり、「中級－中」から「中級－上」の判定になる。

しかし、ここまではまだ「仮測定」の段階で、その検証を行うためにインタビューの終盤にかけて、RPを行う。本来ならば、受験者を現実世界に送り出し、実際の会話活動を行わせて検証するのが妥当だが、そうしたくともできない課題であるため、やむを得ず、実際に受験者が遭遇しそうな接触場面を考え、演じることになる。受験者ボビーには以下のようなロールカードを与え、どういう状況であるかしっかりイメージ化できたことを確かめた上で、RPを始めた。

C）ロールプレイ（RP）：

「あなたの大学の研究室に泥棒が入りました。いろんなものがなくなっています。警察に電話をしてどうすべきか話し合ってください。」

このRPは、上級、つまり、「予期せぬ事態を言語的に処理できる」能力レベルの有無を調べるためのもので、結果として、やはり、上級を維持できないことが確認できた。RPは会話教育にとって大変重要な位置を占めるので、章を改め、第8章でその選択、作り方、行い方について具体例を用いて述べたい。

これらの作業を全て終えて、改めて録音データを聞き、最終評価を行うことになる。評価は3.4で述べるような手順を経る。

3.4 評価の手順

評価は、以下の（1）～（3）の手順で行う。

(1) インタビュー全体の振り返り：上限と下限をしっかり示す評価可能な発話データであることの確認　⇨　主要レベルの決定

留意点：

A）発話データの量、話題（タスク）の数は十分だったか。

B）受験者に最大の能力を発揮させたか……余計な「助け舟」を出してしまい、受験者に十分な力を発揮させられなかったということがなかったか。

C） 課題（タスク）に対する出来具合を機能的側面（タスクの重み）と形式的側面（正確さとテキストタイプ）の両面から評価し、受験者の能力の上限と下限を見極める。

(2) 上位に隣接する主要レベルとの関わり具合

⇨ 下位区分（－上／－中／－下）の決定

(3)「スピーキングガイドライン」を再確認 ⇨ レベル判定の最終確認

このように、まずは、収集した発話データを俯瞰し、それが受験者の会話能力を質的、量的にも十分に示した、評価可能なものであることを確認し、受験者の能力の上限と下限を見極め、主要レベルを決定する。それから、上位に隣接する主要レベルとの関わり具合を見て、その上位レベルにかなり食い込むが、そのレベルを維持できるものでないなら、「－上」の下位区分を与える、というように絞り込む。再度「スピーキングガイドライン」との照合を行い、レベル判定を決定する。ちなみにここで例として挙げた受験者の場合、総合的判断の結果、次の「中級－中」に該当することが結論付けられる。

「中級－中」（スピーキングガイドライン[19] より抜粋）

「中級－中」の話者は、簡単な交流場面において、様々な複雑でないコミュニケーション・タスクをうまくこなすことができる。会話は、一般的に、目標文化圏で生活するのに必要なよく起こりうる具体的なやり取りに限られる。そのような会話には、自分や家族、家（家庭）、日常の活動、興味、自分の好みなどに関連した自分にまつわる情報、さらに、食べ物、買い物、旅行、宿泊などといった物質的、社会的なニーズが含まれる。
（中略）上級レベルの機能を遂行したり上級レベルの話題を扱わなければならない場合は、いくらかの情報は提供するが、考えをつなげたり、時制やアスペクトを操ったり、回りくどい言い換えなどのコミュニカティブ・ストラテジーを使ったりすることは難しい。
（中略）自分の伝えたいことを、例えば、知っている言葉や会話から得た

19) https://www.actfl.org/educator-resources/actfl-proficiency-guidelines/japanese/japanese-speaking（2023年12月1日閲覧）より

インプットを組み合わせたり組み替えたりして、いくつかの文や連文の形で表現することができる。（以下、略）

4. まとめ：現実の接触場面と教育現場における応用〜プロフィシェンシーの向上を目指した教授法

OPIの意図するところはテスターと受験者の間に自然な会話場面（接触場面）を設置し、テストであってテストでないような手法を用いて受験者のプロフィシェンシーを測定、評価することである。そのことは、日本語教師、あるいは、日本語教育を志すものが、OPIではなく、現実の教育現場において、日々接し、また、時に応じて対峙する学習者のプロフィシェンシー向上にどのように寄与すべきかについて大いに参考となる。特に大切な点を挙げるとすると次の２点に絞れよう。

（1）彼らを言語学習者としてというより、コミュニケーションの相手である「言語使用者」として扱うこと。つまり、意味あるコミュニケーション活動を展開するように心がける。

（2）対面している学習者の能力レベルの「維持」（鎌田, 2014）とその上のレベルへの向上に直結するテーマを「螺旋的に」展開する。

（1）でいう「意味あるコミュニケーション」とは、分かりきったことを尋ねるのではなく、本当に知りたいことを尋ねる、あるいは、自ずと答えたくなるような質問を与える、という意味である。いわゆる、質問のための質問をするのではなく、その場で本当に求められている質問を与えることである。よく言われるように、良い教師とは良い質問（タスク）を与えられるコミュニケーターでなければならない。取って付けたような練習目的のための質問（タスク）ほど、興醒めなものはない。それだけは避けていただきたいものだ。

（2）は、OPIのみならず、パフォーマンス系のスポーツやアートなどのレベル設定にも使われる方法である。すでに述べたように、あるレベルにいる（あるレベルが維持できる）ということは、そのレベルで要求される課題が複数できること、それも、同じレベルだが、異なる種類（分野）の課題ができることが必要である。中級レベルのタスクである「日々繰り返される一続きの日課の表記」と同レベルだが、異なる類のタスク、例えば、「旅行計画が立てられること」など横への広がりが保証されなければならない。また、このような方法で維持レベルが判明すると、それで評価終了というわけではなく、維持レベルからさらに「螺旋的」に「巻き上げる」ことによってどこまで上のレベルに食い込めるかを探らなければ、最終的なレベルも判明しない。受験者の趣味が映画だとすれば、映画のタイトルや登場人物だけが言えるレベル（初級～中級）から、その映画のストーリーがどの程度言える（中級～上級）か、また、その映画の主張点についてどう思うか（上級）、あるいは、映画産業に対する批判や提言（超級）といった点にまで突き上げを行い、次の学習課題の設定へと結び付けることが必要である。このように対面する学習者の能力の維持、そして、向上を目指した対応の原点は「横に振りつつ、縦に巻き上げる」螺旋的手法にあると言えよう。

ここで述べた２つのポイントは、実は、日本語学習者自身にとっても非常に有用である。日本語のプロフィシェンシーを伸ばすためには、当然、自身が日本語使用者であることを自覚し行動する必要がある。自身の現時点での能力を強固にするためには、まずは、同レベルの、しかし、様々な領域のタスクをこなさなければならない。そのように、横への広がりを積極的に目指しつつ、そこから目標課題を「螺旋的」に巻き上げることによって、プロフィシェンシーの向上が可能になる。この自覚は教師から学習者への注意喚起（指導）によってさらに強まると考えられる。

最後に、この「螺旋的手法」は単に教室内における教師と学生といった個別の指導、および、学習方法のみならず、当該の教育機関も含む国全体の外国語教育のあり方にも影響を及ぼし、米国では、ACTFL（1996）『21 世紀に向けての国家的外国語教育スタンダード』の作成にまで至ったことを指摘しておきたい。ここでその詳細に触れる余裕はないが、そのスタンダードは根幹を “Five Cs” と称し、幼稚園から大学に及ぶ外国語学習を単なる言葉の学習として位置付けるのではなく、Communication、Culture、Connections、Comparisons、Communities という５つの C に含まれる社会的、学問的な繋がりの中で捉えるべきだとする。プロフィシェンシーを志向する外国語教育がこのように一個人の語学学習にとどまるものではないことを指摘しておく。

ここで論じた会話能力の評価とは、単にレベル判定などを示すものではなく、いわゆる、「形成的評価」と言われる「教育的・学習的・人間的成長」を目指したものである。これまで挙げた参考資料のみならず、Omaggio（1986）、Omaggio Hadley（1993; 2001）はコンテクスト重視の外国語教育法を理論的かつ具体的に展開し、プロフィシェンシー志向の教育に多大な影響を与えた。日本語教育におけるOPIの導入については牧野（1987; 1991; 2001）、鎌田他（2020）、プロフィシェンシーに基づいた教材作成については鎌田（1990; 2002; 2003）がある。さらに、OPIから得られた発話データをコーパス化し、その後のコーパス分析の先陣を切った「KYコーパス」（鎌田, 2006）、およびOPIに基づいた日本語教授法（山内, 2005）、OPIのコンセプトに基づくロールプレイ作成（本書第8章参照）もある。また、日本語プロフィシェンシー研究（鎌田・嶋田, 2012; 鎌田他, 2008; 2009; 2015; 2022; 鎌田, 2005; 2018）、『ヨーロッパ言語共通参照枠』との比較（牧野, 2008; 三浦, 2020）などもある。このように、多数の教材作成、教育研究、言語研究がなされてきている。参考文献に挙げた資料を参考に会話教育の向上を試みていただきたい。

やってみよう！

(1) 本章で紹介した鎌田他（1996; 2006）付属のビデオに収録されている会話データ（例えば、ボビーさん）を使って、当該の能力レベルを「維持」し、さらに「螺旋的」に向上させるということを具体的に示してみましょう。インタビューで扱った話題（課題）をリスト化し、それらの出来具合を比べるといいでしょう。

(2) 日本語学習者との15分程度の自然な（しかし、話題の難易度を意識した）雑談を録音し、上記（1）と同様のタスクをやってみましょう。

参考文献

伊東 祐郎（2022）『日本語教育よくわかる評価法』アルク

鎌田 修（1990）「Proficiencyのための日本語教育」『日本語教育』71, 44-55.

鎌田 修（2002）「接触場面の教材化－ヨーロッパと日本を舞台に－」『ヨーロッパ日本語教育：第7回ヨーロッパ日本語教育シンポジウム報告・発表論文集』7, ヨーロッパ日本語教師会・ハンガリー日本語教師会, 42-53.

鎌田 修（2003）「接触場面の教材化」宮崎 里司, ヘレン マリオット（編）『接触場面と日本語教育－ネウストプニーのインパクト－』第3部8章, 明治書院, 353-370.

鎌田 修（2004）「学習者主体の外国語教育－接触場面に原点を置くことの意味と課題－」『南山大学国際教育センター紀要』4, 23-29.
鎌田 修（2005）「OPI の意義と異議」鎌田 修, 筒井 通雄, 畑佐 由紀子, ナズキアン 富美子, 岡 まゆみ（編著）『言語教育の新展開－牧野成一教授古稀記念論文集－』ひつじ書房, 311-332.
鎌田 修（2006）「KY コーパスと日本語教育研究」『日本語教育』130, 42-51.
鎌田 修（2014）「OPI における“維持（sustain）”の概念に関する一考察」筒井 通雄, 鎌田 修, ヤコブセン ウェスリー M.（共編著）『日本語教育の新しい地平を開く』ひつじ書房, 173-188.
鎌田 修（2018）「プロフィシェンシーから見た『面白い話』」定延 利之（編）『限界芸術「面白い話」による音声言語・オラリティの研究』ひつじ書房, 442-457.
鎌田 修, 川口 義一, 鈴木 睦（1996）『日本語教授法ワークショップ（ビデオ付き）』凡人社
鎌田 修, 川口 義一, 鈴木 睦（2006）『日本語教授法ワークショップＤＶＤ』凡人社
鎌田 修, 嶋田 和子, 迫田 久美子（編著）（2008）『プロフィシェンシーを育てる－真の日本語能力をめざして－』凡人社
鎌田 修, 嶋田 和子（編著）平田 オリザ, 牧野 成一, 野山 広, 川村 宏明, 伊東 祐郎（著）（2012）『対話とプロフィシェンシー－コミュニケーション能力の広がりと高まりをめざして－』凡人社
鎌田 修, 嶋田 和子, 堤 良一（編著）（2015）『談話とプロフィシェンシー－その真の姿の探求と教育実践をめざして－』凡人社
鎌田 修, 嶋田 和子, 三浦 謙一（編著）牧野 成一, 奥野 由紀子, 李 在鎬（著）（2020）『OPI による会話能力の評価－テスティング、教育、研究に生かす－』凡人社
鎌田 修, 山内 博之, 堤 良一（編著）（2009）『プロフィシェンシーと日本語教育』ひつじ書房
鎌田 修（監修代表・編著）由井 紀久子, 池田 隆介（編著）（2022）『日本語プロフィシェンシー研究の広がり』ひつじ書房
白川 博之（2009）『「言いさし文」の研究』くろしお出版
ネウストプニー J.V.（1995）『新しい日本語教育のために』大修館書店
ファン サウクエン（2003）「日本語の外来性（foreignness）－第三者言語接触場面における参加者の日本語規範及び規範の管理から－」宮崎 里司, ヘレン マリオット（編）『接触場面と日本語教育－ネウストプニーのインパクト－』明治書院, 3-21.
牧野 成一（1987）「ACTFL 言語能力基準とアメリカにおける日本語教育」『日本語教育』61, 49-62.
牧野 成一（1991）「ACTFL の外国語能力基準およびそれに基づく会話能力テストの理念と問題」『世界の日本語教育』1, 15-32.
牧野 成一（2001）「理論編－OPI の理論と日本語教育－」牧野 成一, 鎌田 修, 山内 博之, 齊藤 眞理子, 荻原 稚佳子, 伊藤 とく美, 池﨑 美代子, 中島 和子（著）『ACTFL OPI 入門－日本語学習者の「話す力」を客観的に測る－』第 1 章, アルク, 8-49.
牧野 成一（2008）「OPI、米国スタンダード、CEFR とプロフィシェンシー」鎌田 修, 嶋田 和子, 迫田 久美子（編著）『プロフィシェンシーを育てる－真の日本語能力をめざして－』凡人社, 18-39.
三浦 謙一（2020）「OPI の過去・現在・未来」鎌田 修, 嶋田 和子, 三浦 謙一（編著）牧野 成一, 奥野 由紀子, 李 在鎬（著）『OPI による会話能力の評価－テスティング、教育、研究に生かす－』凡人社, 210-245.

山内 博之（2005）『OPI の考え方に基づいた日本語教授法ー話す能力を高めるためにー』ひつじ書房

由井 紀久子, 鎌田 修, 嶋田 和子, 野山 広, 西川 寛之（2014）「日本語会話能力試験の開発ー大規模外国語能力試験が対象にしている口頭能力の比較ー」『ヨーロッパ日本語教育：第 18 回ヨーロッパ日本語教育シンポジウム予稿集』19, 291-292.

ACTFL.（1996）. *Standards for foreign language learning: Preparing for the 21st century*. American Council on the Teaching of Foreign Languages, Alexandria: VA.

ACTFL.（2012a）. *ACTFL Proficiency guidelines 2012*.（General, Speaking, Writing, Listening, Reading）https://www.actfl.org/uploads/files/general/ACTFLProficiencyGuidelines2012.pdf（2023 年 12 月 1 日閲覧）

ACTFL.（2012b）. ACTFL Proficiency guidelines 2012: Japanese. https://www.actfl.org/educator-resources/actfl-proficiency-guidelines/japanese/（2023 年 12 月 1 日閲覧）

Cook, V. J.（Eds.),（2002）. *Portraits of the L2 user*. Clevedon, U.K.: Multilingual Matters.

Council of Europe.（2001）. *Common European framework of reference for languages: Learning, teaching, assessment*. Cambridge: Cambridge University Press（日本語版『ヨーロッパ言語共通参照枠』https://www.britishcouncil.jp/sites/default/files/ees-cefr-jp.pdf）（2023 年 12 月 1 日閲覧）

Fan, S. K.（1994）. Contact situations and language management. *Multilingua, 13*（3）, 237-252.

Liskin-Gasparro, J.（2003）. The ACTFL Proficiency guidelines and the oral proficiency interview: A brief history and analysis of their survival. *Foreign Language Annals, 36*（4）, 483-490.

Liskin-Gasparro, J.（2014）. The OPI at age 30: Contributions, limitations, and a view to the future, 筒井 通雄, 鎌田 修, ヤコブセン ウェスリー M（編著）『日本語教育の新しい地平を開く』ひつじ書房, 205-218.

Omaggio, A.（1986）. *Teaching language in context*. Boston: Heinle and Heinle.

Omaggio Hadley, A.（1993）. *Teaching language in context: 2nd edition*. Boston: Heinle and Heinle.

Omaggio Hadley, A.（2001）. *Teaching language in context: 3rd edition*. Boston: Heinle and Heinle

Swender, E., & Vicars, R.（Eds.),（2012）. *ACTFL Oral proficiency interview tester training manual*. American Council on the Teaching of Foreign Languages, Alexandria: VA.

The National Commission on Excellence in Education.（1983）. *A Nation at risk: The Imperative for educational reform: A Report to the Nation and the Secretary of Education*, United States *Department of Education.* University of Michigan Library.

第4章 外国語教授法における会話能力評価法の位置付け

鎌田 修

考えてみよう！

(1) 外国語教授法にはどういうものがあるか、知っているものをできるだけ多く挙げてみましょう。
(2) 外国語教授法の中で会話能力の評価に最も関係の深いものはどれでしょう。

1. はじめに

本章では、第3章で見た会話能力評価法の外国語教授法史における位置付けを探る。デジタル化がさらなる発達を見せるであろう50年、100年後においてアナログ的な評価法は存続するのか、あるいは別のかたちで残るのか興味のあるところである。ここでは、第3章を読まずに、本章を読みはじめた読者もいるかもしれないので、まずは、第3章の簡単なまとめを行い、それから本論に入ることにする。

第3章では、会話能力の原点は接触場面にあり、そこで展開される会話活動から得られる自然な発話データこそ能力評価の対象とすべきであることを確認した。ただ、個別性の高い接触場面それぞれにテスターが赴き客観的な能力測定と評価を行うことは非現実的である。それでもなお、接触場面にこだわった測定を行うには、何らかのかたちで「テスト形式」の統一が必要である。そして、それを実現したのがOral Proficiency Interview（面接式口頭能力測定法、以下、OPI）と言えよう。OPIではインタビュアー（テスター）は受験者と交わす自然な会話の中で、「レベルチェック（下限探し）」「突き上げ（上限探し）」「ロールプレイ（現実場面を想定した仮測定の検証）」という手順を螺旋的に展開させ、発話データを収集する。その後、録音データを聞きなおし、最後に *ACTFL Proficiency Guidelines -Speaking-*[1]（以下、「ス

1) *ACTFL Proficiency Guidelines*（ACTFL, 2012a; 2012b）の一部で、Speakingの他、Listening, Writing, Readingのガイドラインも含まれる。

ピーキング・ガイドライン」）に従って、最終的な能力レベルの判定を下す。受験者を主軸に自身の「人生」を語らせる（牧野, 2001）ということなど、その場における「イマ、ココ」という臨場性、個人性、当事者性を尊ぶ能力評価へのこだわりが強く感じられるものである。

このように直接的な対面にこだわり、かつ、社会的な広がりも促す評価法は、「プロフィシェンシー志向の教育」として日本語教育も含め、外国語教育全般に多大な影響を与えている。ただ、このような「プロフィシェンシー」という概念の捉え方は、もともと理論的基盤があって生まれたというより、むしろ、1980 年代初期、*A Nation at Risk: The Imperative for Education Reform*（1983）（危機に瀕する国家）と称された米国の貧弱な外国語教育の立てなおしのために現場の外国語教師が草の根的に運動を開始した結果のようである（Omaggio,1986; Omaggio Hadley,1993; 2001）。当時は、米国に限らず、日本を含む多くの国の外国語教育において様々の制約により文法訳読法で行うことを余儀なくされており、良識ある語学教師なら誰でも、それからの脱却を試みようとした時代であった。本章では、このようなプロフィシェンシー観に基づく会話能力評価法が外国語教育史的にどのように位置付けられるかを探る。なお、ここでは、会話教育こそ、語学教育の礎であると考えるオーディオリンガル法（以下、AL 法）、言葉の自然習得をモデルにしたナチュラル・アプローチ、それから現在最も広く支持されているコミュニカティブ・アプローチに至るまでの外国語教授法を取り上げる。これらの教授法を含め、他の多くの教授法の概要と実例は、鎌田他（1996; 2006; 2007）と付属ビデオ、DVD をご覧いただきたい[2)]。

2. オーディオリンガル法

外国語教授法を学問的に議論できる場の設定に貢献した Anthony（1963）の定義付けに従うと、AL 法ほど、その原理（principle）、方法（method）、技術（technique）が明確なものはないだろう。言葉の習得は母語であれ、第二言語（L2）であれ、周りの母語話者の発話の「模倣」「習慣化」に尽きるという「教育原理（principle）」に基づき、ダイアローグの暗唱、徹底し

2）Larsen-Freeman（1986）も教授法を具体的に示したものとして非常に有益である。

た発音指導、パターン・プラクティスを行い、モデルの発話に近付くための「方法論（method）」が確立された。また、録音再生を可能にする「技術（technique）」の進歩がそれに拍車をかけることになった。このように、AL法は異言語、異文化を跨ぐ人的交流が容易になってきた第二次世界大戦後、一躍、「教授法」として名を馳せ、現在もなお、健在である。日本語教育において、徹底したAL法の実現を試みたのは *Beginning Japanese*（Jorden & Chaplin, 1962; 1963）という日本語教科書の著者E. Jordenではなかろうか。彼女は構造主義言語学の立場から、母語話者のありのままの自然な発話をモデルに、そこに見られるパターンを繰り返し練習し、発展させることで母語話者の日本語に近付くと考えた。鎌田他（1996; 2006）に収められた付属ビデオ、DVDをご覧いただければ分かるように、教師は一方の腕を話し手A、もう一方の腕を話し手Bに例え、あたかもAとBの対話が行われているかの如くダイアローグを再現し、学習者に瞬時の繰り返しを求める。うまく進めば教師・学習者共々、大変な達成感が味わえるが、学習者の個性は概ね無視され、考えなくても言えるような言葉の「習慣化」のみが強く推し進められる。

AL法においては言語はそれぞれ異なる独自のものであり、外国語学習は目標言語と学習者自身の母語との差を埋める、あるいは、不十分な学習から生じる誤用を征服するものとする指導がなされる。しかし、この方法で「母語話者」レベルに達する第二言語話者は極めて少なく、さらに学習者がどうしても「犯す」誤用の修正に十分対処ができないという理論的限界を露呈することになった。

このような背景にあるAL法をプロフィシェンシーの観点から評すると以下のような点が浮かび上がる。

●プロフィシェンシーの観点からのコメント

① 自然な発話の学習を目標とすることはプロフィシェンシー志向の考え方と合致する。しかし、思考しながら話す会話には、言い淀み、繰り返し、言い間違えなど、いわゆる非流暢なものを含み、それらを「誤用」と捉えるのではなく、むしろ、自然な発話行為の一部であるとみなすべきであろう。

② 意図的に暗記した表現の使用は、それが短い語句であれ、ダイアロー

グなど長い文の繋がりであれ、高いプロフィシェンシーを示すものとはみなせない。プロフィシェンシーとは暗記力を示すものではなく、思い出しながらも自発的に発される発話でない限り、その評価は低くなる。

③ 学習者自身の「個人性」を無視した機械的な発話はたとえ流暢であってもプロフィシェンシーが高いとはみなさない。

3. ナチュラル・アプローチなど

AL法とは全く異なる言語習得観に立つ生成文法の興隆は「第二言語習得研究（Second Language Acquisition）」の誕生にも及び、新たな言語教育観を会話教育にも芽生えさせることになった。生成文法の考え方は、人間には生得的に「言語獲得装置（Language Acquisition Device, LAD）」と呼ばれるものが備わっており、誰でも、それを介してこれまで聞いたことのない表現が理解でき、また、これまで発したことのない表現を無数に作れるようになるとする。そして、発話時点において、耳にする、目にする、あるいは、体に感じる何らかのインプットからルール（仮説）を見つけ出し、その検証を繰り返し、母語獲得を完成させるという。この考え方は、言語模倣説を基盤にするオーディオリンガリズムとは全く異なっており、AL法では「御法度」扱いにされている「誤用」にも、積極的な意味付けを与える。Corder（1967）のError Analysis（誤用分析）では、学習者は目標言語母語話者が持つ文法体系とは異なる学習者自身の発達過程にある言語体系を持つと主張した。Selinker（1972）はそのような体系を持つ学習者の言語を「中間言語（interlanguage）」と名付け、言語としての独自性を訴えた。

このような第二言語習得研究を背景にKrashen & Terrell（1983）などはナチュラル・アプローチと称する理解（comprehension）を優先する教授法を広めた。現レベルの能力より少し高めの「理解可能なインプット（"i+1" comprehensible input）」をその場のコンテクストを手がかりに「理解」することで、より精度の高いルール構築が可能になり、自然に言語能力が獲得されるという。なお、これには、適度な情意レベル[3]など習得上の条件も必要

3) 言語の習得には適度な情意（心の安定や緊張感）レベルが必要だとする考え。

だという。また、言葉の習得に関し、言語形式、とりわけ、聴解よりは発話産出に力点を置く AL 法とは違って、カウンセリング、脳波の活性化、ジェスチャーや音楽を使用するなど心理学的な側面を重視し、言語学習を全人間的な営みとして捉えた新しい教授法（「全人間的アプローチ (whole-human approach)」）も登場した[4)]。これらの教授法における教師の役割は、AL 法のような言語モデルになることではなく、むしろ、学習を支援するファシリテーターに徹するようなことだと考えられている。

●プロフィシェンシーの観点からのコメント

① 学習者を主体的に捉え、発達過程にある中間言語に独自性を持たせることはプロフィシェンシーの向上に繋がる。

② 会話能力はジェスチャーや話し手を取り巻く環境への依存度と反比例する側面があるが、非言語的要素を含めたプロフィシェンシーを考慮した場合、その測定はかなり膨らみのあるものになるだろう。

③ 学習者の情意を含めた全人間的アプローチは、プロフィシェンシーの向上に直結する。

4. コミュニカティブ・アプローチ

コミュニカティブ・アプローチ(以下、CA)を一言で語るのは非常に難しい。なぜなら、本書自体、CA の多くの会話的側面をまとめたものと言っても過言ではなかろうし、また、これで全てというわけでなく、さらに何冊もの書物が必要になるくらいだからである。ここでは、筆者が考える CA のエッセンスを簡潔にまとめ、プロフィシェンシーとの関連を述べる。

まず、外国語学習は言葉が持つ伝達機能に重点を置き、形式的言語要素はそれに従属するという考えである。歴史的な経緯としては、チョムスキーの生成文法が言語学の世界で広く認められはじめた 1960 年代、文法能力（grammatical competence）だけでは人間が生得的に持ち合わせた言語能力を語ることはできず、言語をその使用場面で適切に使用するコミュニケーション能力（communicative competence）こそ大切だとする社会言語学者

4）コミュニティ・ランゲージラーニングやサジェストペディアなどを指す。

Hymes や Labov などの影響がある。さらにヨーロッパにて 1970 年代初期に登場した Wilkins（1976）の「機能・概念シラバス（Notional/Functional Syllabus）」と呼ばれる「機能」や「意味」優先の言語観も、CA の誕生に大きく影響を与えた。これらの考えは、言葉は伝達の道具、つまり、コミュニケーションを達成するための手段であるとし、外国語学習においても、まずは、タスクと言われる活動課題を達成することを念頭に置く。文法、あるいは、言語表現が先にあるのではなく、伝達目的、コミュニケーションが先にあるという考えである。そのため、言語表現のみならず、コミュニケーションを達成するためのストラテジーや会話に談話的要素である結束性や一貫性を持たせることの重要性、さらに、話者同士の人間関係に配慮した表現を選ぶことなど言葉の使用場面、文脈や内容に重きを置いた学習がなされる。現実世界の言語活動を想定したロールプレイや実際に使われている言語資料（例えば、レストランのメニューなど）が優先的に使用されるのも特徴の 1 つである。

さらに、異言語・異文化を有する国が隣接し、それらの国々を行き来することの多いヨーロッパの人々にとって、外国語学習の目的は目標言語の母語話者のようになることではなく、むしろ、話者自身の母語を基盤にその周りにいくつかの言語や文化を加える「複言語・複文化話者（plurilingual/pluricultural speaker）」になることであるとみなされるようになってきた。そのような考えをベースに、2001 年には『ヨーロッパ言語共通参照枠（CEFR）[5)]』が出版され、それに従った留学制度や職業の移動などを可能にする外国語教育の指針が示された。その中には、日本語も対象言語の 1 つとして加えられており、A1 ～ C2 の 6 段階を基本に、言語使用者としての能力区分が設けられている[6)]。

●プロフィシェンシーの観点からのコメント

① 言語をコミュニケーション達成のツールの 1 つとみなし、コミュニケーション能力の向上を目的とする点は、プロフィシェンシー志向の教授法と同じ思考である。

---

5) *ACTFL Proficiency Guidelines* との差異については、牧野（2008）、三浦（2020）に詳しい。
6) 日本語教育においても、CEFR をモデルに『JF 日本語教育スタンダード』（2010）が出版された。

② 言語学習者を言語使用者として捉え、目標言語の理想的な母語話者になることではなく、自身の母語を含めた複数言語話者として自己実現を目指す点は、プロフィシェンシー志向の観点と同じである。

③ コミュニケーションが生起する自然な文脈を基盤に言語と文化の学習を進める点は、プロフィシェンシー志向の観点と同じである。

このように、CA はプロフィシェンシー志向の教育と多くのことを共有する。では、いったい何が異なるのだろうか。その点につき、筆者はどちらもコミュニケーション能力の向上を目指す点で共通するが、プロフィシェンシーは評価的側面からコミュニケーション能力を捉え、その向上は螺旋的手法で可能になると考える。それに対し、CA にはそのような観点が欠けている[7)]。

最後に、ここで概観した「オーディオリンガル ⇨ ナチュラル・アプローチ ⇨ コミュニカティブ・アプローチ」の流れは、「教師主導かつモデル志向 ⇨ 学習者主体かつ心理重視 ⇨ 言語使用者主体かつ社会的広がり重視」と言い換えられるだろう。このように見ることで、プロフィシェンシーが CA と同じ流れにあることが問題なく見て取れよう。

5. 結びに

最近のニュースといえば、AI に関連するものを避けて通るのは難しい。人が 1 時間もかけて書くレポートをものの 1 分足らずで書いてしまうとか、あるいは、主要な言語はもちろん、話者の少ない言語への翻訳もいとも簡単にこなしてしまうほどの勢いで発達している。さらに、犬のロボットどころか、人間の話し相手にもなるコミュニケーションロボットや AI チャットロボットまで開発され、わざわざ生きた人間を探し回らなくとも外国語の会話や練習が可能な時代にもなっているようだ。会話能力の測定においても、生きた人間を介さなくとも、ロボットに向かって話し、それを録音し、後ほど評価することも可能であり、また、すでにそのようなかたちを取っている教育機関もあるだろう。しかし、第 3 章と本章で考察した測定、評価法は、言

7) 牧野 (2001, p. 46) は、「縦軸思考」という表現で同様の考えを表している。

葉が人間のコミュニケーションの手段として使われる限り、その原点が覆されることはない。人間がロボット（あるいは、アバター）に取って代わられることがない限り、会話能力の原点が接触場面から動くことはない。

最後に、接触場面研究の先駆者ネウストプニー（1995, p. 186）の言葉を引いて本章を終える。

> 日本語教育の目的が、日本語を外国人の話し手に使わせることにあるなら、外国人の話し手が実際に日本語をどのように使っているかを研究してみる価値があるはずである。むしろ、これは日本語教育の出発点であり、かつ、到着点であるべきかもしれない。

プロフィシェンシーとは、当該の接触場面における一参加者の言語使用に関わる「実力」を示すものである。それがどのようなものであるかを明確にすることは、その話者のさらなる能力向上への目標設定を示すことになる。プロフィシェンシーは出発点の記述でもあり、目標達成の到達点でもあると言えよう。そのようなプロフィシェンシーを志向した外国語教育法についてはこれまで取り上げたものの他、Omaggio（1986）、Omaggio Hadley（1993; 2001）も参考にしていただきたい。

やってみよう！

(1) 学校などの教育現場で実際に行われている会話教育は、大抵の場合、理想的な唯一の教授法で実施することはできず、置かれた教育環境を考慮した「折衷案的」なものになります。ここで考察した点を参考に、あなたが現在行っている日本語教育はどのようなものか、また、あなたが理想とする教授法と比較しながら、説明してみましょう。

(2) IT 自体はますます発展し、教育には避けられないものになるでしょう。それについてあなたはどう対応したいと思いますか。今実際に行っている教育を例に具体的に考えてみましょう。

参考文献

鎌田 修, 川口 義一, 鈴木 睦（1996）『日本語教授法ワークショップ（ビデオ付き）』凡人社
鎌田 修, 川口 義一, 鈴木 睦（2006）『日本語教授法ワークショップＤＶＤ』凡人社
鎌田 修, 川口 義一, 鈴木 睦（2007）『日本語教授法ワークショップ（増補版）』凡人社
独立行政法人国際交流基金（2010）『JF 日本語教育スタンダード 2010』

ネウストプニー J.V.（1995）『新しい日本語教育のために』大修館書店
牧野 成一（2001）「理論編－ OPI の理論と日本語教育」牧野 成一, 鎌田 修, 山内 博之, 齊藤 眞理子, 荻原 稚佳子, 伊藤 とく美, 池﨑 美代子, 中島 和子（著）『ACTFL OPI 入門－日本語学習者の「話す力」を客観的に測る－』第 1 章, アルク, 8-49.
牧野 成一（2008）「OPI、米国スタンダード、CEFR とプロフィシェンシー」鎌田 修, 嶋田 和子, 迫田 久美子（編著）『プロフィシェンシーを育てる－真の日本語能力をめざして－』凡人社, 18-39.
三浦 謙一（2020）「OPI の過去・現在・未来」鎌田 修, 嶋田 和子, 三浦 謙一（編著）牧野 成一, 奥野 由紀子, 李 在鎬（著）『OPI による会話能力の評価－テスティング、教育、研究に生かす－』凡人社, 210-245.
ACTFL.（2012a）. *ACTFL Proficiency guidelines 2012*.（General, Speaking, Writing, Listening, Reading）https://www.actfl.org/uploads/files/general/ACTFLProficiencyGuidelines2012.pdf（2023 年 12 月 1 日閲覧）
ACTFL.（2012b）. ACTFL Proficiency guidelines 2012: Japanese. https://www.actfl.org/educator-resources/actfl-proficiency-guidelines/japanese（2023 年 12 月 1 日閲覧）
Anthony, E. M.（1963）. Approach, method and technique. *English language teaching, 17,* 63-67. Reprinted in Harold Allen, & Russell N. Campbell.（Eds.),（1972）. *Teaching English as a second language: 2nd edition*. New York: McGraw-Hill Inc.
Corder, S. P.（1967）. The significance of learners' errors. *International review of applied linguistics in language teaching, 5*（4）, 161-170.
Jorden, E. H., & Chaplin, H. I.（1962）. *Beginning Japanese: Part 1*. New Haven: Yale University Press.
Jorden, E. H., & Chaplin, H. I.（1963）. *Beginning Japanese: Part 2*. New Haven: Yale University Press.
Krashen, S. D., & Terrell, T. D.（1983）. *The natural approach: Language acquisition in the classroom*. New York: Pergamon Press.
Larsen-Freeman, D.（1986）. *Techniques and principles in language teaching*. New York: Oxford University Press.
Omaggio. A.（1986）. *Teaching language in context*. Boston: Heinle and Heinle.
Omaggio Hadley, A.（1993）. *Teaching language in context: 2nd edition*. Boston: Heinle and Heinle.
Omaggio Hadley, A.（2001）. *Teaching language in context: 3rd ed*. Boston: Heinle and Heinle
Selinker, L.（1972）. Interlanguage. *International review of applied linguistics, 10,* 209-231.
The National Commission on Excellence in Education.（1983）. *A Nation at risk: The Imperative for educational reform: A Report to the Nation and the Secretary of Education, United States Department of Education.* University of Michigan Library.
Wilkins, D. A.（1976）. *Notional syllabuses: A taxonomy and its relevance to foreign language curriculum development*. Oxford: Oxford University Press.

第5章　会話教育に活かせる教育工学の知見

尹 智鉉

考えてみよう！

(1) 会話授業を設計する時、どのような観点や手順を重視していますか。それは、どうしてですか。
(2) 会話授業で学習者の動機付けを高くするためには、どのような点を検討したり工夫したりすればよいでしょうか。
(3) 自分の会話授業について振り返り「評価」を行う際、どの段階で、どのように行えばよいでしょうか。

1. はじめに

日本語教師が新しく会話授業を設計する時や、自分の実践を振り返って改善したいと思う時は、どのような観点や手順を重視すればよいのか。教育の経験値の多寡に関わらず、「自己流でよいのか？」「より良い実践のために参考になる知見はないのか？」と考えたことのある人は少なくないだろう。こういった疑問や悩みの解決に役立つのが教育工学の「インストラクショナルデザイン（Instructional Design, 以下 ID）」の理論である。

『教育工学辞典』（日本教育工学会編, 2000, p. 28）によると、ID は「学習者の有能な学びを実現するために、効果的な教授を計画し、開発し、評価し、管理するシステマチックな方法」である。また、ガニェ他（2007, p. 2）は、インストラクションについて「学習を支援する目的的（purposeful）な活動を構成する事象の集合体」であるとしている。本来、ID で目指そうとしている学びは、〈効果〉〈効率〉〈魅力〉が必須とされている（鈴木監修, 2016）[1]。以下、

---

1) 鈴木監修（2016, pp. 2-3）によると、〈効果〉とは「対象とする学習者たちがある一定の成果を出すこと」（p. 2）である。〈効率〉は「時間的にも物理的にもムダや手間をかけすぎないで求められる成果を得ようと考える」（p. 2）ことであり、かつ「学習者が目標に沿った成果を得られるように本当に必要な内容に絞って学ぶこと」（p. 2）を指す。〈魅力〉は「もっと学びたいと思わせる継続動機を与え、達成感を実感させること」（p. 3）である。

これらの観点から、日本語の会話授業の教育実践に役立つ代表的なID理論として、ADDIEモデル、ガニェの9教授事象、ARCS動機付けモデルを解説する。

2.〈効果〉の面から会話教育を考えるためのADDIEモデル

ADDIEモデルは、Analysis（分析）、Design（設計）、Development（開発）、Implementation（実施）、Evaluation（評価）の頭文字をとったもので、徐々に改善を重ね、教育の内容と過程をより良くしていくための枠組みである。図5-1の通り、学習者のニーズなどに対する「分析」から始まり、5つの段階を繰り返し行う。このサイクル[2)]のなかで「必要に応じて改善」を重ねていく。

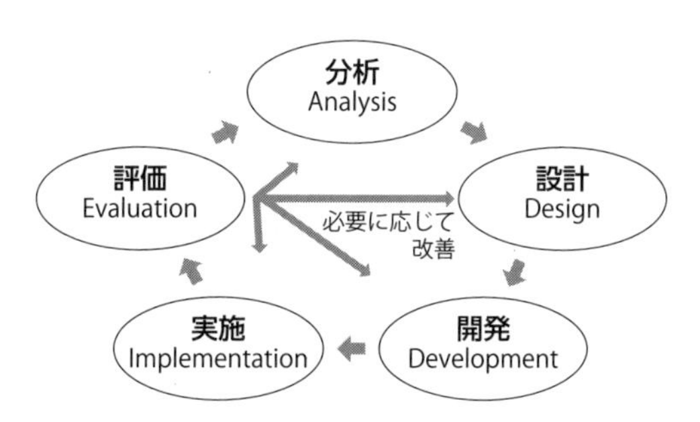

図5-1 ADDIEモデル（鈴木監修, 2016, p. 116より引用）

次の表5-1は、ADDIEモデルの各段階で、何を、どのように進めていくのかについてまとめたものである。

以上のように、ADDIEモデルではサイクルを回し続けることが重要で、評価は、実施したことに対してだけではなく、分析、設計、開発の各段階に対して行い、その結果に基づいて改善を重ねていく。こうすることで、教育活動の内容や期待される学習効果が教育実践者の経験値や印象、自己流のやり方などに左右される状況から脱却できる。さらに、継続してより良い教育を目指すことも可能となる。

2）全体の授業設計および実践を「大きなADDIEサイクル」のプロセスに沿って進めながら、いくつかの小さい単位に区切って「小さなADDIEサイクル」を素早く回転させていくとよい。例えば、授業用の教材開発や各回の授業（単元）などの小さい単位で「小さなADDIEサイクル」を回すことができ、その評価に基づいて改善を重ねながら「大きなADDIEサイクル」のプロセスを進めるのである。

表 5-1 ADDIE モデルの概要[3)]

1. Analysis（分析）	どのようなニーズがあり、それに対してどのようなインストラクションを行えばよいのか具体的に定め、ゴールを明確にするための分析を実施する段階。続いて、学習者の前提スキルと動機付けの特徴を検討し、授業時間やリソースの確保など、実施の条件を検討する。
2. Design（設計）	コース目標を単元（各回の授業）の目標に変換し、単元を系列化する段階。１つのコースにおいて、各単元ではどのような目標を立てるのか、各回相互の関連性や順番を検討する。その後、各単元にかける時間と主要な学習成果を定め、学習成果を評価するために必要な指標を開発する。
3. Development（開発）	設計した内容をもとに具体的な準備を行う段階。学習活動と教材の種類を決定し、必要に応じて新規教材の開発または調達を行う。担当教員の確保や、会場、設備、機材・教具の調達もこの段階で必要な作業となる。
4. Implementation（実施）	開発が終了した後に実際の教育活動を展開する段階。
5. Evaluation（評価）	一般的に、①教材、②プロセス、③学習者の反応、④学習者の達成度、⑤インストラクションの結果に対する５種類の評価が存在する。また、「形成的評価」と「総括的評価」に分けて考えることができる。形成的評価は、設計・開発した教材や手順に対する改善方法の指針を提供するためのもので、総括的評価は、教育活動やコースの価値・意義に関する「成果」の評価となる。

3.〈効率〉の面から会話教育を考えるためのガニェの９教授事象

米国の教育心理学者であるロバート・M・ガニェによって提唱された学習支援モデルである。学習者に対する指導の過程とは学びを支援するための外側からの働きかけ（外的条件）であると捉え、認知心理学の情報処理モデルに基づいて人間の学びを支援する９つの働きかけを提案している。これは「人間が生まれながらに持つ学びの仕組み（短期記憶・長期記憶のモデル）をいかに外側から支援して学習を促進できるかを考えたもの」（鈴木監修, 2016, p. 44）である。まず〈導入〉の段階では新しい学習への準備を整え、〈情報提示〉の段階で新しいことに触れる。続いて〈学習活動〉の段階で学習内容を自分のものにし、〈まとめ〉の段階で出来具合を確認して忘れないようにする。この４つの段階に含まれる９つの事象と内容を解説したものが表 5-2 である。

3) 日本教育工学会編（2000）、ガニェ他（2007）より筆者作成。

表 5-2 ガニェの９教授事象の概要[4)]

段階	事象	内容
導入	1. 学習者の注意を獲得する	学習への準備をさせ、学習者の注意をインストラクションの関連性や目的に向けさせる。
	2. 授業の目標を知らせる	期待される成果を明らかにする。
	3. 前提条件を思い出させる	学習者がすでに知っているものと次に来るものを関連させて、新しい学習の着地点を与える。
情報提示	4. 新しい事項を提示する	学習すべき新しい情報、手順、プロセスや問題解決のタスクを提示する。多くの場合、これは講義やプリント教材により実現される。これを既習の知識と結び付けることで、長期記憶への符号化を促す。
	5. 学習の指針を与える	事象 4 で示した事項を精緻化する。例示、逸話、解説、ディスカッションなどの方法が取られる。このステップでは、豊かな知識構造の符号化や構築を促す。
学習活動	6. 練習の機会をつくる	学習者の反応を誘い出す。これは手がかりが得られる文脈において、学んだ内容を検索し、引き出すことを意味する。目的は評価することではなく、不確かさや誤解を発見することにある。
	7. フィードバックを与える	理解の正確さについて、学習者へ情報を与える。
まとめ	8. 学習の成果を評価する	学習した知識やスキルの（時間が経った場合における）保持をテストする。
	9. 保持と転移を高める	定期的な練習によって学習したことを強化する。「転移（transfer）」とは、学んだことを異なる文脈や状況において適用できることを意味する。

4. 〈魅力〉の面から会話授業を考えるための ARCS 動機付けモデル

ARCS モデルは、教育心理学者であるジョン・M・ケラーが 1983 年に教育現場で収集したデータの分析結果と研究成果をもとに提唱した学習意欲向上のための動機付けモデルである。このモデルでは、表 5-3 の通り、学習意欲を高めるための要素として、Attention（注意喚起）、Relevance（関連性）、

4）鈴木（2002）、ガニェ他（2007）より筆者作成。

Confidence（自信）、Satisfaction（満足）の４つを取り上げ、これらの側面から動機付けの手立てを提案している。心理学を中心に関連する幅広い分野のデータを活用して考えられた理論で、実用性が高い点が評価されている。授業や教材を魅力あるものにするためのアイデアの整理に有効な枠組みと言える。

表 5-3 ARCS（アークス）動機付けモデルの概要[5)]

A：注意（Attention）面白そうだなあ	
A1. 知覚的喚起	➢ 学習者の興味を引くため何ができるか
A2. 探究心の喚起	➢ どのようにすれば探求の態度を刺激できるか
A3. 変化性	➢ どのようにすれば学習者の注意を維持できるか
R：関連性（Relevance）やりがいがありそうだなあ	
R1. 目的指向性	➢ どのようにすれば学習者の目的と教材を関連付けられるか
R2. 動機との一致	➢ いつどのようにすれば学習者の学習スタイルや興味と教材とを関連付けられるか
R3. 親しみやすさ	➢ どのようにすれば学習者の経験と教材とを結び付けることができるか
C：自信（Confidence）やればできそうだなあ	
C1. 学習要求	➢ どのようにすれば学習者が前向きな成功への期待感を持つように支援できるか
C2. 成功の機会	➢ 学習経験が、学習者自身の能力に対する信念をどのように支えたり高めたりするのか
C3. コントロールの個人化	➢ どのようにすれば学習者は自分の成功が自分の努力と能力によるものであると確信するか
S：満足感（Satisfaction）やってよかったなあ	
S1. 自然な結果	➢ どのようにすれば学習経験の本来の楽しみを促進し支援できるか
S2. 肯定的結果	➢ 学習者の成功に対して、どのような報酬的結末を提供するのか
S3. 公平さ	➢ どのようにすれば学習者が公平に扱われていると感じるか

5. まとめ

本章では、会話授業の教育実践に役立つ３つのID理論を紹介したが、先述の通り、インストラクションは学習を支援する目的的（purposeful）な活動を構成する事象の集合体である。そのため、IDの知見は、いわゆる意図

5) 鈴木監修(2016)、ガニェ他(2007)より筆者作成。

的な学習（intentional learning）を支援することに主眼を置いている。当然、実際の会話授業には偶発学習（incidental learning）の側面も存在し、意図していなかった学びや気づきが得られるのも大事な学習成果となる[6)]。だが、まずは教師としてそれぞれの実践で学習者が何をどのように学習するのかを明確に定め、学習のための指示や方向付けを計画、実行し、さらに評価を行うことが教育実践の基本となる。その意味で、ID 理論を活用しながら自分の担当する授業をより効果的で、効率的で、魅力的なものにするために何ができるか、何をすべきかを検討することはより良い教育実践へのステップアップに繋がるに違いない。

やってみよう！

(1)「ガニェの９教授事象」に基づき、自分の会話授業の設計を分析してみましょう。１つの授業に必ずしも９教授事象が全て含まれていることがベストとは限らないという点も踏まえた上で、教育活動の改善案を検討してみましょう。

(2)「ARCS動機付けモデル」の観点から、会話授業の実践を振り返ってみましょう。授業の計画・準備の段階では、どのような動機付けの要素を盛り込んだデザインを考えていたか、また、実際の授業ではどのように展開されたかも検討してみましょう。

(3)「ADDIE モデル」の５つのプロセスに沿って、新しい会話授業の計画を立ててみましょう。各段階で行うべきことや検討すべきことにはどのようなものがあるか、授業内容とあわせて詳細な行動プランを検討してみましょう。

参考文献

ガニェ R. M., ウェイジャー W. W., ゴラス K. C., ケラー J. M.（著）鈴木 克明, 岩崎 信（監訳）（2007）『インストラクショナルデザインの原理』北大路書房

鈴木 克明（2002）『教材設計マニュアル―独学を支援するために―』北大路書房

鈴木 克明（監修）市川 尚, 根本 淳子（編著）（2016）『インストラクショナルデザインの道具箱 101』北大路書房

日本教育工学会（編）（2000）『教育工学事典』実教出版

---

6) 意図学習は、何をどのように学習するのかという学習の意図が明らかな場合である。教師による指示や提示、または学習者自身による動機や意識によって学習の意図が明確化される。一方、学習した時の教示や方向づけとは異なるタイプの学習が成立した場合は、これを偶発学習と呼ぶ（日本教育工学会編, 2000）。

第2部

会話教育の基礎編

概要

会話教育では、どのような授業がどのように行われているのだろうか。会話教育の基礎的な授業運営や授業活動のやり方を知っておくことで、日本語の総合型の教科書を用いた授業において、会話授業を行うコツが分かるだろう。また、教室で習った語彙や文型を用いてコミュニケーションを行う練習をして運用力を高め、教室外の生活の中でも使えるようにすることも重要だろう。こうした教室内外を繋ぐ会話の練習は、会話教育にとって不可欠であり、教師はそのような基礎的な知識を十分に身に付けておく必要がある。

そこで、第2部「会話教育の基礎編」では、会話授業で扱うことが多い、基本的な練習や活動を取り上げる。まず、第6章でモデル会話の活用、第7章で状況設定をした語彙・文型の会話練習を取り上げる。これらは、日本語の教科書で扱うことが多いため、最も基本的かつ汎用性の高い練習・活動であると言える。次に、第8章でロールプレイについて述べる。ロールプレイは、モデル会話や文型練習とは違って、より総合的な会話の運用能力、つまりプロフィシェンシーが問われる活動であり、会話教育において重要な位置を占めると言える。また、ロールプレイを楽しく効果的に行うことは、学習者の学習動機や自信を高める上でも重要である。さらに、第9章でインタビュー活動、第10章で会話による交流について述べる。これらの活動は、教室内で準備を行った後、教室内外の人々と会話をする機会が得られるという特徴がある。既に多くの日本語教育現場で取り入れられている活動であるため、その基本的な手順や方法について押さえておくと、その知見がすぐに教育現場で活かせるだろう。

第6章　モデル会話の活用

中井 陽子

考えてみよう！

(1) 自分の外国語学習で使ったモデル会話の内容や学習方法、学習効果について振り返りましょう。
(2) 日本語学習者にとってモデル会話の学習はどのように役立つと思いますか。

1. はじめに

会話の授業を行う際、モデルとなる会話を文字で表した教材として提示すると、教師と学習者双方にとって、その授業で目指すことが明確になる。それだけでなく、音声として消えていってしまう会話を文字で表すことによって、会話の特徴が目に見えるかたちで提示でき、会話の中で起こっていることを学習者が捉えやすくなる。このような文字で表した教材に加えて、音声教材や映像教材などの副教材があると、会話を途中で止めたり、速度を遅くしたり、繰り返したりできるので、会話における学習項目に焦点を当てて取り上げやすくなる。

本章では、会話教育にとって有効なモデル会話の様々な扱い方を提示・紹介する。まず、モデル会話作成の基準となるシラバスについて述べ、次に、モデル会話を作成する際の留意点、モデル会話の練習方法、モデル会話の作成例とその使用例（場面別、機能別）、会話を発展させる方法について述べる。なお、本章で取り上げるモデル会話の教材例は、英語が共通言語として理解できる学習者を対象に作成したものであり、英訳が付してある。学習者の母語や日本語レベルに応じて、他の言語の訳を用いたり、表記（漢字、ローマ字、振り仮名）や語彙リストの語彙数などを調整したりする必要がある。

2. モデル会話作成の基準となるシラバスの種類

授業の目的や用いるシラバスのタイプによって、どのようなモデル会話を作成するかを決める必要がある。モデル会話作成の基準となるシラバスは、

表 6-1 のように、主に 6 種類ある。

表 6-1　モデル会話作成の基準となるシラバスの種類

①構造シラバス	文型・語彙の提示・練習に焦点を当てたシラバスである。例えば、「〜は〜です」文や「〜に〜が〜ある」文などを用いた文型と、それに合った語彙との使い方を示したモデル会話を作成する。
②場面シラバス	学習者が日常生活でよく遭遇する場面を想定したシラバスである。例えば、「自己紹介」「買い物」「旅行」などの日常生活の場面を取り上げたモデル会話を作成する。
③機能シラバス	相手に働きかけるような機能を中心としたシラバスである。例えば、「誘う」「依頼する」「許可を求める」「断る」などの機能別にモデル会話を作成する。
④話題シラバス	日常生活でよく出てくる話題を取り上げたシラバスである。例えば、「自国について語る」「家族について語る」「好きな食べ物について語る」などの話題をもとにしたモデル会話を作成する。
⑤談話技能シラバス	会話を円滑に進めるために用いられる談話技能に焦点を当てたシラバスである。例えば、聞き返し、あいづち、評価的発話、質問表現、フィラー、メタ言語表現のような談話技能を効果的に用いることができるようにモデル会話を作成する。
⑥タスクシラバス	何かの課題を果たすために目標言語を使って行動をするというタスク[1]を中心としたシラバスである。例えば、「旅行の計画を立てる」「広告の中の商品の値段や特徴などについてディスカッションして、その中の一番良い商品について報告する」「日本人の友達に日本の面白い場所について教えてもらって、授業で報告する」「自分が興味を持った誰かにインタビューをして、その結果を発表する」などのタスク遂行のために参考になるモデル会話を作成する。

これらの 6 種類のモデル会話作成の基準となるシラバスは、授業活動の目的や学習者のニーズによって、どれが必要か、または、どれとどれを組み合わせてモデル会話を作成したらよいかを十分検討するのがよい。本章では、特に、モデル会話として扱いやすい②場面シラバス、③機能シラバスをもとにしたモデル会話の作成例と使用例に絞って、以下の「5. 場面別のモデル会話の作成例と使用例」と「6. 機能別のモデル会話の作成例と使用例」で

1）Nunan（1989, p. 10）は、言語教育の中で行われるコミュニカティブなタスクについて、「目標言語を用いて理解、処理、産出、やり取りをするといった、形式よりも主に意味に焦点を置いた授業活動の一部である」（筆者和訳）と定義している。さらに、松村（2012）はタスクの条件として、活動成果の重視、意味へのフォーカス、自然な認知プロセス、学習者の主体的関与を挙げている。

取り上げて述べる。なお、①構造シラバス、④話題シラバス、⑤談話技能シラバス、⑥タスクシラバスをもとにした会話教材の作成例とその使用例は、それぞれ、以下の章で紹介する。

①構造シラバスの会話教材例：
　第7章「状況設定をした語彙・文型の会話練習」など
④話題シラバスの会話教材例：
　第11章「教材例❶日本・東京のおもしろいところ・おもしろいもの」
　第12章「教材例❶私の大好きな写真・宝物の説明」
　　　　「教材例❸ディスカッションしよう」など
⑤談話技能シラバスの会話教材例：
　第13章「談話技能を考慮に入れた会話練習活動のデザイン」など
⑥タスクシラバスの会話教材例：
　第8章「ロールプレイ」、第9章「インタビュー活動」など

3. モデル会話作成の留意点

モデル会話を作成する際に考慮すべき点として、以下、自然さ、長さ・詳しさ、汎用性について述べる。

3.1 モデル会話の自然さ

モデル会話の語彙、文型、発話意図、人間関係、機能、談話技能、流れ、場面、状況などが無理のないもので、ある程度自然であるかどうかを十分検討する必要がある。モデル会話を作成する際、作成者の頭の中だけで考えて作成するのではなく、会話・談話分析（会話データ分析）の先行研究を参考にしたり、実際にその会話が起きているところを撮影・録音したり、書き取ったりしておくと、より自然な会話が作成できるだろう。したがって、ある語彙や文型を会話の中に入れたいがために、表現の使用があまりにも不自然になってしまったり、会話の流れが無理な展開になってしまったりするのはよくない。ただし、初級のモデル会話を作成する際は、例えば、「食べる＋んです」といった「のだ文」を用いないと会話の流れが不自然になったとしても、辞書形をまだ導入していない段階なら、学習者の理解を考慮して、「食べます」という表現を使い、「のだ文」は用いないほうがよいだろう。

3.2 モデル会話の長さ・詳しさ

会話の長さや、どの程度詳しく話している会話にするかも、十分検討しなければならない。自然な会話を意識するあまり、だらだらと話しすぎていたり、言い間違いや、言いよどみ、聞き返しなどをしつこく行っていたり、発話や会話の流れがねじれすぎていたりして分かりにくいモデル会話を作るのはよくないだろう。モデル会話は、あくまでも簡素化された会話例なので、学習者が基本的な会話の構造と表現が理解できて、それを自分のものとして応用できるようにするためのものだからである。初級、中級、上級など、学習者のレベルに応じて、モデル会話に用いる語彙・文型、内容や、やり取りの長さ・詳しさの度合いを考えなければならない。

3.3 モデル会話の汎用性

モデル会話は、提示や暗記だけにとどまらず、それをもとにして、学習者が自分の状況に置き換えて、自分の表現したいことに発展させやすいものが好ましい。あまりにも個別性が強いモデル会話を学習しても、学習者がそれを自分のものとして応用することができなければ、学習の意味がなくなってしまうだろう。学習者が自分の状況に置き換えて取り入れやすいモデル会話には、コミュニケーションの円滑さという点で次の２種類がある。１つは、コミュニケーションとして成功している会話の例である。もう１つは、コミュニケーションがうまくいっておらず、その問題解決の方法が何らかのかたちで取られている会話の例である。例えば、相手が使った語彙が理解できず、聞き返すといった会話がこれに当たる。この例から学習者はコミュニケーション上の問題解決の方法を学ぶことができる。いずれのモデル会話も学習者に何を学ばせたいのかによって、提示する会話と練習方法は異なる。練習したい会話場面は何かについて、学習者にニーズ調査をするのもよいだろう。

4. モデル会話の練習方法

モデル会話の練習について、以下、提示方法、リピート練習、暗記、代入練習について述べる。

4.1 モデル会話の提示方法

モデル会話の提示方法としては、教科書やプリント教材での会話の文字化資料の提示や、録音資料、映像資料の再生の他、教師と授業ボランティアによるデモンストレーションも効果的である。あるいは、演技が得意な学習者やレベルが高めの学習者などにお手本として、モデル会話のデモンストレーションをさせてもよい。モデル会話は、文字情報だけで提示したり、棒読みの音声で提示したりするのではなく、会話参加者の発話意図や感情を十分に表現した音声や身振り、表情も付けて、生き生きとしたかたちで提示するべきである。そのような音声、非言語表現を伴った生に近い、立体感のあるモデル会話の提示によって、学習者は、これから学習する会話の状況を感じ取ることができる。

モデル会話の提示のタイミングとしては、トップダウン的な扱い方とボトムアップ的な扱い方の２種類が考えられる。まず、トップダウン的な扱い方では、はじめにモデル会話を音声教材や映像教材などで提示して、会話全体の状況を把握させた後に、語彙・文型などの細部を導入・練習し、またモデル会話に戻るというやり方になる。一方、ボトムアップ的な扱い方では、まず、語彙・文型から導入・練習し、しっかり理解させ運用練習をして積み上げてから、モデル会話に入って、長い談話の流れの中で実際にどのように語彙・文型が用いられているのかを確認するというやり方になる。トップダウンとボトムアップと、どちらのやり方がよいかは、各コースの方針や学習レベルなどによって適切なほうを選ぶのがよい。

また、モデル会話を提示する際、学習者にその会話の中で何が起きているのかという状況を把握させる必要がある。モデル会話の状況の確認は、モデル会話の映像教材を視聴する時や、読み上げて内容を確認する時、聞き取り練習の時などに行う。そして、その会話がどこで起きているのか、会話の参加者はどのような人達で、お互いの人間関係はどのようになっているのか、何について、どのような目的で話しているのか、どうしてそのような会話をしているのか、などといった会話の前提になる情報について、教師から説明しておくことが大切である。あるいは、それらのモデル会話の前提となる状況（会話の場面や状況、内容、展開、参加者の人間関係、発話意図など）について、学習者に質問をして考えさせ、ディスカッションをするのもよい。

さらにそれを発展させて、モデル会話の中の言語表現や非言語表現などに現れる文化的・社会的な要素について、学習者の母語などと比較しながら、相違点を考えていくようなディスカッションの機会を持ってもよいだろう。

その他、モデル会話の中で重要な働きをしている中心的な文型や表現などの部分を穴埋めにして書き取らせるディクテーションの問題を作成してもよい。特に、「お世話になりました。」や「先日はどうも。」など、日本語に特有で汎用性の高い定型表現などは、かたまりとして聞き取らせて、その意味や用法を理解させ、そのまま覚えて使えるように練習するのがよい。このような穴埋めのディクテーションによって、モデル会話の中の細部の表現にも注意を向けさせることができる。

4.2 モデル会話のリピート練習

モデル会話に用いられている表現がそのまますらすら言えるように練習する場合は、例えば、教師の口頭デモンストレーションや音声教材の再生の後に間（ポーズ）を取ってリピートさせる方法がある。また、その後に、音声を止めずに聞きながらリピートして、徐々にかぶせて同時に話していくシャドーイングの方法などもある。シャドーイングの際は、なるべく短くて易しめの会話を選ぶとやりやすいだろう。あるいは、短い表現から始めて、徐々に発話ややり取りを長くしてリピートさせていくビルドアップの方法もある。これらのリピートやシャドーイング、ビルドアップの方法の効果はいずれも、学習者の発話の流暢さを助長し、日本語の発音やリズム、イントネーションなどの音声的な要素に注目させることにある。リピート練習を何度もすることによって、発話が自動的になり、声を出して日本語の言葉を形成していくことに自信が持てるようになる。このことによって、モデル会話の暗記もより簡単に自然にできるのではないかと考えられる。

ただし、モデル会話のリピート練習で注意しなければならないのは、練習活動が単調にならないようにすることである。学習者が実際に話す機会があまりない発話を、何度も何度も単純に繰り返させていると、学習者はリピートさせられる意味が理解できず、すぐに飽きてしまうだろう。あくまでもリピート練習は、次の段階である、学習者が自分の表現したいことをより自然に表現できるようになるためのものであるということを念頭に置かなければならない。リピート練習の際、意味に注意させると同時に、繰り返しのリズムを音と身体で楽しむという遊び的な要素を取り入れてみると飽きずに練習できるであろう。教師が音楽ライブのアーティストのように学習者達に「みんなで！」「もう一度！」「大きな声で！」「もっと速く！」などと呼びかけながらリピートさせるのもよいかもしれない。

4.3 モデル会話の暗記

モデル会話を暗記させる場合は、まずその会話が暗記する価値があるかどうかを判断しなくてはならない。具体的には、全体的に暗記する価値のあるものと、暗記する必要性の低いもの、全体は要らないが部分的に暗記する価値があるものの３つがある。

まず、全体的に暗記する価値のあるものとしては、例えば、依頼や申し出などの相手に働きかけるような機能性や場面性が強い会話である。これらのモデル会話はある程度会話の流れや表現などが定型化しているので、暗記したり代入練習したりすると、実際の使用場面でそのまま使えることが多いと言える。

次に、暗記する必要性の低いモデル会話は、例えば、話題性、個別性が強い雑談などの会話である。これらのモデル会話は、その場その場の話者同士のインターアクションと話題の連鎖の変化が大きく左右するので、会話の展開があらかじめ予想しにくく、暗記・代入練習をするのにはあまり向かない。ただし、その話題によく用いられる語彙や文型、決まり文句といった定型表現、慣用表現などを習得して、応用できそうなものに関しては、会話を暗記・練習させることも価値があるだろう。

そして、部分的に暗記する価値のあるモデル会話は、例えば、会話の開始・展開・終了の構造などがはっきりしている会話である。これらのモデル会話で、会話の始め方、進め方、終わり方などの典型的な型を理解し、暗記して、実際に会話をしてみるという応用練習活動をするのが効果的だろう。例えば、留学生の場合は、新しい友人を作るために、講義や食堂で「ここ、空いていますか。」などと声をかけて座り、「この授業、面白いですね。」「何を食べていますか。」などと会話を開始・継続するモデル会話を練習すると、すぐに授業後に使ってみることができるだろう。

4.4 モデル会話の代入練習

モデル会話の代入練習では、あらかじめ指定しておいた語彙や表現をモデル会話に沿って入れ替えて発話する練習を行う。または、学習者が授業ボランティアとペアかグループになって、モデル会話を参考に、自分達で代入する語彙・表現や、それらを代入変換する箇所を比較的自由に決めて練習する方法もある。後者の場合、学習者が独自に創作したスキットを披露し合ってもよい。スキット披露の前に、学習者が作成したスキットのスクリプトの誤用を訂正しておいてもよいだろう。

ここで大切なのは、学習者達がモデル会話を代入練習している際、より自然な言語的・非言語的な談話技能を用いながら、談話を展開させているかに注意を払うことである。つまり、代入練習がメカニカルなものであれ、創造的なものであれ、学習者達が作り上げる会話が1つのコミュニケーションとしてのまとまりをきちんと形成しているかが重要なのである。

例えば、「A：昨日の晩、何時に寝ましたか。」という質問に対して、「B：1時です。」という答えをすれば、「A：あー、そうですか。」のようなあいづち、または、「A:えー？　遅かったですねえ。」などの評価的発話などを用いて反応し、「B：ええ。」などと答えて会話を終わるというように、1つの練習のやり取りが1つのコミュニケーションのまとまりになっているように心がけるべきである。

したがって、モデル会話作成時も、このような会話の開始・展開・終了としてのまとまりに気を付けて会話を作成し、そのモデル会話を参考に学習者が代入練習をスムーズにしやすいように提示しておくことが重要である。

5. 場面別のモデル会話の作成例と使用例

モデル会話作成の基準となる6種類のシラバスについて、「2. モデル会話作成の基準となるシラバスの種類」で述べたが、ここではそのうちの「場面シラバス」によるモデル会話の作成例とその使用例について述べる。場面別のモデル会話の対象となる場面は、「教室内のコミュニケーションの場面」と「教室外のコミュニケーションの場面」の2つに分けられる。一般的にモデル会話では、「教室外のコミュニケーションの場面」が取り上げられることが多い（例:レストラン、買い物、郵便局など）。しかし、「教室内のコミュニケーションの場面」も、一番はじめに人間関係構築が起こりやすいという点で重要である（例：教室の中での学習者同士、教師や授業ボランティアとの会話など）。以下、5.1 と 5.2 でそれぞれ教室内外のコミュニケーションの場面を扱ったモデル会話について述べる。

5.1 教室内のコミュニケーションの場面

教室内のコミュニケーションの場面は、学習者、教師、授業ボランティアなど、教室内のメンバーが授業活動を行う際に必要となる表現や会話の展開のモデルとなる会話を教材とする。つまり、ここでの会話をするという活動は、いつか学習者が遭遇するであろう会話場面を想定した架空のコミュニケーション練習ではなく、今ここにいる教室内のメンバーとのコミュニケーションをいかに行っていくかということに重点を置いている。

そのような授業活動を行うための教材例が【教材例❶あたらしい　ともだち】である。これは、初級前半の会話授業で初めてペアになって自己紹介をする活動を想定して作成したモデル会話である。学習者同士ペアになるのもよいし、教室に来ている日本語母語話者などの授業ボランティアとペアになってもよい。まず、ペアワークの前に、モデル会話として会話の流れと表現を提示・説明し、デモンストレーションを行い、軽く口頭練習をした後、実際にペアになって、このようなモデル会話を参考にしながら会話をさせることができる。

この他に、中級や上級レベルでは、学習者の国や文化の発表や各自の意見を交換するディスカッションなどを行い、お互いに理解と関心を深めることも教室内のコミュニケーション活動になる。そのための教材を準備することも必要であろう。

5.2 教室外のコミュニケーションの場面

教室外のコミュニケーションの場面は、レストランや店、駅など、学習者が教室外の日常生活で遭遇するであろう場面を想定して、モデル会話の作成を行う。

例えば、【教材例❷レストランで】は、中級の学習者がファミリーレストランで店員が用いる敬語が理解できないため困っているという声をもとに、筆者がファミリーレストランに赴き、店員が実際に用いている表現を書き取ってきて、教材にしたものである。授業では、まず、実際に書き取ってきた表現であることを学習者に伝えて学習動機を高め、それぞれの語彙・定型表現の説明をする。その後、この会話例をもとに、教師と有志の学習者１人が店員と客の役で、テーブルやメニュー、料理の教具を用いて動作をしながら、レストランの会話のデモンストレーションを披露して、会話の流れを見せる。その後、グループに分かれて、学習者がロールプレイで練習をする。ロールプレイの際、基本的には、学習者は客になることが多いため、学習者には客の役をさせるのがよい。しかし、店員のアルバイトを希望している学習者や、練習をしたがっている学習者がいれば、店員の役をさせてみてもよい。さらに、この会話例をもとに、客が店員に様々な追加注文をしたり質問をしたりするなど、学習者が自由に会話を膨らませる活動をすると大変盛り上がる。

あるいは、夏休みなどの長期の休みに入る前に、電車の乗り方などを駅で尋ねる場面のモデル会話を導入・練習すると、学習者が実際に日本で旅行をする時にすぐに役に立つので、学習動機が一層高まるだろう。

授業では、まず、語彙・表現とモデル会話の提示・説明を行い、必要に応じて、モデル会話の読み合わせを全体かペアで行い、軽い口頭ドリル練習などを行う。その後、ペアかグループで独自に代入変換したスキットを練習して披露し合うという流れが考えられる。これらを行う際は、なるべく会話が現実的になるように、ものを指したりするジェスチャーや表情などの非言語的な要素や小道具の活用にも気を配るとよい。

なお、こうした教室外の生の会話を書き取ったものを教材として活用する際は、自然さが重視されるため、「～になります」などのマニュアル敬語のような表現も提示することになる。あくまでも学習者には、表現の理解を優先させ、使用する際は注意するように促すのがよいだろう。さらに、宿題として、実際に日本のレストランなどで店員が話す日本語を聞き取って注文をさせ、後日、報告する課題を与えるのもよいだろう。

6. 機能別のモデル会話の作成例と使用例

モデル会話作成の基準となる６種類のシラバスのうち、「機能シラバス」による機能別のモデル会話の作成例とその使用例について述べる。機能別のモデル会話教材には、次のようなものがある。

【教材例❸申し出】は、「～ましょうか」「～させてください」など、他者のために自身が何かをしてあげることを申し出る際の表現のバリエーションを整理してまとめ、状況設定した場面ごとに練習する教材である。この教材例では、丁寧さのレベル（カジュアル⇔フォーマル）による申し出の表現が上下に並べてあるが、実際には、表現間に丁寧さのレベルの違いがそれほどない場合もある点を学習者に説明しておく必要があるだろう。「カジュアル」は普通体を用いて友達と話す場合で、「フォーマル」は「ですます体」を用いて少し心的距離のある人と話す場合や敬語を用いて目上の人と話す場合である。「強い申し出」の「私に～（さ）せてください」の文型を練習する前に、使役形を復習しておく必要もあろう。

このように、他者に働きかける会話のモデルを機能別に提示する教材は、学習者が丁寧さのレベルや場面設定を意識して使い分ける練習ができるように、考慮して作成するべきである。つまり、機能シラバスを中核にして、場面シラバスと混合させた教材を作成することになる。

7. 会話を発展させる方法

以上、モデル会話の作成の例と、モデル会話を用いた教室練習活動について述べた。モデル会話は、教師が作成したものの他に、実際に起こった自然会話やメディアなどの生の会話データを教材としてそのまま使用することもできる。例えば、学習者のレベルに応じて選んだテレビ番組、映画などの映像資料やそれを文字化した資料を生教材として提示する。そして、そこでどのようなことが起こっているのか、言語的・非言語的な観点、または、文化的・社会的な観点から分析して、学習者間でディスカッションしてみることもできる（中井, 2008; 2012）。

そして、文字化資料でそのシーンの会話を読み合わせたり、代入練習したり、その会話場面に似た場面のスキットを独自に作って演じてみたりすることもできる。あるいは、テレビのトークショーで芸能人が自身の体験談を話しているのを映像資料で視聴した後、それを文字化した資料をもとに、体験談という談話の構造（導入・状況説明－展開－事件－オチ－価値付け・教訓）を分析し、それをモデル会話構造として、今度は学習者自身の体験談を語るという活動もできる。

このような教師の作成したモデル会話や、生教材からのモデル会話を用いた活動をさらに発展させて、学習者の主体性と創造性を活かした様々な会話練習活動を行うこともできる。例えば、学習したモデル会話や、視聴してディスカッションした映像資料を参考にして、学習者達がある程度長さのあるシナリオを作成し、演じるという演劇プロジェクトなども可能である(中井, 2004)。または、学習したモデル会話を実際に外の世界で用いるという活動もできる。例えば、町に出て街頭インタビューする、ある特定の人と会話をしているところを録音する、人に依頼しているところを録音する、買い物をしている場面を撮影するなどし、それを後日、教師とともに確認し、フィードバックを得るという活動も可能だろう。ただし、会話を録音する際は、相手の承諾が必要になるため、注意が必要である。

【教材例❶】初級前半用

ASKING ABOUT YOUR NEW FRIENDS(あたらしい　ともだち)

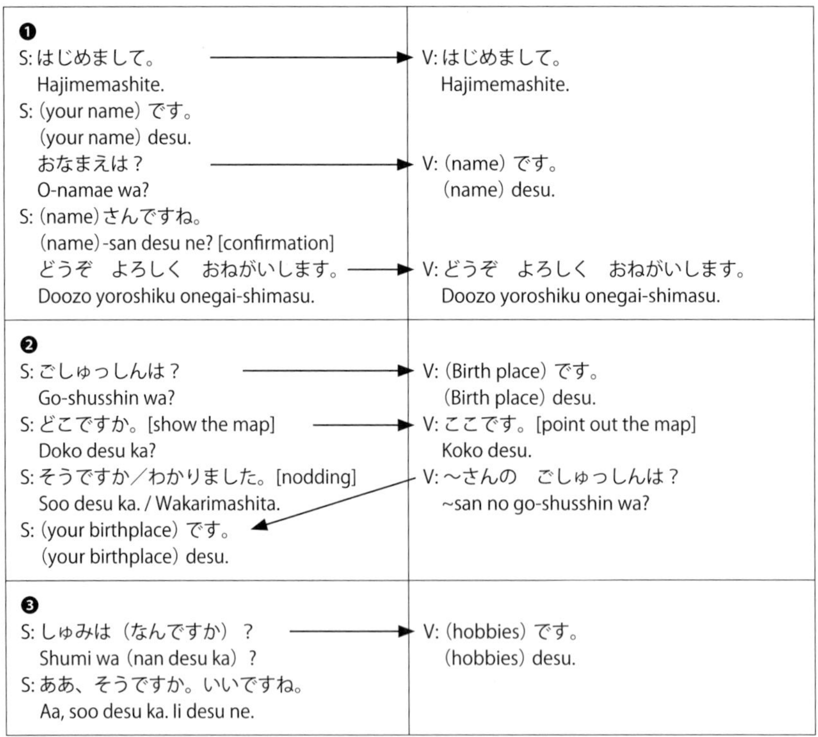

S	V
❶ S: はじめまして。 →	V: はじめまして。
Hajimemashite.	Hajimemashite.
S: (your name) です。 (your name) desu.	
おなまえは？ →	V: (name) です。
O-namae wa?	(name) desu.
S: (name)さんですね。 (name)-san desu ne? [confirmation]	
どうぞ　よろしく　おねがいします。 →	V: どうぞ　よろしく　おねがいします。
Doozo yoroshiku onegai-shimasu.	Doozo yoroshiku onegai-shimasu.
❷ S: ごしゅっしんは？ →	V: (Birth place) です。
Go-shusshin wa?	(Birth place) desu.
S: どこですか。[show the map] →	V: ここです。[point out the map]
Doko desu ka?	Koko desu.
S: そうですか／わかりました。[nodding]	V: ～さんの　ごしゅっしんは？
Soo desu ka. / Wakarimashita.	~san no go-shusshin wa?
← S: (your birthplace) です。 (your birthplace) desu.	
❸ S: しゅみは (なんですか) ? →	V: (hobbies) です。
Shumi wa (nan desu ka) ?	(hobbies) desu.
S: ああ、そうですか。いいですね。 Aa, soo desu ka. Ii desu ne.	

★もういちど　おねがいします。(Please say it once more.)
Moo ichido onegai-shimasu.
★ X って　なんですか。(What is X? / What does X mean?)
X tte nan desu ka?

【教材例❷】初級後半～中級用

レストランで

いらっしゃいませ。何名様ですか。／お一人様ですか。How many people?
禁煙席ですか。喫煙席ですか。Smoking or non-smoking?
メニューでございます。お決まりになりましたら、このボタンを押してお呼びください。
Please push this button and call us when you've decided what to order.
デザート／お飲物は最後にお持ちしましょうか。
Shall I bring desert/drink after the meal?
メニューをお下げします。I'll take the menu back.
お待たせしました。～になります。
ごゆっくりどうぞ。Take your time./ Enjoy your meal.

失礼します。お冷やをお入れします。Excuse me. I will pour water.
デザートをお持ちしてもよろしいですか。
May I bring your desert?
ご注文は、以上でよろしいでしょうか。／おそろいでしょうか。
Do you have all your order now? /All set?

ラストオーダーになりますが、何か追加はございませんか。
It is coming to last order time. Do you wish to order anything more?
こちら、お下げしてもよろしいですか。May I take these dishes back?
またお越しくださいませ。／ご来店くださいませ。Please come again.

【教材例❸】初級後半～中級用

申し出 offer

カジュアル
↑
～するよ。
（私が）～しようか？
（私が）～します。
～しましょうか。
お＋Verb-stem＋します。
お＋Verb-stem＋しましょうか。
↓
フォーマル

Please let me do~
（強い申し出／ request）
私に～（さ）せて。
私に～（さ）せてください。
私に～（さ）せてくださいませんか。
私に～（さ）せていただけませんか。
私に～（さ）せていただけないでしょうか。
（humble form）

＊「～てあげる」を使うと、時々押し付けがましくなる intrusive/bossy ので、気を付けましょう。

（例１）［ホームステイのお母さんがお皿を洗っている］
A: お母さん、お手伝いしましょうか／お手伝いします／私がやります。
（~~お手伝いしませんか。~~）
B: あら、ありがとう。／ううん、今日は、いいわよ。また今度お願いね。
（例２）［先生が重い荷物を持っている］
学生：先生、お持ちしましょうか？
先生：ああ、大丈夫です。ありがとう。

練習

1. 浅草寺の前で、観光客に写真をとってあげる。
2. 誕生日の友達に夕食をごちそうする。

やってみよう！

（1）市販のモデル会話の特徴（例：日本語レベル、対象学習者、シラバス、場面、登場人物、語彙、文型、機能、社会文化的な情報など）を分析してみましょう。

（2）モデル会話を作ってみましょう。まず、学習者が参加しそうな場面や、日本語がうまく使えずに困った場面などを学習者に聞いてニーズ調査をするとよいでしょう。あるいは、自分が外国語を学習したり外国に行って困ったりした場面を思い出しましょう。次に、それらの場面でどのような表現が使われており、どのような社会文化的知識が必要か観察・分析・内省してみましょう。それらをもとに、学習者のレベル、場面設定、学習目的、指導学習項目などを考えて、モデル会話を作成するとよいでしょう。

【付記】本章は、中井（2010, pp. 40-79）をもとに加筆修正を行った。

参考文献

中井 陽子（2004）「談話能力の向上を目指した総合的授業－会話分析活動と演劇プロジェクトを取り入れた授業を例に－」『小出記念日本語教育研究会論文集』12, 79-95. http://www.koidekinen.net/2004_12/nakai.php（2023 年 12 月 1 日閲覧）

中井 陽子（2008）「日本語の会話分析活動クラスの実践の可能性－学習者のメタ認知能力育成とアカデミックな日本語の実際使用の試み－」細川 英雄，ことばと文化の教育を考える会（編著）『ことばの教育を実践する・探究する－活動型日本語教育の広がり－』凡人社, 98-122.

中井 陽子（2010）「作って使う：モデル会話を作成して用いる」尾﨑 明人, 椿 由紀子, 中井 陽子（著）関 正昭, 土岐 哲, 平高 史也（編）『日本語教育叢書「つくる」会話教材を作る』第 2 章第 1 節, スリーエーネットワーク, 40-79.

中井 陽子（2012）『インターアクション能力を育てる日本語の会話教育』ひつじ書房

松村 昌紀（2012）『タスクを活用した英語授業のデザイン』大修館書店

Nunan, David.（1989）. *Designing Tasks for the Communicative Classroom*. Cambridge: Cambridge University Press.

第7章　状況設定をした語彙・文型の会話練習

中井 陽子

考えてみよう！

(1) 語彙・文型を定着させるには、どのようなことをすればいいでしょうか。
(2) 習った語彙・文型を使って会話できるようになるための会話練習には、どのようなものがあるでしょうか。

1. はじめに

外国語学習では、語彙・文型を学んで使えるように練習を繰り返すことが基本となる。外国語教授法[1)]のうち、文法訳読法では語彙・文型を母語に翻訳して意味を理解しながら学ぶことが中心となる。直接法では、教師が絵やジェスチャーなどで状況設定した文脈をもとに、言語（語彙・文型）の意味を理解して発話練習を行う。オーディオリンガル法では、語彙・文型を理解した後に、リピート練習で文を繰り返し言ったり、代入・変換練習のようなパターン・プラクティスで似たような文を何度も作って発話したりして[2)]、流暢に話せるように練習を行う。さらに、ナチュラル・アプローチでは、不安や緊張のない状態で、理解可能な言語を大量にインプットしながら理解能力を身に付けて、自然に話せるようになることをねらっている。コミュニカティブ・アプローチでは、言語の使い方が社会的・文化的に適切かどうかといった「意味」に重点を置いて、タスクやロールプレイ、プロジェクトワークなどの談話レベルでの言語使用の活動を行う[3)]。

1) 外国語教授法の変遷と会話データ分析の関係は、中井（2017）を参照のこと。

2) 代入練習の場合は、例えば、教師が「京都へ行きます。」という発話の後に、「沖縄」という語彙をキュー（指示）として提示する。これを受けて学習者は、「京都」の部分を「沖縄」に代入して「沖縄へ行きます。」という発話をする。一方、変換練習の場合は、例えば、教師が「行く」という動詞を提示し、「ない形」というキューを出す。これを受けて学習者は、動詞活用形を変換させて「行かない」と発話する。

3) その他に、言語の形式に焦点を当てる「フォーカス・オン・フォームズ」（focus on form*s*）と、意味内容に焦点を当てる「フォーカス・オン・ミーニング」（focus on meaning）、さらに双方の折衷として意味と文脈に焦点を当てたコミュニケーションを行いながら言語形式にも注意を向けていく「フォーカス・オン・フォーム」（focus on form）といった言語教育の方法の議論もされている。詳細は、小柳（2021）などを参照のこと。

こうした外国語教授法の変遷を見ると、文脈の中での言語（語彙・文型）の理解、および、理解した語彙・文型を状況設定した意味のある文脈の中で適切に繰り返し用いてみる練習が重要であると言える。

以下、状況設定をした語彙・文型の会話練習の例（初級～中級レベル）として、(1) 研究室での挨拶の練習、(2) 動詞を使った話題展開の練習、(3)「はず」を使った会話練習、(4) 自動詞・他動詞を使った会話練習を紹介する。

2．状況設定をした語彙・文型の会話練習の例

(1) 研究室での挨拶の練習

学習者が最初に日本語で話す機会を多く持つ人は、日本語教師や教育機関の職員などではないかと考えられる。初級前半～中級までの様々なレベルできちんと日本語の挨拶ができるように挨拶表現を練習する必要がある。

まず、【教材例❶研究室での挨拶】を用いて、先生の研究室に学生が訪れる際の挨拶表現とそのタイミングを確認する。スライドの場合はアニメーションを使って、学習者にどのような挨拶表現を用いるか言わせた後に、適切な挨拶表現を文字と音声で示し、学習者にリピートさせて練習する。

【教材例❶研究室での挨拶】

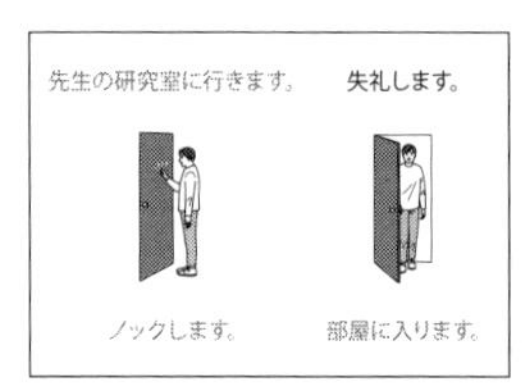

スライド 1

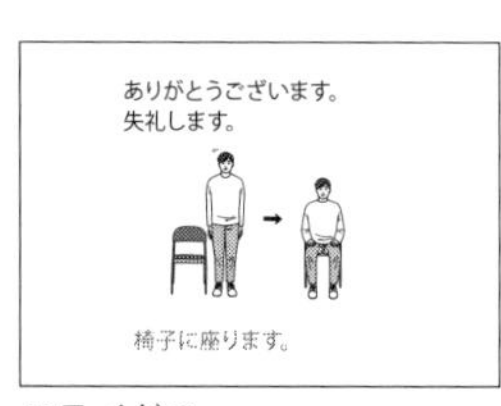

スライド 2

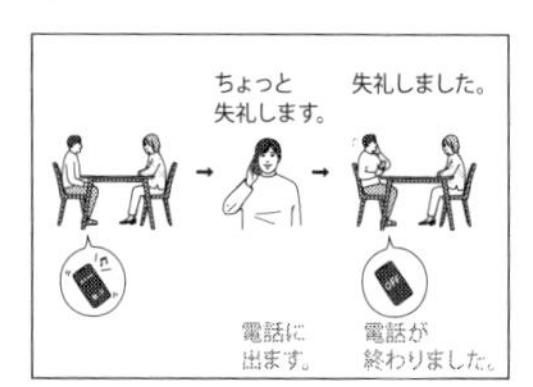

スライド 3

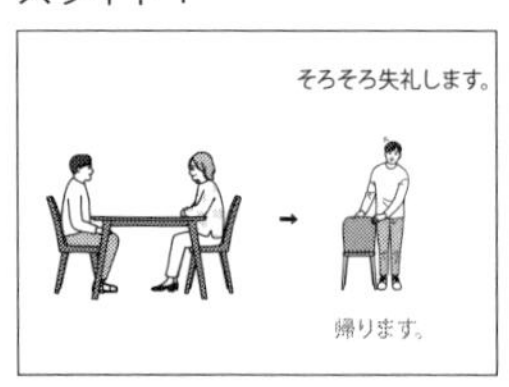

スライド 4

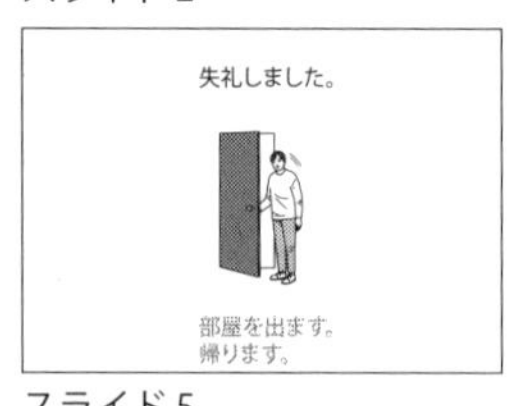

スライド 5

次に、実際に教師が先生役になり、学習者１人を学生役として指名して、先生の研究室に訪れるという状況設定をする。最初に学生役が教室のドアの

前に立ってノックをすると、先生役が「はーい、どうぞ。」と返事をし、学生役がドアを開けて「失礼します。」と言って部屋に入る。その後、先生役が「どうぞ。」と椅子に座ることを勧めてから、学生役が「失礼します。」と言って座る。先生役が「こんにちは。」と挨拶し、「今日はどうしましたか。」などと話している時に、学生役の電話の呼び出し音が鳴ってしまう。先生役は「どうぞ。」と言い、学生役が「ちょっと失礼します。」と電話に出て話した後、電話を切って「失礼しました。」と詫びる。最後に、学生役が時計を見て、「そろそろ失礼します。」と席を立ち、ドアの前で「失礼しました。」とお辞儀して退出する。

この一連の流れで状況設定を明確にし、先生役も学生役も役になりきって演じるようにする。挨拶表現の発音や挨拶するタイミングの他、お辞儀の仕方などの非言語行動が適切か、教師がその都度フィードバックを行うとよい。

(2) 動詞を使った話題展開の練習

初級前半で習ったばかりの動詞を復習する際、既習の限られた動詞に、副詞、名詞、形容詞、終助詞などを付けて、意味を考えながら楽しく自由に会話をする活動ができる。

まず、既習の動詞の絵カードを提示し、動詞の発音と意味を確認する。その後、教師が動詞の絵カードを1枚選んで（例：「食べます」）、学習者を指名し「Xさん、毎朝、何を食べますか。」と質問する。学習者が「毎朝、パンを食べます。」と答えたら、教師は「あー、そうですか。」とあいづちを打った後、「どこで食べますか。」「何時に食べますか。」などと詳細を質問する。形容詞が既習の場合は「おいしいですか。」などと質問して、話題を展開させていく。「食べます」などの動詞の現在形の肯定形を練習した後、否定形、過去形も確認し、「昨日の夜は何を食べましたか。」などと話題を続けていく。

次に、学習者が2、3人のグループになって、先ほど教師が行った質問文での会話デモンストレーションを参考に、自分達で質問しながら会話を展開させていく練習を行う。その際、習った動詞カードを教室の前に貼っておいたり、動詞一覧表を提示しておいたりする。その横には、「いつ、どこで、誰と、何を、どう」「今日、明日、昨日、何時に」などのメモを示しておく。学習者は、それらの動詞カードとメモを見ながら、話題を自由に展開させていく。

学習者には、質問して答えをもらったら必ず「あー、そうですか。」「いいですね。」などのあいづちや評価的発話を返すように指示しておくとよい。会話練習中は、適宜、教師が動詞などの活用や発音の誤用、あいづちの使い方などについてフィードバックする。学習者がうまく表現できない言葉は、教師が適切な表現を示して手助けするとよいだろう。重要なのは、学習者が既習の語彙や文型を最大限に用いて、自分達の興味をもとに話題を展開させていき、日本語の会話を楽しめるようにすることである。

(3)「はず」を使った会話練習

教師と学習者が皆で京都旅行に行くという状況設定をすると、ストーリー展開の中で適宜「はず」という文型を使って、発話をしていく練習ができる。初級後半あたりで扱える。

まず、教師が【教材例❷「はず」の会話練習】を提示して、「皆さん、これから一緒に京都に旅行に行きましょう！　今、大学にいます。」と状況設定の説明を登場人物になりきって行う。そして、スライド１を見せながら、「今、何時ですか。駅から電車に乗りますが、間に合いますか。走ったら…」と質問と言いさし文のかたちでキュー（文を作るためのきっかけとなる指示）を出し、学習者から「間に合うはずです。」という答えの発話を引き出す。同様に東京駅からの新幹線に乗れるか質疑応答を行い、学習者から「乗れるはずです。」という発話を引き出す。スライド２では、教師が「新幹線に乗りました。トイレに行きたいですが、（左右を見て）ありませんね。困りました。トイレはありませんかね。」とキューを出し、学習者が車内案内の絵を見て「トイレはあるはずです。」と発話する。スライド３では、教師が「京都に着きました。旅館に行きますが、バス停がありませんね。どこでしょうか。」と質問し、学習者がバス停の表示を見て「あちらにあるはずです。」と発話する。スライド４では、教師が「旅館に着きました。Aさん、すみませんが、チェックインしてください。」と指示する。教師がフロント係の役になって「いらっしゃいませ。お名前は？」と聞き、学習者Aが「Aです。」と答えると、フロント係がパソコン操作のジェスチャーをした後に「すみません。予約がありませんが。」と言う。それに対し、学習者Aが「予約したはずですが。」と発話し、フロント係が「少々お待ちください。」と再度調べて「申し訳ございませんでした。A様ですね。予約がございました。」と答える。スライド５では、レストランで注文した品が来ないため「さっき注文したはずですが。」と確認する。スライド6では、学習者Bが具合が悪くてレストランに行かずに部屋で寝ているという設定で、おにぎりを渡しにドアをノックするが返事がなく、「あれ？　Bさんは部屋にいるはずですが。」という発話をする。

このように、大学を出発して、京都の旅館に宿泊するところまでの1日の流れの状況設定をすると、本当に旅行しているような気分になって「はず」を適切に使っていく練習が行え、記憶に残りやすい。学習者が「はず」以外の文型を使った場合は適切な用法ならそれも認めた上で、「はず」を使った発話も必ずするように指示するのがよい。

【教材例❷「はず」の会話練習】

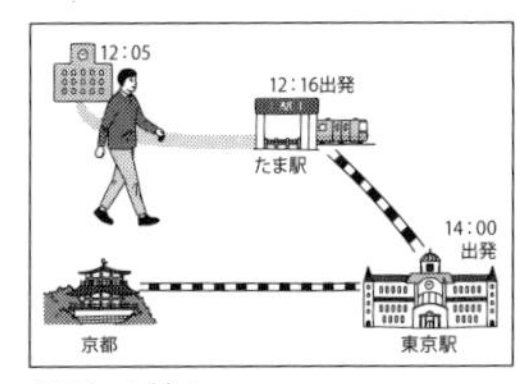

スライド1

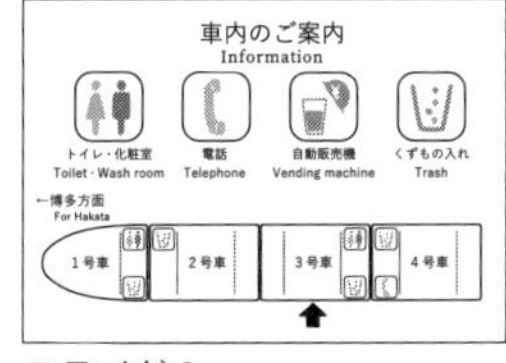

スライド2

スライド3

スライド4

スライド5

スライド6

(4) 自動詞・他動詞を使った会話練習

自動詞と他動詞の使い分けは、初級後半で学ぶが、中級や上級になっても適切に使えない学習者が多いため、様々な日本語レベルの段階で復習をしていくことが望ましい。

まず、【教材例❸自動詞「開く・閉まる」・他動詞「開ける・閉める」の会話練習】のスライド1、2を用いて、自動詞と他動詞の文型と意味の違いを確認する。次に、部屋の中にいるという状況設定で、教師がスライド3の窓の絵を見せて「（手であおぎながら）暑いですね。今、窓が…」と、言いさし発話をして、学習者から「窓が閉まっています。」という発話を引き出し、発話解答例を絵の上部にアニメーションで提示する。スライド４で、教師が「窓が閉まっているのですね。ちょっと暑いですね。」と言いながら、学習者Aをじっと見つめ、「窓を開けましょうか。」という発話を引き出す。そして、学習者Aに窓を開けるジェスチャーをさせると同時に、スライド５を見せ、教師が「Aさんは、今、何をしましたか。」と質問し、他の学習者から「窓を開けました。」という発話を引き出す。さらに、スライド６で、教師が「今、窓が…」と変化が起きた瞬間を強調するように指を鳴らし、学習者から「窓が開きました。」という発話を引き出す。その後、スライド７で、教師が「今、窓がずっと…」と継続の意味を持たせて発話し、学習者から「今、窓が開いています。」という発話を引き出す。スライド８以降では、「寒いですね。」というキューで「閉める・閉まる」の練習を同様の状況設定で行う。

【教材例❸自動詞「開く・閉まる」・他動詞「開ける・閉める」の会話練習】

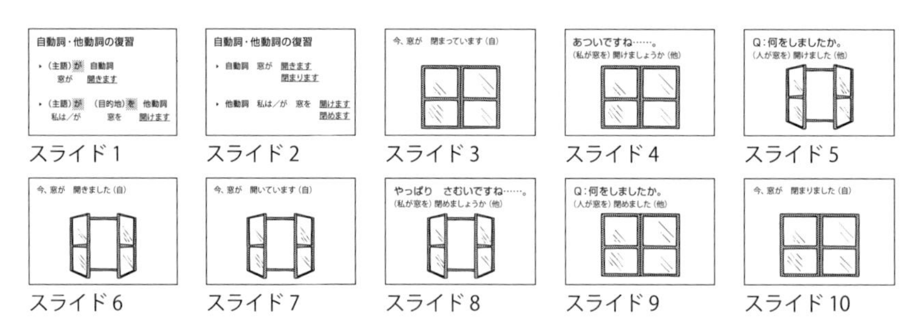

3. 留意点

自然な文脈の中で、指定された語彙・文型を繰り返し使う練習をする場合には、以下の点に留意する必要がある。

まず、絵や実物、ジェスチャー、演技などで場面設定を明確にする必要がある。最初は学習者がどのような発話をすればよいのか理解が難しい場合があるため、教師が発話例を見本として数回示して学習者が十分に理解してから発話させるようにするとよい。ただし、教師はあまり話し過ぎないようにし、簡潔なキューを出した後、指定した語彙・文型を学習者が代入・変換させながら様々に使って発話する機会をできるだけ多く作るようにする。そして、「教師－学習者」の順で発話練習を十分に行った後、「学習者－学習者」

の発話練習に発展させていくとよい。

次に、自然な会話のやり取りの中で、語彙・文型の使い方を理解して運用できるように、まずは教師が自然な受け答えをすることが重要である。そのためには、教師として状況説明をしながら、登場人物になりきって自然な質問などのキューを出し、学習者から指定の語彙・文型を用いた発話を引き出した後、それに対して自然なあいづちや評価的発話で反応するようにする必要がある。例えば、「(1) 研究室での挨拶」の練習では、学習者が電話に出た後に「失礼しました。」と詫びた際に、教師は発話が正しく言えたということで「いいですね。」と言いたいかもしれないが、これは教室内で教師が学習者の発話を評価するティーチャートーク（teacher talk）であり、自然な会話の流れの中では不自然である。「失礼しました。」という詫びの後には、「いえいえ。」という詫びに対する否定の発話をするべきである。もし学習者の発話に誤用が見られた場合は、自然な受け答えの後、訂正のティーチャートークをすればよいだろう。同様に、教師が「昨日、何をしましたか。」と質問し、学習者が「映画を見ました。」と答えた後、教師が「そうですね。」と発話が正しいという評価のティーチャートークをすると、教師が学習者の行動を何でも知っていて同意するという不自然な会話になってしまう。この場合は、「そうですか。」と知らない情報を初めて聞いた反応をするのが自然であろう。こうした教師の自然な受け答えが学習者への良質なインプットとなって理解・運用されていくのである。教師自身が状況設定の中で楽しんで会話のやり取りを行うことで、学習者もその中に入り込んで夢中になって発話できるため、不安や緊張のない状態で楽しんで発話練習ができると言えよう。

さらに、自然なやり取りの中で、指定した語彙・文型を学習者から引き出せるように、教師と学習者の台詞の流れや教材・教具を提示するタイミングなどを教案にメモして準備しておくことも重要である。なお、教師の発話は学習者が理解しやすいように、なるべく既習の語彙・文型を駆使して話すようにする。新出の語彙・文型がある場合には、語彙リストや絵、実物を見せて意味が理解できるように工夫する。プリントやスライドに提示する文字は、未習のものや定着していないものに、振り仮名や媒介語、絵を付けると理解が得られやすい。

このような自然なやり取りを進めていくためには、作成した教案をもとに、事前に授業のシミュレーションを同僚の教師と練習しておくのもよいだろう。授業では、こうした語彙・文型の練習を十分に行った後、さらに発展させたタスクやロールプレイ、プロジェクトワークなどの活動に繋げていくと、学習者の会話の運用能力がより向上していくだろう。

やってみよう！

(1) 他の人とグループになって、初級後半までの語彙・文型をいくつか選び、状況設定をした会話練習を考えましょう。例えば、以下のような練習が考えられます。
- ・パーティーの準備の際、「〜ましょう」「〜ましょうか」「〜ませんか」を使って、参加者、日時、場所、飲食物などの提案・確認を行う。
- ・友達の家に行った時に、「〜てもいい？」を使って許可求めをする。
- ・大変な１日のストーリーを「受身文」を使って話す。または、労働をさせられているシンデレラの１日について「使役文」「使役受身文」を使って話す。
- ・自動詞・他動詞を使って、やり取りをする。
- ・敬語（尊敬語・謙譲語）を使って、先生や社長との会話、セレブのパーティーやインタビューの会話をする。

(2) (1) で考えた練習例のデモンストレーションをしましょう。グループで誰がどの部分の教師役をするか決めてください。学習者役はグループメンバーの数人か、デモンストレーションの観客が担当します。なお、指定した文型に活用がある場合は、動詞（一段、五段、不規則)、い形容詞、な形容詞、名詞の活用練習ができるように発話文を設定しましょう。

参考文献

小柳 かおる (2021)『改訂版 日本語教師のための新しい言語習得概論』スリーエーネットワーク
中井 陽子 (2017)「会話データ分析と教育現場の関係」中井 陽子（編著） 大場 美和子, 寅丸 真澄, 増田 将伸, 宮﨑 七湖, 尹 智鉉（著)『文献・インタビュー調査から学ぶ会話データ分析の広がりと軌跡－研究から実践まで－』第２章, ナカニシヤ出版, 17-25.

第8章　ロールプレイ

鎌田 修

考えてみよう！

(1)「ロールプレイ」とは何でしょうか。
(2)「ロールプレイ」を行う目的は何でしょうか。

1. はじめに：ロールプレイとは

ロールプレイ（以下RP）とは、何らかの目的を持ってロール（役割）をプレイ（演じる）することである。プレイが「遊び」という意味も持つように、RPの起源は幼児が「遊び」として行う「ごっこ」ではないかと結論付けてもおかしくないであろう。目的が遊びであれ、演劇のように芸術の追求であれ、外国語教育であれ、精神療法であれ、人間ならば誰にでもある「想像力」を使って、上手下手は別として、実際の自分とは異なる人物（役柄）を演じることができる[1)]。言うまでもなく、外国語教育におけるRPの目的は会話能力の向上であろう。とりわけ、第3章で見たOPI（Oral Proficiency Interview）の中で行われるRPは、受験者が面接という枠組みを離れ、現実世界における接触場面に置かれた場合、どのような評価になるか、それを調べるものだった。本章では、そのような能力測定のみならず、会話能力そのものを向上させるRPを行うための状況設定、RPの活動そのもの、RPカードの作り方などについて具体的に述べる。

会話授業の中でRPをどのように行うかについて考えることは、私達の日々の会話活動を振り返り、整理し、RPの「ネタ」にするという作業にも繋がる。牧野（2001, p. 11）はOPIは日本語学習者の人生を取材するようなものだと述べている。その意味で、RPは寸劇のようなものとは言え、人生の1コマを劇化することだとも言えるだろう。良いRPであればあるほど、実際の人生の1コマに近い、あるいは、それ以上の「本物」になるとも言え

1) Booth (1994)、Chesler & Fox (1966) など参照。

よう。以下、まず、RPの分類を行い、次に、中級から超級に至るまでの各レベルのRPの作成を取り上げる。これをもとに「本物」以上に本物らしさが出る、生き生きとしたRPが作れるようになればと願う。

なお、本章は第3章で扱った会話能力測定をもとに議論していく。つまり、「初級」～「超級」のレベル設定は、簡単な文型から難しい文型に積み上げていく「文型積み上げ型」の考え方によるのではなく、現実世界においてどのような言語活動がどれほど行えるかを示すプロフィシェンシー（言語運用能力）の考えに基づくものである。ここでは「対話」による日常的な会話活動が行えるレベルを「中級」として設定し、初級は基本、対話がまだ行えないレベルと考える。そのため、初級用のRP自体は存在しないことになる。しかし、対話が行える（対話を行う）ことを前提とするRPは中級以上に関与する能力の保持者だけでなく、中級を目指す初級話者（とりわけ「初級－上」）も対象にすることになる。詳しくは、第3節で述べる。第3章、第4章、さらに、鎌田他（1996; 2006; 2007; 2020）を参照願いたい。

2. ロールプレイの分類

語学教育のためのRPは、その手順（提示の仕方）による分類とRPの使用目的による分類に分けられる。

A. 手順による分類：

（1）タスク先行型……活動の内容、場面設定、登場人物の役割をしっかり示し、ウォームアップをしたのち、演技を始める。できるだけ録音、録画を行い、見なおし、学習項目を考えていくタイプ。

（2）文型先行型……あらかじめ使用する文型や表現などの学習項目を指定（あるいは学習）しておき、それらに現実的な文脈を与え、最終的な運用練習としてRPを行うタイプ。

B. 目的による分類：

（1）学習用……授業活動の一環として学習者が同じクラスの他の学習者と、あるいは、担当教師や授業を訪問している母語話者（あるいは、先輩など）と学習目的で行うタイプ。

（2）テスト用……教師がテスターとなり、学習者の会話能力を測る目的で行うタイプ。OPIがその良い例。

上記のどの分類、どのタイプのRPであれ、RPにとって最も大切なことは、目的としている会話活動の行われる場面を明確に示し、役を演じる学習者や教師がお互いにしっかり共有できるイメージ化を行うことである。「B. 目的による分類」の（1）（2）の違いは、多数の学習者から特定のペアか3人以上のグループを選出し、学習用のRPをデモンストレーションさせるか、あるいは、テスト用としてRPを行うかの違いとなる。そのどちらでもなく、むしろ学習者同士の共同学習の場合は、クラス内にいくつものペアか3人以上のグループを作って一斉に会話練習することが可能になる。大教室でも一斉に個別の会話練習ができるという利点がある。

3. ロールプレイの作成

3.1. RP1　救おう居酒屋「長次郎」！

なにはともあれ、まずは、次のRPを試してみよう。Aはあなたの学生、Bはあなたで日本のどこかで中級レベルのクラスを担当している。上級への能力向上を目指す「意見述べ」練習の1つとして、以下のRPカードを用いて、学生にRPを課すとしよう。

A：中級レベルのメキシコ人留学生、母語はスペイン語
B：Aがアルバイトをする居酒屋「長次郎」の店主
C：居酒屋「長次郎」で働く料理人

〜〜〜〜〜〜〜〜〜〜〜〜〜〜〜〜〜〜〜〜〜〜〜〜〜〜〜〜〜〜〜

Aは居酒屋チェーン店「長次郎」でアルバイトをしていて、将来、自分の国で居酒屋を開きたいと思っている。ある時、メニューの改善を図るための話し合いが開かれることになり、店長Bから参加を求められた。今のメニューはほとんど和食のためか、若者客が少ないのが問題。会議に参加して、意見を述べなさい。会議には店長他、料理人も加わっている。

Aはやる気のある明るい学生で、日常的な会話は大抵こなせるが、長く話すとブツ切りの文や語句の羅列になり、聞き手が理解するのに負担が生じる「中級」レベルとする。ここで要求されている「意見述べ」とは表現文形式に複雑さを伴う「上級」タスクである。課題としては、まずは、「意見」そのものを述べること、そして、そのために文を繋ぎ、一貫性を持たせること、

長々と文を羅列させるのではなく、簡潔にまとめることなどが挙げられる。居酒屋文化にそれほど詳しくなくとも対応でき、メニューに若者が好む母国の料理を加えることや、それによる年配客の減少問題、新たな料理人が必要になることなどの対応策も述べられれば、最低限の目標が達成できたとみなせよう。日本人のビジターかボランティア（可能なら居酒屋経営者）がいれば、その人にBかCを担当してもらうとさらに盛り上がるだろう。いずれの場合も録音（録画）し、その後、クラス全体で振り返り、そこから学習課題を話し合う「タスク先行型」がより効果的であろうが、既習表現の運用練習として行う「文型先行型」を試みるのもよいだろう。どちらの方式を選ぶかは、授業シラバスとの整合性を見て決めることになろう。また、Aの留学生を中国人やインドネシア人など、その場の学生の状況に合わせることも可能である。ただ、いずれの方式を取るにせよ、良いRPとは、まず、学習者を引き付けるものであること、そして、あまりに突飛なものではなく、遭遇性（現実性）が高く無理なく演じられること、レベル的に現在の能力に少し弾みを付ければ達成可能なものであることだと言えよう。次に、具体的にどのようなRPが作成可能か考える。

3.2 ロールプレイ作成のための三大条件と「言語活動のプール」

まず、良いRPの作成には、次の３点が要求される。

●ロールプレイ作成上の三大条件

(1) タスク：学習者を引き付け、生き生きとした面白い内容であること
(2) 遭遇性：現実味・当事者性があり、場面のイメージ化が容易なもの
(3) レベル：もう少し頑張れば手が届くものであること

これまでにも強調したように、まずは、面白いもの、すぐにでも飛び付きたくなるような魅力的なものであること。好きこそ物の上手なれの例えのように、表現優先ではなく、活動優先で、活動を始めることによって、どのような表現・文法が必要か自ずと分かってくるようなタスクであることが重要である。しかし、面白いからと言って、突飛なものでは作り話になってしまい、白けてしまう。また、面白くても、難しすぎては挫折感しか味わえず、意味がない。何が面白いか、また、何が遭遇性の高い現実味のあるものかは、それぞれの学習者によって異なることは事実だが、面白くないからと言って避

けてよいのか、遭遇性が低いからと言って無視してよいのかということは、また別問題である。学習者中心といううたい文句のもと、好き勝手に学習を進めさせるのではなく、むしろ、学習者を「主体」にした（学習者の観点に立った）学習者のための語学教育を展開する必要がある。RPの作成も同様に、私達が経験する（あるいは、経験すべき）ありとあらゆる言語活動を俯瞰的に眺め、そこからそれぞれの学習者の関心事、さらに、能力の向上に繋がるRPを考え出すべきであろう。

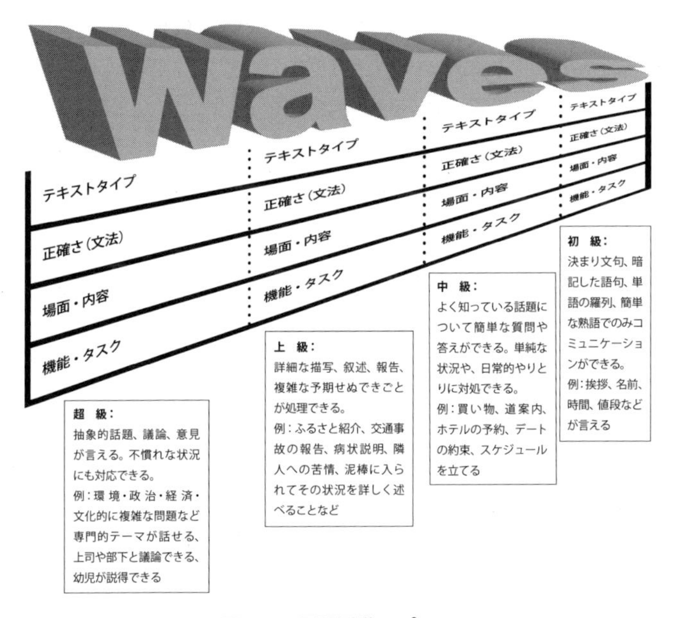

図 8-1　言語活動のプール

ここで紹介したいのは第 3 章で考察したプロフィシェンシー（言語運用能力）の考えに基づき考案した図 8-1「言語活動のプール」（鎌田他, 2020 など）である。私達の生活は様々な難易度から成る様々な種類の言語活動から成り立っているという仮説をもとに、難易度の低い活動は「初級（Novice）」域に、さらに、日頃繰り返される日常的活動から成るものは「中級（Intermediate）」域、また、より複雑で込み入った非日常的な活動は「上級（Advanced）」域、最後に、より複雑で抽象性が高い言語活動は「超級（Superior）」域にまとめた。このプールは言語活動の目的（機能・タスク）を底部（水上からは見えない）に置き、その上に言語活動が行われる場面とその内容を示す。さらに、その上には、文法、語彙、音声などによって目的とする活動が言語化される部分（形式的正確さとして表示される）、さらに水面上にて表面化（可視化）されるテキストがあると考える。水域（能力レベル）が深まれば深まるほど、水量（活動の種類と量、語彙、文法的複雑さなど）も増え、水面（テキストタイプ）も厚さを増す。同時に、水面からは見えないが、水域を支える底部（活動目的、タスク／機能のこと）もレベルの上昇とともに、重厚なものになる。各レベル（水域）の枠内にはそこで要求される機能・タスクの記述とそれを具体化した活動例を長方形の線で囲い、プールの可視化を図った。当然ながらこれらはレベルごとにはっきりと区別できるものではなく、プール全体の水を共有する、レベル単位の集まりと考える。

学習者をスイマー、教師をトレーナーに例えると、まだ、泳げない初級のスイマーには最初は浮袋（通訳、翻訳機などのメタファー）をあてがい、少しずつ、中級へ向かわせ、泳げるようになれば、浮袋を外させる。一通り自力で泳げる（日常的活動のできる）スイマーは中級から上級の水域へ押しやり、少しずつ複雑さを増した活動（病状の説明、交通事故の報告・処理など）を与え、能力向上を目指させる。さらに上級レベルのスイマーは、抽象的な話題や議論を要する超級レベルの活動に挑戦させるといった具合である。水面上の波はスイマーに対する負荷を意味し、レベルが上がれば上がるほど波が高くなり、それにも耐えられる能力を身に付ける必要がある。トレーナー（教師）はスイマー（学習者）の能力をしっかり把握し、適切な指示を与えなければならない。

このような考えをもとに、対象とする学習者がどのような会話活動を行うか（行うべきか）を具体化すると、次のようなRPを例として挙げることができる。表8-1の左欄では、機能・タスク、テキストタイプ、具体例を述べ（図8-1はその簡略版）、右欄には各主要レベルの下位区分（－上／－中／－下）の順でRPの例を挙げた。留意点として「+1の難易度に」とあるのは、現在の能力で少し努力すれば達成可能になる難易度という意味で、タスクの複雑さを少し増やすこと、抽象度を少し高めることなどに留意することが「+1」の意味するところである。

表 8-1　レベルごとのロールプレイの例

①機能・タスク／②正確さ・テキストタイプ／③具体的活動例	RP 例： 面白さ／遭遇性／ +1 の難易度に留意
超級（Superior）： ①意見を裏付けて述べたり、仮説を打ち立てたり、具体的かつ抽象的に話をしたりすることができ、不慣れな話題や場面にも対応できる。 ②聞き手がほとんど違和感を抱かない正確さ。起承転結などの複段落。 ③環境・政治・経済・文化的に複雑な問題など。専門的テーマが話せる。上司や部下と議論ができる。幼児を説得できる。	**ー上)** どの駅にもエレベータを作るとか、様々な言語の翻訳を付けるとか、みんなの多様性を尊重するには多くのコストがかかります。それについて、あなたの考えを述べなさい。 **ー中)** あるデパートであなたの国の特産物が売られています。とてもおいしい食べ物で購入したいと思うが、値段が 10 倍もしています。悪徳商法かもしれないので、事情を聞き取り、改めるよう説得して、妥当な値段で購入できるようにしなさい。 **ー下)** 最近のインターネットの発達により私達の生活が大きく変わりました。そのメリットとデメリットについてあなたの考えがよく分かるように（1）クラスメート、（2）近所に住む 10 歳の子供に説明しなさい。
上級（Advanced）： ①主要な時制枠においてナレーション（体験談など）と描写ができ、複雑さを伴う日常的な状況に対応できる。 ②聞き手は多少違和感を抱くが、非母語話者に慣れていなくても理解可能な正確さ。文が集まった段落構成。 ③ふるさと紹介、交通事故の報告、病状説明、隣人への苦情、泥棒に入られその状況を詳しく述べる。	**ー上)** あなたは日本の飲料水を扱う会社に就職し、営業を担当しています。新製品のキャンペーンをしています。取引先にその良さを詳しく説明して注文してもらいなさい。 **ー中)** 大学を出たらあなたの国で就職をしようと思っている友人がいます。友人がどんなことをしたいか尋ね、また、あなたの国の就職事情についても説明して、良いアドバイスをしなさい。 **ー下)** 電車の中に大切なものを入れているバッグを忘れてしまいました。駅に電話をして、どの電車に乗ったか、バッグの形とその中身を説明しなさい。それと同じようなバッグが 3 つあるので、さらに、詳しく説明をしなさい。

中級（Intermediate）： ①言葉を使って、自分なりの伝えたいことを産出すること、身近な話題について簡単な質問・回答ができ、日常的で単純な場面や取引に対応できる。 ②聞き手は違和感を抱くが、非母語話者の発話に慣れていれば理解可能な正確さ。単文、簡単な複文。 ③買い物、道案内、ホテルの予約、デートの約束、スケジュールを立てる、パーティーの段取りができる。	**ー上）**明日は会話テストの日ですが、数日前から体の調子が悪く、学校に行けません。担当の先生に電話で詳しく状況を説明して、別の日に変えてもらいなさい。 **ー中）**来週１週間あなたの町を日本人グループが訪問します。リーダーの田中さんに電話をし、あなたの町の面白い点を説明して、どんなことをしたいか話し合いなさい。 **ー下）**もう少しで夏休みです。スポーツの好きな友達と１週間旅行しようと思います。費用のことも頭に入れて楽しい旅行の計画を立てなさい。
初級（Novice）： ①決まりきった語句や暗記した表現、リストを使って最低限のコミュニケーションができる。 ③挨拶、名前、時間、値段、買い物リスト、天気。	初級は原則、対話がまだできないレベルであるため、RP で対話力を調べることはできない。しかし、初級ー上になると部分的ではあるが中級の能力を持っていることになるので、中級ー下あたりの RP を課して、それを確かめる。

3.3 ロールプレイ作成のコツ：横振り、縦振り[2)]

プロフィシェンシーを向上させるには、次の原理で学習者に課題を与えるようにすることが重要である。RP の作成も同様である。

A）横振り……同一レベルのタスクをいくつもこなすことにより、その能力レベルを確固たるものにできる。

B）縦振り……あるレベルのタスクを固定させ、それに負荷をかけることによりレベルを上げることができる。

A）の横振りについては、プロフィシェンシーは同程度のタスクをいくつもこなすことにより、そのレベルの能力を維持すること（確固たるものとすること）ができると考える。買い物ができること、道案内ができることなど中級レベルの活動がより多く遂行できるようにすることで、中級レベルの能力を固められる。同様に、話者自身だけに関係するテーマから、友人、同僚、

2) 簡単に言うと、「横に＋1、縦に＋1」となり、横振りはテーマの追加、縦振りは、難易度の追加と言える。

さらに全く未知の他人に関するテーマへと広げたり、具体的な事物（自宅、ふるさとなど）から抽象性のある事象（家族制度、ふるさと納税など）などへと広げたりすることにより、中級の維持、上級の維持、超級の維持が可能になる。

一方、B）の縦振りについては、あるレベルのタスク（例：中級「ホテルの予約」）を固定させ、それに負荷をかけること（例：予約がうまく行っていないことが判明し、その問題を解決するタスク）により、一歩上のレベル（この場合、「上級」）に向かっていける。また、上級レベルのタスク（例：交通事故の報告）から超級レベル（例：保険制度の問題）に突き上げられる。このように、学習者の関心事を念頭に置き、横に、縦にと振っていけば、数限りなく能力の維持と向上を目指したRPを作っていくことができる。読者の皆さんも、日々接している日本語学習者一人一人の言語生活を思い出し、図8-1の言語活動のプールとここで例としたRPを参考に、彼らの日本語能力を、維持、向上させるためのRPを数多く考え出し、それを教室で実践していただきたい。

3.4 ロールプレイを成功させるかぎ

せっかく時間をかけて、素晴らしいRPを作成し、周到に準備したにも関わらず、いざやってみると全く予期しない方向に話が展開したり、あるいは、ものの10秒もしないで終わってしまったりすることが往々にしてある。それは、大抵の場合、活動場面のイメージ化が十分になされていなかったことに問題がある。つまり、以下の３点について十分な確認が行われていないと全く意図しない結果を招くことになる。

●ロールプレイ実施前の３つの重要点確認

① 十分な文脈作りをしたか：想定場所、参加人物、周りの状況はどうか
② タスク（課題）はしっかり認識されたか：タスクの目的は明確か
③ ロール（役割）はしっかり認識されたか：誰が何を演じるのか

もちろん、そもそも、RPカードの作成、あるいは、既成のものの選択が良くないと、文脈作りもタスクや役割認識もあったものではない。3.2の「ロールプレイ作成上の三大条件」で述べたように、(1) 内容的に引き付けるものであること、(2) 遭遇性（現実性・当事者性）が高いものであること、(3)

もう少しチャレンジすれば達成できるものであること、これら３点が満たされたRPであることは言うまでもない。その上で、イメージ化がしっかり行われたかどうかを確認し、スタートしていただきたい。レベルが上がれば上がるほど、登場人物の社会的関係（上司／部下、男性／女性、親疎など）を考慮する必要性が増し、RPの作成、選択についても配慮が必要になる。実在する人物や場面をイメージして行うのも１つの方法である。

4. まとめ

タスク先行型のRPであれ、文型先行型のRPであれ、RPそのものは、演じる学習者同士がしっかりした場面共有を行った時にその目的が達成される。場面共有が十分でない場合、話題が変な方向に行ってしまったり、取って付けたような不自然な言語表現になってしまったりする。言葉は自然な文脈があってはじめて、生きたものとなる。RPを終え、振り返りを行い、より良い表現を探すなどの活動が行われるが、そのためにも、自然で現実味のある場面、文脈を与えることが極めて大切になる。したがって、究極のRPとは、演技ではなく実際の活動となった場合に生じる。その意味でも、日々の会話活動（言語生活）がどのようなものであるか、常に観察することが語学教師には要求される。

なお、ここで取り上げたRP以外にも、参考になるロールプレイ集（山内, 2000; 嶋田他, 2010）などが発行されている。日々対面している学習者にとって最高のRPは何か探究を続けていただきたい。

やってみよう！

(1) あなたが日々接している中級／上級／超級レベルの学生の平日と週末の典型的な１日の言語生活をもとに、それより１段上のレベルの活動を想定したRPを考え、それらを試してみてください。表8-1を参考に考え、試行後のフィードバックもあわせて検討してください。

(2)「図8-1 言語活動のプール」を参考に、様々なレベルの日本語学習者との接触を行い、それらの経験をもとにしたRPを考え、実際に演じてみてください。

参考文献

鎌田 修, 川口 義一, 鈴木 睦（1996）『日本語教授法ワークショップ（ビデオ付き）』凡人社
鎌田 修, 川口 義一, 鈴木 睦（2006）『日本語教授法ワークショップＤＶＤ』凡人社
鎌田 修, 川口 義一, 鈴木 睦（2007）『日本語教授法ワークショップ（増補版）』凡人社
鎌田 修, 嶋田 和子, 三浦 謙一（編著）牧野 成一, 奥野 由紀子, 李 在鎬（著）（2020）『OPIによる会話能力の評価－テスティング、教育、研究に生かす－』凡人社
嶋田 和子, 西部 由佳, 酒井 祥子（2010）『ロールプレイ玉手箱』ひつじ書房
牧野 成一（2001）「理論編－ OPIの理論と日本語教育」牧野 成一, 鎌田 修, 山内 博之, 齋藤 眞理子, 荻原稚佳子, 伊藤 とく美, 池﨑 美代子, 中島 和子（著）『ACTFL OPI入門―日本語学習者の「話す力」を客観的に測る－』第1章, アルク, 8-49.
山内 博之（2000）『ロールプレイで学ぶ中級から上級への日本語会話』アルク
Booth, D.（1994）. *Story drama: Reading, writing and roleplaying across the curriculum*. Ontario, Canada: Pembroke Publishers.
Chesler, M., & Fox, R.（1966）. *Role-playing methods in the classroom*. USA: Science Research Associates.

第9章　インタビュー活動

中井 陽子

考えてみよう！

(1) インタビューを行ったり見たりしたことがありますか。どのようなインタビューでしょうか。
(2) インタビュー活動を行うには、どのような手順があるでしょうか。
(3) インタビューを行う際の留意点は、何でしょうか。

1. はじめに

何かの知識や情報、経験談などを知る方法の1つとして、インタビューがある。インタビューによって、有識者や専門家、経験者から何か必要な情報を聞き出して参考にする。日本語学習者の場合、研究課題を立て、それを明らかにするために他者にインタビューを行い、その結果をまとめて口頭発表やレポート作成を行うことがあるだろう。あるいは、就職活動の一環として企業訪問し、先輩から職場の様子を聞いて、職業選びの参考にすることもある。このようにインタビューは、学業や生活の様々な場で様々な背景を持つ人々から情報を得て参考にするための重要な行為だと言える。そこで、本章では、日本語授業で行うインタビュー活動について、教材（菅長他, 2022）、およびその説明（中井他, 2023）などをもとに述べる。

2. インタビュー活動の進め方と教材例

インタビュー活動は、通常、日本語コースの後半に、それまで学んできたことの総仕上げとして、各学習者が自身の関心のある研究課題（問い）を設定して行うことが多い。あるいは、1学期間を通して、インタビュー活動を大きなプロジェクトワークとして行うこともある。以下、インタビューの方法（2.1）、計画と事前準備（2.2）、実施と発表（2.3）の順に述べる。

2.1 インタビューの方法

授業では、最初に、インタビューの方法（手順、マナー、注意点、表現、聞き手の役割など）について学習者に説明・確認を行う。

(1) インタビューの手順・マナー

インタビューの手順とマナーは、以下のような点を学習者と確認する。

- 学習者が研究テーマを決め、インタビューの対象者を選定した後に、対象者に依頼し（メール、電話、対面、HP 連絡欄など）、日時、場所を決めた上で、インタビューを実施する。
- 依頼の際は、学習者が対象者に自己紹介や調査の目的・内容・時期、謝金の有無などをきちんと伝えるようにする。
- インタビュー当日は、遅刻しないようにして、礼儀正しく、かつ適切にインタビューを実施する。
- インタビューを録音してもよいか対象者に許可を得るようにする。
- インタビュー終了後は、お礼の挨拶をして、適宜、謝金やお礼の品などを渡す。

(2) インタビューの注意点

学習者とインタビューの注意点について確認を行う。例えば、インタビューの良い例、悪い例のビデオ教材（菅長他, 2022）を視聴し、留意点や表現方法を確認するとよい[1)]。インタビュー相手が答えやすい具体的な質問をする、相手の回答を受けてさらにその内容が深められるような質問をしていく、相手の意見を否定しない、自分が話し過ぎないなどの留意点をよく確認して意識化する。

(3) インタビューの表現

インタビューを実施する際の表現についても確認・練習するとよい。例えば、相手に失礼のないように、尊敬語、謙譲語といった敬語が適切に使えるか復習しておくことも必要であろう。また、インタビュー相手を「あなた」ではなく、名前や役職（先生、先輩、社長）で呼ぶように注意を促す。加えて、インタビューを始める時の挨拶表現や、質問の仕方、インタビューの終わらせ方やお礼の伝え方などを取り上げるとよい。特に、お礼を述べる際、「お疲れ様でした」といった挨拶表現や、「いい体験をしましたね」といった

---

1) 中井（2018）では、授業中に良いインタビューとは何か話し合った後、実際のインタビューの会話ビデオを視聴して相手の話の引き出し方などを分析する活動を行い、今後の自身のコミュニケーションで気を付けたい点について検討する活動を行っている。それにより、より良いインタビューの仕方を意識化するとともに、日常生活の中でどのように相手の話を聞くべきか考える機会となっていたことを報告している。

褒めなどの表現は失礼になる場合があるため、注意が必要である。代わりに、「大変興味深いお話が聞けて、勉強になりました。」、「お忙しいところ、お時間を作ってくださって、ありがとうございました。」といった感想と感謝の表現をきちんと述べられるようにすることが重要である。必要に応じて、インタビューの録音の許可を求める表現を確認してもよいだろう。

(4) インタビューの聞き手の役割

インタビューの聞き手としての役割については、十分に時間を取って確認、練習を行うのがよい。例えば、良い聞き手になるためには、聞き手の反応（例：あいづち、うなずき、繰り返し、評価的発話、質問、笑顔、笑いなど）を十分に行って、相手の話への理解・興味を示し、話しやすい雰囲気を作る必要がある点を学習者に意識化させるのがよい。また、十分に聞き取れなかった場合は、適切に聞き返しの表現を用いることも重要である[2)]。一方、聞き手として問題がある例として、紙を見ながら質問する、下を向いたままメモを取り続けて相手の顔を見ない、相手の話に対して無反応であるといった行動を取り上げる。

2.2 インタビューの計画と事前準備

インタビューの方法の確認を行った後、学習者が各自でインタビューの計画を立てる。まず、ワークシート【教材例❶インタビューを計画しましょう】をもとに、インタビューによって何が知りたいか、研究の目的・テーマについて考える。そして、誰にインタビューを行えばそれが明らかになるのか、対象者を検討する。さらに、テーマや対象者について既に知っていること、これから調べる必要があることについて書き出し、事前準備ができるようにする。

---

2) 談話技能については、第13章を参照のこと。中井（2018; 2019）では、インタビューの留意点やより良い聞き手の技能についてさらに詳しく述べられている。特に、中井（2019）では、インタビューでの聞き手の役割に対する印象評価を行う調査を実施し、その結果についてまとめている。これらをもとに、中井他（2022）において、インタビューでの聞き手の役割を評価しながら意識化できる活動を教材化している。

【教材例❶インタビューを計画しましょう】

1. 目的・テーマ（何が知りたいか）	
2. 対象者（誰に聞くのか）	
3. テーマや対象者について既に知っていること	
4. 調べる必要があること	

(1) インタビューのテーマ

インタビューのテーマとしては、学習者が将来したい仕事に関することや、趣味、気になる社会問題など、学習者の興味や授業のテーマに合わせて設定する。あるいは、ビジネス日本語や学習者のキャリア形成をテーマにした授業であれば、日本での就職活動の仕方、人間関係の作り方、キャリアアップのための転職のあり方、仕事と生活の両立方法といったワークライフバランスなどをテーマに取り上げ、多様な働き方を学習者が自ら学ぶ機会としてもよいだろう。

(2) インタビューの対象者

インタビューの対象者は、学習者が各自探してきてもよい。アルバイト先の人、教職員、同じ国からの留学生の先輩など、多少面識があるほうが共有知識もあり、リラックスして深い話もしやすいかもしれない。あるいは、教師が学習者にインタビュー対象者を紹介したり、数人の適任者に教室に来てもらって授業中にインタビューできるようにしたりしてもよいだろう。

さらに、インタビューの対象者の例を挙げると、大学・学校内であれば、身近な教員だけでなく、学長、退職前の教員、食堂の職員、留学支援センターの職員、警備員など、様々な立場にある教職員に依頼することも考えられる。あるいは、就職活動を考えている者は、就職経験のある先輩にインタビューすることも有用であろう。留学生の場合は、元留学生の先輩に留学生活のアドバイスや留学生としてのキャリア形成のあり方を聞くこともよいだろう[3)]。

---

3) 渋谷他（2018）は、学習者が元留学生の先輩にインタビューを行うことで、先輩達から具体的な助言を得たり励ましの言葉を受けたりして、将来の自分をイメージしやすくなり、キャリア形成意識の醸成に有効であったことを報告している。

さらに、学習者を取り巻く地域社会にまで広げ、多文化ボランティア団体の職員、インターナショナル・スクールや小中学校、学童保育の教員、転職経験者の他、不動産業者、和菓子屋、遊園地の職員、動物愛護団体で働く人などにインタビューをさせてもらうことも考えられる。また、オンラインを利用すれば、さらに世界各国の様々な現場で活躍する人々にインタビューを実施することもできるだろう。

(3) インタビューの事前準備

テーマや対象者に関する情報は、学習者が十分に調べて予備知識を得ておく。そして、聞きたい内容を絞って明確化し、質問項目を検討する。質問は、内容の重なりがないか、どの順番で聞けば相手が流れ良く話しやすいか、抽象的すぎる内容を質問していないか、失礼な質問をしていないかなど、十分に確認する。教師が質問項目を表現とともに確認した後、学習者同士で質問してみる練習を行うのがよい。

2.3 インタビューの実施と発表

上記の準備を十分に行った後、学習者が実際にインタビューを行う。その後、学習者がインタビュー内容をまとめ、スライドや配布資料などを用いながら口頭発表する。発表は、序論（テーマ、目的、背景、動機）、調査方法（日時、対象者、質問項目）、調査結果（回答の要点の説明）、結論（明らかになったこと、学んだこと、主張、感想・意見など）を論理的に述べられるように、項目を示したワークシートに記入していくとよい。発表スクリプトは、教師がチェックしてフィードバックすると、発表の完成度がより上がるだろう。

インタビュー内容に関する口頭発表を行った後は、授業内で質疑応答を行うとともに、発表のフィードバックとして、教師評価の他、自己評価、ピア評価（相互評価）などを行って多角的に振り返るのもよい。評価の観点は、内容・構成（内容の面白さ・分かりやすさ、分析・考察の深さ、結論のまとまり、構成・流れ）、表現（語彙・文法、発音・流暢さ）、発表方法（声の大きさ、表情、視線、強調、ジェスチャー、スライド、資料）などがある。これらの評価項目を学習者に事前に知らせておくと、発表の留意点として意識して準備ができるだろう。

なお、インタビューを録音し、必要部分を文字化して詳細に分析し、口頭発表やレポートにまとめさせてもよい。また、発表資料やレポートは、インタビュー対象者に礼状とともに送付し、感謝の気持ちを伝えることをさせてもよいだろう。

3. インタビュー活動の発展

熟練した人による良いインタビューの例を動画などで視聴して、優れた点を分析する活動を行ってもよい。例えば、ベテランのアナウンサーや芸能人などが著名なゲストに対してインタビューを行っているテレビ番組やインターネット動画サイトなどを分析の教材とする方法もある。このような視聴者を意識したメディアでは、司会進行が明確であったり、ゲストに関する基礎情報を解説したり、ゲストをうまく褒めながら質問をして巧みに発話を引き出したりするなど、より多様な手法が見つけられるだろう。また、学習者が自身のインタビューを撮影して自己分析してみるのも効果的であろう。

1学期間かけてインタビュー活動を中心に行うこともできる。その場合は、グループで話し合いながら、インタビューの計画、準備、実施、発表、レポート作成などを協働で行うことも可能である。特に、日本人学生と留学生が共に協力しながら課題達成を目指す国際共修[4)]の授業において、インタビュー活動を行うことも考えられる。その際、まず活動を始める前に、グループで何語を使って話すか、異文化間での協働で必要なことは何かについて十分に確認し、グループ内のルールを決めておく必要がある。そして、グループメンバーの得意な言語や作業の特技を活かし、リーダー、通訳、日本語、あるいはその他の言語でのインタビューの依頼役、実施役、書記、文字化役、スライド作成役、発表原稿作成役、レポート作成役などの役割を割り当てるとよい。これにより、グループ内の協力体制がより強くなり、協働作業が円滑に進むだろう。

---

4) 末松(2019, p. iii)では、国際共修について以下のように定義している。

言語や文化背景の異なる学習者同士が、意味ある交流(meaningful interaction)を通して多様な考え方を共有・理解・受容し、自己を再解釈する中で新しい価値観を創造する学習体験を指す。単に同じ教室や活動場所で時間を共にするのではなく、意見交換、グループワーク、プロジェクトなどの協働作業を通して、学習者が互いの物事へのアプローチ(考察・行動力)やコミュニケーションスタイルから学び合う。この知的交流の意義を振り返るメタ認知活動を、視野の拡大、異文化理解力の向上、批判的思考力の習得、自己効力感の増大などの自己成長につなげる正課内外活動を国際共修とする。

やってみよう！

（1）菅長他（2022）のインタビューの仕方の良い例・悪い例のビデオを視聴して、留意点について分析してみましょう。
（2）インタビュー活動を取り入れた授業のデザインを考えてみましょう。

参考文献

渋谷 博子, 菅長 理恵, 中井 陽子（2018）「中上級日本語クラス『キャリアプランを考えよう !』における学習者の学び－先輩留学生の体験談を生かした教材の開発と実践－」『東京外国語大学論集』97, 262-284. https://tufs.repo.nii.ac.jp/records/6685（2023 年 12 月 1 日閲覧）

末松 和子（2019）「はじめに」末松 和子, 秋庭 裕子, 米澤 由香子（編著）『国際共修－文化的多様性を生かした授業実践へのアプローチ－』東信堂, pp. i-vi.

菅長 理恵, 中井 陽子, 渋谷 博子, 伊集院 郁子（2022）『留学生と大学生のためのエピソードとタスクから描く私のキャリアプラン－課題発見解決力と人間関係構築力を育てる－』凡人社

中井 陽子（2018）「インタビュー会話の分析活動から学ぶより良いインタビューの方法－会話データ分析の手法を学ぶ学部授業での実践をもとに－」『アカデミック・ジャパニーズ・ジャーナル』10, 36-44. http://academicjapanese.jp/dl/ajj/ajj10.36-44.pdf（2023 年 12 月 1 日閲覧）

中井 陽子（2019）「日本人学部生によるインタビュー会話における聞き手の技能－印象評価・会話データ分析・フォローアップインタビューをもとに－」『東京外国語大学論集』98, 73-101. https://tufs.repo.nii.ac.jp/records/6694（2023 年 12 月 1 日閲覧）

中井 陽子, 大場 美和子, 寅丸 真澄（2022）『会話データ分析の実際－身近な会話を分析してみる－』ナカニシヤ出版

中井 陽子, 菅長 理恵, 伊集院 郁子, 渋谷 博子（2023）「キャリア形成支援教材『エピソードとタスクから描く私のキャリアプラン』の設計と特徴－タスクとプロジェクトに焦点を当てて－」『東京外国語大学論集』105, 175-192.
https://tufs.repo.nii.ac.jp/records/6765（2023 年 12 月 1 日閲覧）

第10章　会話による交流

中井 陽子

考えてみよう！

(1) 外国語を用いて、その言語の母語話者と会話をしてみたことがありますか。その時、どのような気持ちになりましたか。
(2) 学習者が日本人学生などと日本語で会話をして交流する機会を持つことの意義は何でしょうか。

1．はじめに

日本語を学習する際、語彙や文法を学び、モデル会話を暗記したり、運用練習をして試験に備えたりすることだけではなく、実際に日本語を使って会話をしてみることが重要である。これにより、コミュニケーションの楽しさを味わい、日本語を学ぶ意味を実感することで、学習動機を高めることができると言える。特に、日本に留学予定の者や、すでに留学中の者は、日本の生活において日本語で会話することが必要である。そのため、初級の段階から、音声でのコミュニケーション、つまり会話と聴解を意識した練習を行うとともに、実際に会話をしてみる機会を持つのがよい。

学習者が授業内外で日本語を実際に用いる機会を持つことは、「実際使用のアクティビティー」（ネウストプニー, 1991; 1995）と呼ばれている。例えば、「ビジターセッション」は、日本語母語話者などがビジターとして日本語授業に参加し、学習者と会話などを行う活動である。ビジターについて、お客様として捉えず、授業をサポートしながら学習者の会話相手になると捉えて、授業ボランティアと呼ぶこともある。あるいは、学習者が授業外の人と交流する場や日時を設けて授業外で会話する「交流会」、「日本語会話テーブル」がある。また、学習者と日本人学生が授業外で定期的に会話交流を個別に行う「カンバセーション・パートナー・プログラム」、「バディー・システム」、「オンライン会話倶楽部」などもある。その他、学習者と日本人学生がお互いの母語を教え合って共に学習する「ランゲージ・パートナー」、

「タンデム学習」もある。さらに、学習者と日本人学生が日本語を用いながら共に暮らす「日本語ハウス」などのシステムもある。

近年では、対面だけでなく、オンラインを利用した会話交流も実施されている。オンラインを利用することで、時間と経費と距離の制限を越えて、日本と海外、地域と地域を結んで会話をすることが可能となる。特に、海外在住の学習者達に、実際使用のアクティビティーの機会を与えやすくなると言えよう。

以下、実際使用のアクティビティーのうち、「授業ボランティアとの交流」、「オンライン交流会」、「オンライン会話倶楽部」の３つの例を挙げて、目的、実施方法、効果・留意点などについて述べる。

2. 授業ボランティアとの交流

日本語授業の中で学習者が授業ボランティアと交流する活動について説明する。

2.1 目的・交流内容

授業ボランティアは、日本語授業に参加し、学習者と会話による交流を行うことが多い。初級の場合は、習った語彙・文型を使った会話練習の相手になることもある。中級以上になると、日本文化・社会に関する情報を提供したり、学習者とのディスカッションに参加したりすることもある。あるいは、学習者の口頭発表・レポート作成準備の支援や質疑応答をしたり、学習者と協働で課題に取り組んだりすることもある。さらに、フィールドトリップに参加して学習者と観光や食事などの行動を共にしながら、会話を楽しんだり、学習者の日本語の支援をしたり、日本の社会文化的情報を説明したりする役割を担うこともある[1)]。

2.2 授業ボランティアの対象者

授業ボランティアとしては、日本人学部生・大学院生が参加することが多いが、日本語が上級・超級レベルの外国人留学生が参加することもある。あるいは、日本なら日本語教育に興味を持つ地域住民、海外なら現地赴任して

1) 学習者と授業ボランティアが授業の課題の一環で、大学内を散策する「キャンパス探検」の様子については、中井（2012）を参照のこと。

いる日本人とその家族なども授業ボランティアとして参加することもあろう。特別ゲストとして、専門家に日本語で講義をしてもらい、謝金を支払ったりする場合は、授業ボランティアというよりはビジターや招待者、講演者と呼んだほうがよいかもしれない。いずれにしても、教師や教育機関が授業ボランティアを集めるネットワーク力が必要だろう。

2.3 事前準備・留意点

授業ボランティアと交流する前に、学習者は話す内容を調べたり考えたりしてまとめ、話す練習を十分にしておく必要がある。会話で必要な語彙・文型だけでなく、談話技能（例：聞き返し、あいづち、質問）も導入・練習しておくのもよい（第 13 章参照）[2)]。

授業ボランティアが参加する際は、事前準備として、学習者と授業ボランティアに活動の目的や内容について十分に説明しておく必要がある。特に、授業ボランティアには、学習者の日本語レベルを伝え、学習者のレベルに合わせて日本語を調整して話すことを依頼しておくのがよい。しばしば、学習者が十分に理解していないにも関わらず、授業ボランティアが日本の社会文化的情報についてなるべく多く伝えなければならないと思い、過剰に話しすぎてしまう場合がある。あるいは、相手が外国人だから英語で話さなければならないと思い込んで参加している場合もあるので、事前の説明が特に重要である。

3. オンライン交流会

海外と日本を結ぶオンライン交流会の進め方について、中井他（2022; 2024）の日中オンライン交流会を例にして、詳しく述べる。

3.1 目的

オンライン交流会の目的は、海外で日本語を学習しており日本語の実際使用の機会が少ない学習者達に、オンラインで日本語での交流の機会を与え、相手と友好関係を作ることである。これにより、交流を楽しみながら、会話や聴解などの音声でのコミュニケーションを意識した日本語学習の動機を高

2) ビジターセッションの事前練習として談話技能を扱った授業については、中井（2003）を参照のこと。

めることが期待できる[3]。日本への留学を希望する学習者には、留学の備えにもなると言える。一方、交流相手となる日本側の学生は、海外交流や日本語教育に関心を持つ者達が対象となり、学習者や学習者の国・地域の文化などへの理解と関心を深め、友好関係を作ることが目的となろう。また、学習者の日本語レベルに合わせて、日本語を調整しながら話す「歩み寄りの姿勢」（岡崎, 1994; 中井, 2012）を意識化できるようになることも期待できる。そして、特に、日本語教育に関心を持ち、日本語教育学の授業を履修している学生には、交流会に参加して学習者の会話の特徴を観察することで、日本語教育で必要な点について考えるきっかけとなりうる。こうした点から、日本語教育学の授業の一環として、学生に交流会参加の感想レポートを提出させるのもよいだろう。

3.2 事前準備・交流内容・説明事項

オンライン交流会の事前準備は、以下のような流れで行う。

(1) 教員間での連絡を取る

まず、海外と日本の日本語授業担当教員間で連絡を取り、交流会の日程や活動内容を決める。活動内容は、学習者の日本語レベルをもとに無理のないものを検討する。複数の日本語授業の学習者が参加する場合は、どの授業の学習者がどの時間帯に参加するか割り振りも決める。

(2) 交流内容を決めて、教材を作成する

交流内容としては、学習者がまだ初級前半の場合、既習の語彙・文型を使った挨拶、自己紹介、簡単な質疑応答を行う程度にする。また、これらの語彙・文型を使ったモデル会話を教材として配布し、学習者が事前に練習して準備しておけるようにするのがよい。モデル会話は、【教材例❶自己紹介と話題】のように、学習者の名前や出身、専攻、日本語・外国語学習、趣味などを入れて話せるような穴埋め型にすると自由度があって話しやすいだろう[4]。その他、時間が余った時のための自由会話として、話しやすそうな話題とモデル質問文もリストとして示しておくのもよい（例：食べ物・飲み物、買い物、

---

3) 特に海外で学習する漢字圏の学習者は、漢字を見ればある程度の意味が分かるため、日本語の読み書き能力の向上は速い。それに比して、会話や聴解の能力の伸び悩みが見られるため、音声を意識した日本語学習の動機付けが重要となる。

4) 会話教材の詳細については、中井他（2022）を参照のこと。

週末、勉強、留学など）。

また、初対面同士で日本人学生に質問すると失礼に感じられてしまう話題（例：年齢、給料、恋人の有無などのプライベートなこと）なども指摘しておくとよいだろう。さらに、第13章で紹介している聞き返しの談話技能のように、学習者が日本語で聞いて分からない時のための意味交渉のモデル表現も例として示しておくと便利である（例：すみません、もう一度お願いします／漢字で書いてください）。なお、会話文は、日本語に振り仮名、ローマ字、媒介語訳を付して作成・提示するとよい。

【教材例❶自己紹介と話題】（中国語訳付き）

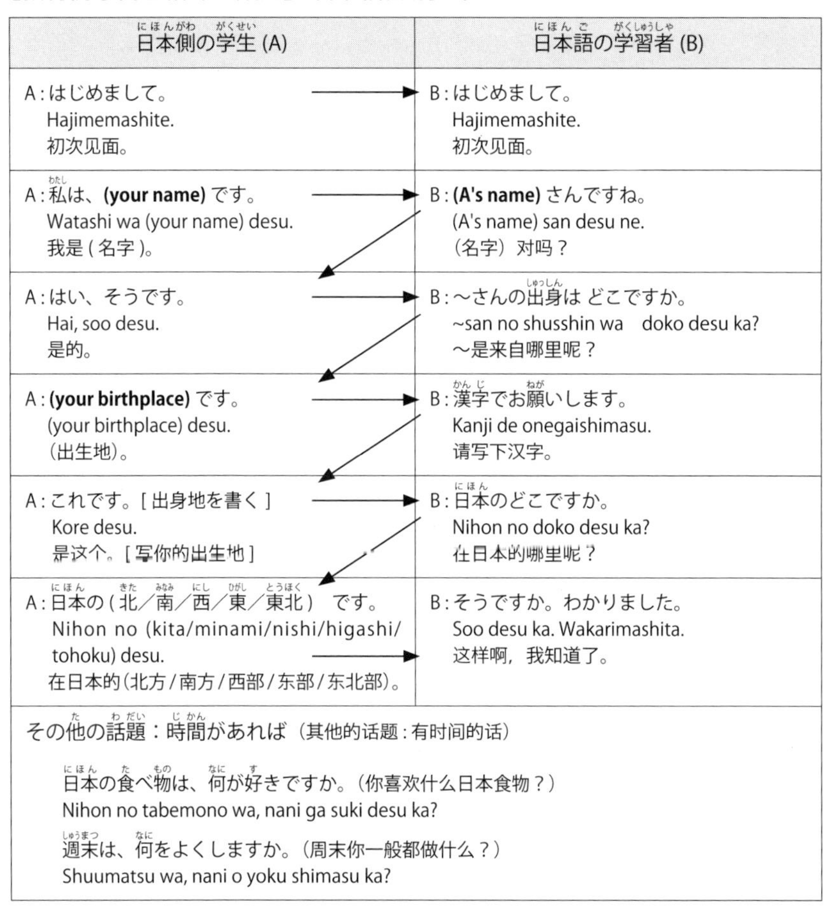

日本側の学生 (A)	日本語の学習者 (B)
A：はじめまして。 Hajimemashite. 初次见面。 →	B：はじめまして。 Hajimemashite. 初次见面。
A：私は、**(your name)** です。 Watashi wa (your name) desu. 我是 (名字)。 →	B：**(A's name)** さんですね。 (A's name) san desu ne. （名字）对吗？
A：はい、そうです。 Hai, soo desu. 是的。 →	B：～さんの出身は どこですか。 ~san no shusshin wa　doko desu ka? ～是来自哪里呢？
A：**(your birthplace)** です。 (your birthplace) desu. （出生地）。 →	B：漢字でお願いします。 Kanji de onegaishimasu. 请写下汉字。
A：これです。[出身地を書く] Kore desu. 是这个。[写你的出生地] →	B：日本のどこですか。 Nihon no doko desu ka? 在日本的哪里呢？
A：日本の (北／南／西／東／東北)　です。 Nihon no (kita/minami/nishi/higashi/tohoku) desu. 在日本的(北方 / 南方 / 西部 / 东部 / 东北部)。 →	B：そうですか。わかりました。 Soo desu ka. Wakarimashita. 这样啊，我知道了。

その他の話題：時間があれば（其他的话题 : 有时间的话）

日本の食べ物は、何が好きですか。（你喜欢什么日本食物？）
Nihon no tabemono wa, nani ga suki desu ka?
週末は、何をよくしますか。（周末你一般都做什么？）
Shuumatsu wa, nani o yoku shimasu ka?

学習者が初級後半以上であれば、交流内容はスピーチなどにしてもよい。例えば、学習者が易しい内容の作文（例：自己紹介、出身地、趣味、食べ物の紹介）を作成し、それをもとにスライドを準備してスピーチを行い、日本側の学生に質疑応答してもらうのもよい。日本側の学生も同様のテーマでスピーチを準備し、学習者と相互にスピーチを行って交流することもできるだろう。教師は、適宜、学習者の作文やスライドを添削したり、スピーチの発音指導を行ったりする。

学習者が中級以上であれば、ディスカッションのテーマを設定し、事前に調べて考察してきたことについて意見交換するのもよい。いずれの日本語レベルの場合でも、最初に簡単な自己紹介を行い、最後の時間に余裕があれば、自由会話をしてお互いを知り、友好が深められるようにするのがよいだろう。なお、自由会話の際に、話題に困らないように、例えば、趣味、食べ物、お互いの国の生活、日本留学で必要な情報などの話題の例を教師から提示しておくのもよいだろう。

なお、会話教材は、学習者のレベルやニーズに応じて、モデル会話の音声吹き込み教材を作成・配布し、学習者が事前に音声を聞いてリピートして、聴解・発音練習ができるようにしてもよい。スピーチを準備する場合は、OJAD（オンライン日本語アクセント辞書）[5] などの発音自律学習サイトを利用して、自律的に発音練習が十分にできるようにするのがよいだろう（詳細は第 15 章参照）。

このように、会話教材をもとに事前に準備をすることで、学習者が間違った文法で話してしまうのではないかという不安や、その場で即興で話せないという心配が軽減できる。そして、交流会に自信を持って参加し、勇気を出して日本語を積極的に話すことに慣れていくことができるだろう。

(3) 交流参加者への説明・確認

交流会の会話への参加の仕方について、学習者に伝えておくことがいくつかある。まず、積極的に日本語を用いて参加し、自分からも話題を提供していくようにすべきだということである。そして、日本語が分からない場合は、

---

5) OJADのサイトにスピーチ原稿をコピーすると、その文章のピッチパターンや読み上げ音声が確認できる。

口頭やオンラインチャット機能で文字をタイプして意味確認をしたり、分からない顔をしたりして、会話相手に自分の理解度を示すように指示するとよい。また、グループ内の学習者間で日本語レベルに差がある場合は、参加者全員が楽しく会話に参加できることを目指すように強調しておくのがよい。例えば、他よりも日本語レベルの高い学習者の場合は、日本語がまだ十分に話せない学習者に配慮して、自分だけで日本語を話し過ぎないようにするとともに、全員の意思疎通ができるように仲介役になって通訳するように努めるなどである。こうした留意点は、事前に説明文として配布しておくとよい。あるいは、学習者の日本語レベルによってグループ分けを事前に行っておくことも1つの方法であろう。

一方、日本側の学生にも、学習者に配布する会話教材を事前に配布・説明し、会話の内容や流れを確認できるようにしておく必要がある。特に、初級学習者と交流する場合は、学習者が使用している教科書の文型リストを提示して、交流会の日までにどこまでの文型を学習しているか参照し、使う日本語を調整するように伝えておくのがよいだろう。例えば、学習者が動詞の辞書形をすでに習っている場合は日本側の学生も会話中に使ってもよいが、「て形」は未習なのでなるべく使わずに他の表現で言い換えるなどの配慮が必要である。そして、交流会当日は、会話教材の内容をもとに、学習者の様子をよく観察して日本語レベルに合わせてやさしい日本語（例:語彙、文、発音、発話スピード、発話量の調整）で話すようにする。

学習者の日本語レベルがまだ低い場合は、日本側の学生が会話教材をオンラインで画面共有して、カーソルで発話をする箇所を指し示しながら学習者とゆっくり話すという方法もある。また、日本語が通じない場合はオンラインのチャット機能などで筆談する、絵や写真を見せる、ジェスチャーを使う、媒介語を少し使うなども有効である。さらに、学習者の不安を軽減して会話に参加しやすくするために、日本側の学生が積極的に学習者に質問を投げかけて話題提供したり、次に話す人を指名して司会進行したりするなどして、積極的に会話をリードしていく必要もあろう。これらの留意点は、日本側の学生に交流会の準備段階や直前の注意事項として十分に伝えておくことが重要である。

(4) オンライン接続テスト

オンラインで交流会を行うためには、事前にオンラインのビデオ会議システムの接続テストを行い、海外の学習者と日本側の学生、教員が問題なく参加できるか確認しておく必要がある。その際、交流会の趣旨や会話教材の使い方・準備の仕方、当日の進め方、オンライン参加で気を付ける点（例：マイクやビデオのオン・オフ、ハウリングの避け方、ネットワークの安定性など）について説明しておくとよい。初級の学習者の場合は、これらのことについて媒介語でも説明するとより理解できるだろう。

3.3 交流会の当日

交流会当日は、オンラインのビデオ会議システムを用いて実施する。時間は、初級前半であれば30分間程度にし、会話教材のモデル会話に沿って自己紹介などを行い、10分程度でグループを交替するのがよいだろう。初級後半以上のスピーチやディスカッションの場合は、学習者の日本語レベルや交流内容によって、30～90分程度行うことができるだろう。最初に教員が全員の学生に対して、交流会の流れとテーマ、会話教材などについて説明を行う。適宜、通訳を入れてもよい。また、参加者同士が名前を呼びやすいように、自身の名前の表示（例：漢字＋振り仮名、ローマ字など）をオンライン上で行うように指示する。これにより、オンライン上でグループの割り振りもしやすくなる。

その後、グループに分かれて、会話交流を開始する。学習者１～３人と日本側の学生１～２人がグループになるようにすると話しやすいだろう。教員も各グループを回って会話の様子を観察し、会話がうまく進んでいない場合は、適宜、学習者の理解確認や言葉の言い換え、話題の提示などを行う。

最後に、全体で交流会がどうであったか、学習者と日本側の学生が簡単に口頭で感想を述べて共有できるようにする。例えば、学習者が交流を楽しみながら日本語でたくさん話せたことや、日本側の学生が学習者の積極的な会話への参加を見て自身も外国語学習を頑張ろうと励まされたことなどの感想が出てくることが期待できる。これらの振り返りをもとに、教員からも学習者達の積極的な参加と会話能力の高さを褒めた上で、今後も日本語で様々な国・地域の人々と積極的に交流していくことの意義を強調するとよいだろう。

これにより、学習者が日本語の会話に参加することに自信を持ち、学習動機をより高くしていくことができると考えられる[6)]。

3.4 効果・留意点

交流会の実施は、1回限りではなく、継続して数回行うことにより、学習者も日本側の学生も徐々に交流会での会話に慣れてくる。また、次の交流会に向けて学習者が日々の日本語学習に力を入れるとともに、通常の授業で習う語彙・文法の知識も増えていくため、会話により参加しやすくなる。交流会に繰り返し参加し、似たような話題について何度も話せば、徐々に流暢に話せるようになるだろう。ただし、初級前半の学習者の場合は、まだ十分に会話に参加する日本語力と自信がないことが多いため、日本語レベルがもう少し上がってから交流会を行うようにしてもよい。

一方、日本側の学生も、徐々に学習者の話し方の特徴がつかめ、自身の日本語の調整の仕方も体得していけるだろう。また、交流会の回を重ねるにつれ、学習者の会話能力が向上していることにも気づき、学習者の習得過程を見ることもできる。1学期ごとに交流会を行えば、数か月を経て、久しぶりに学習者と会話して、その会話能力が高くなっていることに驚きを感じるかもしれない。日本側の学生は、単なる会話相手の役割を果たすだけではなく、学習者と会話することで、学習者の熱心な学習態度や習得の速さから大きな刺激を受けることも期待できる。特に、日本語や外国語の教育学を学んでいる学生や、外国語を学習している学生には、交流会での学習者との交流から示唆を得る良い機会となるだろう[7)]。

なお、交流会のグループ分けの配慮も重要である。様々な日本語レベルの学習者が参加している場合、媒介語などを用いて意味確認をしながら会話が進めやすいこともある一方で、日本語レベルが高い学習者ばかり話してしまうこともある。学習者間の日本語レベル差が大きい場合は、グループを別々にし、それぞれのレベルで十分に会話できるようにすることもできる。いずれにしても、それぞれの学習者と日本側の学生が協力し合って、各々の参加の仕方で満足のいく交流になるように、慎重にグループ編成を検討する配慮

---

6) オンライン交流会に参加した日本語学習者の感想については、中井他(2022)を参照のこと。
7) オンライン交流会に参加した日本側の学生の感想については、中井他(2022; 2024)を参照のこと。

も必要であろう。それと同時に、上述のように、参加者全員による交流会の準備と理解し合おうとする姿勢も重要だと言える。

4. オンライン会話倶楽部

日本語授業の時間外に学習者が課外活動として自律的に会話に参加するオンライン会話倶楽部の活動（中井・夏, 2021）について説明する。

4.1 目的

オンライン会話倶楽部は、海外で日本語を学ぶ学習者が日本語授業で学んだことを活かして、授業外で日本在住の日本語話者（日本人学生や日本の留学生など）とオンラインを介した会話で交流することを目的とする。希望者のみが参加するため、学習者が課外活動として日本語で交流しながら自律的に会話能力を向上させることが期待される。また、留学を目指す学習者が現在日本に住んでいる者から日本の大学や生活情報を得ることも目的となる。

一方、日本側の学生は、海外の日本語学習者との交流を通して、国際交流を経験するとともに、海外の文化や生活事情を知ることが目的となる。海外留学を考える学生には、現地の情報を得ることも可能であろう。また、日本語教育学を学ぶ学生の場合は、海外の学習者の特徴や日本語教育事情を知る機会ともなる。

4.2 参加者募集とマッチング

オンラインでの自律的な交流をするに当たって、教師側で参加者募集とマッチングを行って準備する。まず、オンライン会話倶楽部の募集チラシを作成し、該当する学生に配布・説明する。チラシには、目的、時間、オンラインでの会話方法、グループ人数、応募方法、会話の話題例、担当者連絡先などを記載しておく。日本側で募集する学生は、参加動機が続くように、国際交流や日本語教育に興味を持つ学生や、学習者の母語を外国語として学ぶ学生、学習者の国に留学予定か留学経験のある学生などが想定される。日本人学生だけでなく、日本在住の外国人留学生も募集すると、学習者はより多様な日本在住の学生と日本語でグローバルな交流ができるだろう。

参加希望者は、メールやオンライン上のアンケートフォームを使って、氏名、所属学科、学年、メールアドレス、日本語学習歴・レベルまたは外国語学習歴、専門、趣味・特技などを記入して応募する。

応募者が集まったら、応募者情報を参考にして、学生同士をマッチングしてグループを作る。初級前半の学習者の場合は、学習者と同じ母語の日本で学ぶ留学生（日本語上級レベル）や日本人で学習者の母語を外国語として学んでいる学生とマッチングすると、学習者の母語を媒介語として使えるため、学習者も安心して参加できる[8]。中級以上の学習者には、日本側のその他の日本人学生や外国人留学生（日本語上級レベル）とマッチングして、日本語を中心に英語などの媒介語を適宜利用しながら会話できるようにするとよい。言語レベルだけでなく、趣味や専攻、学年などが似ている者同士をマッチングするのもよい。グループのメンバーは、参加希望者の数にもよるが、学習者２～４人と日本側の学生１人程度で調整する。グループが決まったら、双方の学生から挨拶の連絡をするようにする。メールが不達で返事が来ない場合は、SNS など別の手段で連絡しなおすようにする。それでも連絡が付かない場合は、教師が間に入って連絡が付くように調整するとよい。

4.3 交流内容

交流は、基本的に学生同士で主体的に時間や交流内容を決めて行う。週に１～２回、１回 30 分程度から始めることを勧めてみるのもよいだろう。ビデオ会議システムは、参加者が使いやすいものを決めて用いるようにする。

交流を行う際の会話の話題例をいくつか示しておくと、初対面であってもグループで話しやすくなる。例えば、初級でも話しやすい話題としては、食べ物、趣味、家族、学校生活、出身地、観光地、お勧めの店・場所などが挙げられる。少し難しい話題としては、祭り、行事、文化（伝統文化、ポップカルチャーなど）、将来の夢、友人の作り方、人間関係、悩みごと、相談の仕方、贈り物などが挙げられる。

その他、学習者の希望も聞きながら、会話の話題を決めたり、授業で行うスピーチの予行練習をしたり、難しい文型を使った会話練習をしてみたりす

---

8) ただし、学習者の母語に頼り過ぎて、日本語を使う機会が減るようなことがないようにすべきである。オンライン会話倶楽部の進め方の詳細や、日本語の意味などの確認は、母語を有効に用いるのがよいだろう。あるいは、学習者が知りたがっている日本事情に関する複雑かつ重要な情報は、母語で簡単に説明をしてしまったほうが効率的であろう。その他は、基本的に日本語を用いて会話する機会となるように、学習者も日本側の学生も留意して参加するべきであろう。

るのもよいだろう。あるいは、日本語の会話をした後に、最後に少し時間を取って、日本側の学生が外国語として学んでいる学習者の母語で会話をする練習をすることも考えられる。例えば、中国人の日本語学習者と日本人の中国語学習者の場合、希望すれば日本語の会話の後に中国語の会話練習もしてもよいことにするなどである。これにより、学習者と日本側の学生が母語話者、非母語話者を入れ替えて会話することができ、より対等な人間関係が構築しやすくなるとも言える。

4.4 効果・留意点

オンライン会話倶楽部に参加することで、学習者が日本在住の学生と主体的に時間設定をして好きなことを自由に話せるため、日本事情や日本文化で興味のあることに関する知識や関心を広げることができる[9)]。また、学習者は日本語授業で学んだ語彙・文型などを実際に使って会話する機会が得られるため、学習動機や会話能力の向上も期待できる。さらに、日本語授業において、第 13 章で述べているような談話技能（例：聞き返し、あいづち、質問）を導入・練習しておけば、それらを会話の中で実際に使ってみることもできる。

なお、会話機会を数回重ねるうちに、徐々に話題がなくなり、交流を継続するのが難しくなることもある。そのため、会話倶楽部の各グループの代表者が毎回の会話で話した話題を掲示板などに書き込んで、全体で共有し、話題のアイデアの参考にしてもよい。

5. まとめ

以上、実際使用のアクティビティーの例を３つ取り上げた。これらからも分かるように、実際使用のアクティビティーの利点・効果は、学習者が授業で学んだことを実際に使って会話する機会が得られること、音声を意識した日本語学習の動機付けができること、会話に参加することの自信や達成感が得られることなどが挙げられる。これらにより、学習者の会話能力が向上するとともに、日本などの社会文化的知識の獲得が期待できると考えられる。

---

9) 中国在住の学生と日本在住の学生がオンラインで交流する「日本語オンライン会話倶楽部」における学生同士の会話とその参加意識の分析は、中井・夏（2021）を参照のこと。

一方、会話相手となる日本側の参加者も、学習者と交流することで、学習者の日本語の特徴を知り、学習者に合わせた話し方を体得できるだろう。こうした「歩み寄りの姿勢」（岡崎, 1994; 中井, 2012）は、異文化理解能力の育成にも有効であると言えよう。

やってみよう！

（1）授業ボランティアとして日本語授業に参加したり、オンライン交流会などに参加してみたりして、学習者や自分にどのような学びがあったか振り返りましょう。
（2）実際使用のアクティビティーを取り入れた会話授業でどのようなことができるか考えてみましょう。

【付記】本章は、中井・夏(2021)、中井他(2022; 2024)を参考に作成した。

参考文献

岡崎 敏雄（1994）「コミュニティにおける言語的共生化の一環としての日本語の国際化－日本人と外国人の日本語－」『日本語学』13（13）, 60-73.

東京大学大学院 工学系研究科 峯松・齋藤研究室「OJAD オンライン日本語アクセント辞書」http://www.gavo.t.u-tokyo.ac.jp/ojad（2023 年 12 月 1 日閲覧）

中井 陽子（2003）「談話能力の向上を目指した会話教育－ビジターセッションを取り入れた授業の実践報告」『早稲田大学日本語研究教育センター講座日本語教育』39, 79-100. http://hdl.handle.net/2065/3395（2023 年 12 月 1 日閲覧）

中井 陽子（2012）『インターアクション能力を育てる日本語の会話教育』ひつじ書房

中井 陽子, 夏 雨佳（2021）「談話技能教育における『研究と実践の連携』の循環プロセス－中国人日本語学習者と日本人学生が参加するオンライン会話倶楽部の活用に焦点を当てて－」『東京外国語大学国際日本学研究』1, 84-102. https://tufs.repo.nii.ac.jp/records/5646（2023 年 12 月 1 日閲覧）

中井 陽子, 丁 一然, 夏 雨佳（2022）「オンライン日中交流会の利点と留意点－日本留学を目指す中国人学習者と日本の学部・大学院生の感想の分析をもとに－」『東京外国語大学国際日本学研究』2, 113-136. https://tufs.repo.nii.ac.jp/records/5665（2023 年 12 月 1 日閲覧）

中井 陽子, 丁 一然, 夏 雨佳（2024）「オンライン日中交流会を通した日本側学生の学び－日本語教育人材の養成・研修の観点から－」『東京外国語大学国際日本学研究』4

ネウストプニー J.V.（1991）「新しい日本語教育のために」『世界の日本語教育』1, 1-14.

ネウストプニー J.V.（1995）『新しい日本語教育のために』大修館書店

第3部

会話練習活動の多様なデザイン

概要

日本語学習者は、特に日本国内にいる場合、日常の様々な場面で日本語を用いた会話に参加して人間関係を作っていく機会を持つ。教師は、学習者の参加する様々な場面や、学習者のニーズや個性を考慮に入れて授業をデザインし、教材を作成して会話授業を実施していくべきである。そのためには、まず会話というものの特徴を知り、それを十分理解して、学習者が会話を行う上で必要な能力を育成するための練習活動を検討していく必要がある。

それぞれの会話練習活動は、学習者にとってどのような会話能力を伸ばすことに役立つのかを把握して、意識的にそれらを強化していくべきだろう。そのためには、学習者に必要とされる会話能力にはどのようなものがあるのかを教師が把握しておかなければならない。その上で、毎学期の会話授業における活動の偏りがないか、バランス良く会話能力を伸ばすために他にどのような練習活動が必要か、練習活動に会話の形態のバリエーションが豊富に取り入れられているかなどを測る指標のようなものが必要である。このような指標があると、学習者が会話能力のどのような部分を伸ばしたいのかというニーズにも、より多様に応じることが可能になるだろう。

そこで、第 3 部「会話練習活動の多様なデザイン」では、第 11 章でコミュニケーションの基本的な機能、第 12 章で会話のフロアー、第 13 章で談話技能という 3 つの会話に特有の概念を取り上げ、それらを考慮に入れた会話練習活動のデザインと教材例について述べる。これにより、会話授業における様々な可能性を考える指標を提案する。その上で、第 14 章で、会話練習活動における学習者へのフィードバックの方法についても述べる。

第11章 コミュニケーションの基本的な機能に基づく会話練習活動のデザイン

中井 陽子

考えてみよう！

(1) これまで、外国語の会話練習活動では、どのようなことをしてきましたか。
(2) 一番楽しく思い出に残っている会話練習活動は、何ですか。

1. はじめに

人間と人間がコミュニケーションをする時、どのような言語上の働き、つまり、機能を持って伝え合っているのだろうか。「6つのコミュニケーションの基本的な機能」を意識して会話練習の活動を考えると、会話練習活動のデザインの可能性が広がる。表11-1は、「6つのコミュニケーションの基本的な機能」を考慮に入れた活動である。これらは、Jakobson（1963＝川本他, 1973和訳）、Hymes（1974）、南（1974, pp. 25-26）、国立国語研究所（1994）のコミュニケーションの基本的な機能の分類を参考にしたものである[1)]。

ただし、「6つのコミュニケーションの基本的な機能」は、相互に絡み合って用いられるため、1つの会話練習活動は複数の機能を含むと言える。例えば、初対面の会話では、言葉を交わすことでお互いが親しくなることを目的とするため「④交流していく活動」が最も強いと思われるが、会話の途中に、お互いの出身などについての情報を交換する「①事実関係を伝える活動」も含まれれば、相手の連絡先をメモしてもらうように依頼する「③相手に働きかける活動」も含まれるだろう。

1) Jakobson（1963＝川本他, 1973和訳）では、①関説的機能（referential function）、②心情的機能（emotive function）、③動能的機能（conative function）、④交話的機能（phatic function）、⑤メタ言語的機能（metalingual function）、⑥詩的機能（poetic function）と名付けている。Hymes（1974）は、この6つの機能に加えて、状況的機能／場面依存的機能（contextual）という機能を挙げている。例えば、「では、これから講義を始めます」などのように、その場でどのようなコミュニケーションを行うのかを宣言するような機能のことである。本章では、このような機能とJakobson（1963）の「⑤メタ言語的機能」を含む会話練習活動を「⑤メタ言語的な活動」とする。

表 11-1「6つのコミュニケーションの基本的な機能」を考慮に入れた活動

①事実関係を伝える活動	主に事実などの情報のやり取りをすることが中心となる活動
②心の動きを表す活動	何かに対する自分の感情や評価などの主観的なものを伝えることが中心となる活動
③相手に働きかける活動	他者に働きかけて行為をさせたり了承を得たりすることが中心となる活動
④交流していく活動	おしゃべりなど、会話をすることにより、相手への関心を示したり、自分のことを知ってもらったりして、友好な人間関係を構築することが中心となる活動
⑤メタ言語的な活動	発話している言語自体について説明したり、行っているコミュニケーション活動自体に言及して談話構造を整えたりすること[2] が中心となる活動
⑥言葉で遊ぶ活動	言葉自体の響きや美しさ、リズム、繰り返しなどに焦点を当てて楽しむことが中心となる活動

会話授業をデザインする際は、このような「6つのコミュニケーションの基本的な機能」を大枠の指標とするのがよい。そして、6つの活動に偏りがなくバランスが良いか、学習者のニーズと合っているかなどを意識して授業デザインを検討することが重要である。

2. 6つのコミュニケーションの基本的な機能の活動デザインと教材例

以下、「6つのコミュニケーションの基本的な機能」を考慮に入れた活動を大枠として、それぞれの会話練習活動と教材例を、主に初級〜中級レベルに焦点を当てて挙げる。なお、それぞれの会話練習活動に挙げた例は、そのコミュニケーションにおいて主要な機能を持つ活動である。

2）中井・寅丸（2010, p. 153）では、講義の談話におけるメタ言語表現について、「講義の談話において、講義者が自分自身や受講者の言語行動に明示的に言及することによって、講義の談話の構造をわかりやすく示し、重要な点を明らかにして、受講者の講義理解を促進させる言語表現」と定義している。その上で、メタ言語表現を「a.講義の進行により強く言及する機能」から「b.講義の内容により強く言及する機能」の連続体として、①話段の構造に対する言及（1.前触れ型、2.後付け型）、②項目列挙、③発話自体の機能明示（1.理由、2.要点、3.まとめ）、④述べ方に対する言及、⑤自他発話焦点化、⑥講義参加者の知識・理解に対する言及、⑦言葉の定義（1.用語の言い換え説明、2.用語についてのことわり、3.表現の検索）の7つに分類している。本章で扱う「⑤メタ言語的な活動」もこうしたメタ言語表現を主に扱う会話練習活動を指す。

2.1「事実関係を伝える活動」を主に取り上げた練習

「①事実関係を伝える活動」の練習では、何かについて説明し合いながら情報を交換することを主に行う活動が考えられる。

例えば、お勧めの観光スポットやお店、町で見つけた面白いものなどの情報を紹介する活動が考えられる。例えば、日本語母語話者などに授業内外で、「日本・東京の面白いところ・もの」について学習者がインタビュー形式で情報を聞き出すというタスクを与え、インタビューしながら、タスクシートに記入していくという活動がある（【教材例❶日本・東京のおもしろいところ・おもしろいもの】）。日本語母語話者との接触が難しい場合は、学習者同士でお気に入りの日本の場所やもの、または、自国の自慢の場所やものについてインタビューして情報交換し合うということもできる。なお、教材には、初級学習者が既習の文型を用いて、インタビューができるような会話例をはじめにモデルとして示しておくと、進めやすいだろう。

あるいは、お気に入りの写真や宝物を見せながら紹介する「Show & Tell」の活動もできる。学習者が写真や宝物を授業に持参し、それについてグループのメンバーに説明しながら情報を提供する。情報だけでなく、見せるものについての思い出や好きな理由について感想を交えて話すと聞き手もより興味を持つだろう。

こうした活動においては、学習者が自身の持つ言語能力、社会言語能力を最大限に駆使して、伝えたい情報を相手に興味を持ってもらえるように分かりやすく伝えることが重要となる。また、この活動は、日本や自国の社会文化的な情報を整理して効率良く伝える機会ともなる。授業に日本語ボランティアを呼んで、何かを紹介するスピーチを行うのもよいだろう。

2.2「心の動きを表す活動」を主に取り上げた練習

「②心の動きを表す活動」の練習では、写真や映像教材などで様々な旅行のシーンを見ながら、それに対する自身の感想や心情を述べていくという活動が挙げられる。この活動では、シミュレーションとして、旅行に行く前と旅行中と旅行後のその時々に自分が持つ感想を的確に述べ、他者とその場に共にいることを楽しみ、共感していけるようになることを目指す。

例えば、まず、教師が「みんな、一緒に北海道に行きたい？」と学習者に呼びかけ、北海道旅行をするという設定で、「北海道で何がしたい？」と質問して旅行に行く前の気持ちについて述べさせていく。そして、学習者が「カニが食べたい！」「自然や動物が見たい！」などの自分の気持ちを表す表現を日本語で的確に使えるように教師が手助けする。学習者は、言語化した表現を自身の記録のために、ワークシートの「する前」の欄に、発話した直後にまとめて記入していく（【教材例❷いろんなコメントをしてみよう !!】）。

次に、教師が「では、はじめに、北海道のお花畑や動物園に行きましょう。思ったことをたくさん話してください。」と言って、思わず溜息を漏らして何か言いたくなるような北海道の自然や動物の動画・写真を学習者に見せる。この時、「うわー、きれい！」「あー、花の絨毯みたい」「えー、熊がジャンプしてる」「かわいい！」などと、見たもの、感じたことについて積極的に発話するよう学習者を促し、本当に皆でその場所にいるような臨場感を持たせる。教師の演技力も必要であろう。クラス全体で自由に評価的発話でコメントをしてもよいし、ペアやグループでコメントをした後にクラス全体で確認してもよい。その後、ワークシートの「している時」の欄に記入させる。

最後に、教師が「はい、北海道から帰ってきたよ。北海道はどうだった？」と質問し、視聴した映像シーンを思い出しながら、「楽しかった！」「自然がきれいだったね。」「また行きたいね。」などと感想を言い合い、ワークシートの「した後」の欄に記入する。

このように映像シーンをいくつか見ながら、自分の見たもの、感じたことを発話練習していく際の指導学習項目としては、主に以下の５点が挙げられる。１つ目は、「する前」「している時」「した後」という３段階に分けて発話してワークシートに記入していく時に、時制に気を付けさせる。２つ目は、音声面である。特に「心の動きを表す活動」で自身の感情や評価の発話をする際は、感情をより強く表すようなイントネーションや、「〜だなあ」などの母音の引き伸ばしなどにも注意を向けさせるのがよい。３つ目は、終助詞の用い方である。その場に共にいる相手に同意要求したり共感を表したりして連帯感を強める終助詞「ね」、独り言の詠嘆を表す終助詞「なあ」、目新しい情報を取り上げて注目を集める終助詞「よ」などの効果的な用い方にも触れ、ワークシートにそれらが使用された発話例を記入させるようにする。４つ目は、カジュアルスピーチ（普通体）の用法である。この活動では、独り言のように自身の感動を表したり、話し相手への強い同意・共感を表したりするため、カジュアルスピーチが既習の場合は、活動の前にカジュアルスピーチの活用形や、「〜んです／んだ」といった「のだ文」の作り方などの復習を十分行っておくのがよい。カジュアルスピーチが未習の場合は、このような映像シーンを見ながらコメントする活動の際に、「すごい！」など、場面に応じてカジュアルスピーチをそのままかたまりとして導入・練習してみてもよい。５つ目は、評価的発話の確認である。見たものなどについて自分の感想やコメントを述べる評価的発話や形容詞、動詞などの表現を中心に確認するのもよいだろう。

これらの練習の後、実際に動物園や公園などへ出かけるフィールドトリップをして、周りのものを見ながらコメントをして共感を示し合うという活動を行ってもよい。または、大学構内を散策してキャンパス探検をする（中井, 2012）、教室内に授業ボランティアを呼んで写真や雑誌、実物などを見ながらコメントをして、楽しい場を作り上げていくなどの活動が考えられる。

2.3「相手に働きかける活動」を主に取り上げた練習

「③相手に働きかける活動」の練習では、日常生活で役に立つ便利な表現（例：「失礼します。」「すみません。」「今ちょっといいですか。」）を初級の授業の初日に提示する（【教材例❸ Useful Phrases】）。そして、学習者が日本語での生活で遭遇するであろう様々な状況を設定してロールプレイを行って練習活動をする。

その他、申し出、許可求め、依頼、誘い、断りなどの状況を設定して、ロールプレイを行う活動もできる（第６章「モデル会話の活用」、第８章「ロールプレイ」参照）。あるいは、教室外で実際に誰かに依頼したり道を尋ねたりするタスクを設けてもよいだろう。

2.4「交流していく活動」を主に取り上げた練習

「④交流していく活動」の練習では、「こんにちは。」「失礼します。」「お疲れ様でした。」「お願いします。」などの、良い人間関係を保つ挨拶表現が取り上げられる（【教材例❸ Useful Phrases】）。

さらに、会話相手に興味を示してお互いを知り、より良い人間関係を構築していくための積極的な会話への参加を目指した自由会話の練習も行うべきである。自由会話の話題は、まずは、学習者の既習文法項目に合わせ、簡単な文型で話題が進められるような話題リストや質問文をまとめた教材を学習者に配布し、それをもとに学習者同士か授業ボランティアとペアやグループになって質疑応答するように指示する。初級の場合、話題リストは「自己紹介」「趣味」「好きな食べ物」「週末の予定」などを提示すると話しやすい。質問文は、例えば「出身地はどんなところですか。」「どんな食べ物が好きですか。」「趣味は何ですか。」「週末は何をしますか。」などが使える（第 10 章「会話による交流」参照）。さらに、学習者同士で話題を自由に決めて楽しく会話を進めるような雑談の練習活動を行う。事前に、学習者にどのような話題で話したいか、また、初対面の日本語母語話者にあまり好まれない話題は何か（例：年齢、給料、恋愛、婚姻など）について確認しておくとよいだろう。さらに、自由会話をより円滑に進めるために、聞き返し、あいづち、評価的発話、質問表現などの談話技能の練習も行う（第 13 章「談話技能を考慮に入れた会話練習活動のデザイン」参照）。

2.5「メタ言語的な活動」を主に取り上げた練習

「⑤メタ言語的な活動」の練習では、発話自体に言及したり、話している会話の流れを整えて分かりやすくしたりするためのメタ言語表現の練習をする活動が挙げられる。

例えば、話し手が用いる「文と文を繋ぐ表現」として、「あのー」などのフィラーとともに、「何でしたっけ。」などと言葉を探すメタ言語表現を用いる練習活動もできる（【教材例❹文と文のつなげ方】）。このメタ言語表現は、単に沈黙するのではなく、相手との関係性を続け、インターアクションを続けているという態度を示す役割があるので、会話を円滑に展開し、維持していけるようにするために大切な練習である。この他に、「話が変わりますが」「簡単に言うと」などの文と文を繋ぐメタ言語表現を練習することもできる。なお、練習の際は、目上の人と話す時や口頭発表などの改まった場面では、「あのねえ」「何だったっけ。」などは用いないように注意を促す必要がある。その後、口頭発表やグループでの会話練習を行う機会を作り、実際にメタ言語表現を使ってみるようにするとよい。

また、口頭発表の開始部で用いる「〜について発表いたします。」などの切り出しや、「まず、はじめに～」「次に、～について説明します。」「先ほどご説明したように」「以上をまとめると」などの順序や関連を述べる表現、終了部で用いる「以上です。ありがとうございました。」などの切り上げの表現を練習する。これにより、発表の流れを分かりやすくすることができる。さらに発展させて、口頭発表会で司会者が用いるメタ言語表現の練習をして（【教材例❺発表の司会の仕方】）、学習者に口頭発表会の司会を実際に体験させてみるとよい。この他、話し合いの司会で使われるメタ言語表現の練習をするのもよいだろう。

2.6「言葉で遊ぶ活動」を主に取り上げた練習

「⑥言葉で遊ぶ活動」の練習では、コミュニケーション・ゲームや、日本語の歌や繰り返しのリズムを取り入れた発音練習を行うことで、口や手足を使って日本語の音声やリズムを楽しむという活動が挙げられる。

コース開始の頃は、クラスメートや授業ボランティアがお互いにまだ打ち解けておらず、緊張した雰囲気になっているので、アイスブレーキング的な役割のある身体を使ったコミュニケーション・ゲームを行うのがよい。例えば、好きな色が同じ人を素早く見つけてグループになったら座るというゲームがある。その際、まず、色の語彙リストをプリントで配布するか、スライドに投影して確認した後、ゲームを行うとよい。同様に、好きな果物やスポーツなどの語彙で行うこともできる。その他、出身地の近い人から順番に並ぶゲーム、誕生日が早い人から並ぶゲームなども盛り上がる。

童謡などの歌を穴埋めディクテーションで書き取った後、発音やリズムに気を付けながら、皆で歌ってみるというのも、芸術性や遊びの要素の強い「⑥言葉で遊ぶ活動」になる。語彙や文法が易しくて分かりやすい童謡には、「海」「ぞうさん」「オニのパンツ」などがある。その他に、学習者の日本語レベルに合わせて、日本の有名な歌やJ-Popの曲なども取り上げるとよい。これらの教材は、リズムが取りやすいように分かち書きをし、イメージがわきやすいように絵や写真などを入れておくとよい。歌は、曲全体を扱わずに覚えやすい部分だけを取り上げてもよい。

あるいは、手遊びを入れながら「みかんの花咲く丘」などを歌い、身体を使って日本語のリズムを練習するのも遊びの要素が出てよい。さらに、芸術と遊びの要素をより高めるために、学習者が創作した振りを付けて、これらの歌を皆で歌ったり発表したりして楽しむのもよい。文型の練習をするなら、「飛んで、回って、座って」などの「て形」を聞いたり使ったりしながら体を動かすといったダンスを取り入れた活動も面白いだろう。

こうした活動は、会話授業のはじめに行ってリラックスしたり、単調なドリル練習で疲れてきた時に行ったりすると効果的である。あるいは、日本語集中コースで長時間座ったままで疲れた時などに、全身を使いながら言語を使うゲームやダンスを行って気分転換することも有効だと言える。

その他に、「⑥言葉で遊ぶ活動」として、日本の俳句や川柳などの芸術作品を読んだり作ったりして、日本語の５・７・５のリズムを楽しむのもよい。これにより、日本語の語彙やリズムを楽しみながら学べるとともに、歌などの芸術文化に触れられ、学習動機をより高めることができるだろう。

3. まとめ

以上のように、「６つのコミュニケーションの基本的な機能」を考慮に入れた会話練習活動をバランス良く取り入れていくことで、教室活動の種類が多様になると言える。また、６つの機能の枠組みを念頭に置いておけば、授業デザインを行う際、学習者のニーズや個性に応じて、どの活動をどの程度扱うのがよいか、どれかに偏りすぎていないかなどと検討しやすくなるだろう。会話授業のデザインをする際に、６つの機能のバランスが確認できるチェックシートなどを用いてもよいだろう。

なお、これらの６つの機能の練習活動は、厳密に区分できるものではなく、１つの練習活動の中に複数のコミュニケーション機能が絡み合って用いられる場合が多い。よって、演劇作品の上演や撮影ドラマの上映など、より多様な機能が用いられる活動を応用活動としてコースの終盤に持ってくるのもよいだろう。

【教材例❶】初級〜中級用

日本・東京のおもしろいところ・おもしろいもの

1）友だちに東京のおもしろいところ・ものについて聞きましょう。

れい）東京の中でおもしろいところは、どこですか。―新宿です。
新宿ってどんなところですか。―にぎやかなところです。
何がありますか。―デパートやお店がたくさんありますよ。
どの店がいいですか。―〜がいいですよ。

友だちの名前	場所（place）	コメント
さん		
さん		

2）1）で聞いたことについて、スピーチをしましょう。

れい）東京のおもしろい場所について田中さんに聞きました。田中さんによると、おもしろい場所は新宿だそうです。新宿はにぎやかで、デパートやお店がたくさんあるそうです。
みなさんも、ぜひ行ってみてください！

【教材例❷】初級〜中級用

いろんなコメントをしてみよう‼

★いろいろなトピックやシーンについてのコメントを書きましょう。

トピック／シーン	コメント
例）北海道旅行	**1．する前**　カニが食べたい！自然や動物が見たい！
	2．している時　うわー、おいしい！すごくきれい！虹みたい！
	3．した後　楽しかった！カニがおいしかった！また行きたいなあ。
＊	**1．する前**
	2．している時
	3．した後

【教材例❸】初級前半〜中級用

Useful Phrases

1．日本語が分からない時

もっとゆっくり話してください。	Please speak slower.
英語でいいですか。	May I speak in English?
X って何ですか。	What's X?

2．あいさつ Greetings

おはよう。	Good morning. (casual)
おはようございます。	Good morning. (formal)
こんにちは。	Good afternoon.
こんばんは。	Good evening.
おやすみなさい。	Good night.
さようなら。	Good bye.
失礼します。	Excuse me.
失礼しました。	Excuse me (for what I did).

★「こんにちは」のバリエーション

ああ。

やあ！(casual)

オッス！(casual, masculine, male speech)

あ、どうも。

よく会いますね。

★「さよなら」のバリエーション

じゃあね！	See you. (casual)
じゃ、また。	See you.
おつかれさまでした。	You must be tired.
じゃ、ここで。	Good-bye for now.

♪♪タスク１：あいさつの後、small talk して、さよならしましょう。

3．Useful Daily Phrases

お願いします。	Please (speaker requesting something).
どうぞ。	Please (speaker offering something).
ありがとう。	Thank you./ Thank you (for what you did). (casual)
ありがとうございます。	Thank you. (formal)
ありがとうございました。	Thank you (for what you did). (formal)
いいえ。／いえ。／いえいえ。	No. / Not at all.
どうも。	Thanks (in every way).
すみません。	I'm sorry. / Thank you for your trouble.
すみませんでした。	I'm sorry (for what I did).
	Thank you (for the trouble you took).

【教材例❹】初級～中級用

文と文のつなげ方 connecting sentences

言いよどみ fillers, hesitation noises

ていねい ←――――――――――――――――――→		くだけた
あの、／あのー、 あのですねえ、 えー、 そうですねえ、	あー、 うーん、 えっと、／えっとー、 まあ、 なんか、	あのね、／あのさ、 えっとね、／えっとさあ、 うんと、／うんとねえ、 うんとさあ、 そう（だ）ねえ、

メタ言語 meta-language
（思い出せない時 when you don't recall words）

ていねい	くだけた
何でしょう。 何と言うんでしょう。 何でしたっけ。 あー、言葉を忘れてしまいました。 うーん、分かりません。 あー、うまく言えませんねえ。 あのー、ちょっと待ってください。	何だろう。 何て言うの？ 何だったっけ。 あー、言葉忘れちゃった。 うーん、分かんない。 あー、うまく言えないなあ。 あー、ちょっと待って。

【教材例❺】初級～中級用

発表の司会の仕方

(1) はじめの　あいさつ

1. みなさま、おはようございます。司会者の～と申します。
   どうぞよろしくお願いいたします。
2. これから最終発表会を　はじめます。
3. まず、はじめに、～先生から　ごあいさつが あります。
   ～先生、よろしくお願いいたします。

(2) 発表する人の　紹介 introduction

1. では、まずはじめは、～さんです。
   ～さん、よろしくお願いいたします。
2. 次は、～さんです。～さん、どうぞ。

(3) 質問の　受け方 Q&A

1. ～さん、ご発表ありがとうございました。
   それでは、みなさま、ご意見、ご質問をよろしくお願いいたします。
   ほかに　ご意見は　ありませんか。
2. では、～さん、ありがとうございました。

(4) 終わり方

1. これで、発表会を終わります。
2. みなさま、どうもありがとうございました。

やってみよう！

(1) 学習者になりきって、「6つのコミュニケーションの基本的な機能」を考慮に入れた教材例を使って会話練習をしてみましょう。どんな効果がありましたか。

(2)「6つのコミュニケーションの基本的な機能」を1つ選んで、会話練習の教材を作ってみましょう。作成した教材の使い方を説明して、実際に使ってみましょう。

【付記】本章は、中井（2010, pp. 135-151）をもとに加筆修正を行った。

参考文献

国立国語研究所（1994）『日本語教育映像教材中級編関連教材　伝えあうことば　4機能一覧表』

中井 陽子（2010）「作って使う：会話授業のさまざまな可能性を考える」尾崎 明人, 椿 由紀子, 中井 陽子（著）関 正昭, 土岐 哲, 平高 史也（編）『日本語教育叢書「つくる」会話教材を作る』第2章第4節, スリーエーネットワーク, 135-188.

中井 陽子（2012）『インターアクション能力を育てる日本語の会話教育』ひつじ書房

中井 陽子, 寅丸 真澄（2010）「講義の談話のメタ言語表現」佐久間 まゆみ（編著）『講義の談話の表現と理解』第8章, くろしお出版, 153-168.

南 不二男（1974）『現代日本語の構造』大修館書店

Hymes, D. H.（1974）. *Foundations in sociolinguistics: An ethnographic approach*. London: Routledge.（唐須 教光（訳）（1979）『ことばの民族誌』紀伊國屋書店）

Jakobson, Roman.（1963）. *Essais de linguistique générale*. Paris: Éditions de Minuit.（川本 茂雄（監修）田村 すゞ子, 村崎 恭子, 長嶋 善郎, 中野 直子（訳）（1973）『一般言語学』みすず書房）

第12章 会話のフロアーの種類に基づく会話練習活動のデザイン

中井 陽子

考えてみよう！

(1) モノローグの会話を扱った練習には、どのようなものがあるでしょうか。
(2) ダイアローグの会話を扱った練習には、どのようなものがあるでしょうか。

1. はじめに

会話は、文章と違い、会話参加者が同じ時間や空間を共有し、その中で様々な話題や機能、形態を持つ会話を絶えず変化させながら展開させていく。1人の参加者が主導権を握って大人数の前で自分の体験談を長々と語っているものもあれば、参加者全員が共通の体験談について共に語り合っているようなものもある。

Edelsky（1981; 1993）は、このような会話の空間を参加者達がどのように共有しているかということについて、「会話のフロアー」という概念で捉えている。そして、「会話のフロアー」について、「心理的な時間と空間において何が起こっているかが認識されているもの」であり、「話題、または、機能（からかいや応答を引き出すなど）、あるいは、この2つの混合、を含むもの」であると定義している（Edelsky, 1993, p. 209）。

この会話のフロアーの概念をさらに発展させたHayashi（1991, p. 8）は、会話のフロアーを支える聞き手の参加の度合いにより、「単独的フロアー（single person floor）」と「共同的フロアー（collaborative floor）」に分けている。「単独的フロアー」とは、1人の参加者がフロアーを独占し、他の参加者がそのフロアーに協力している状態であるとしている。一方、「共同的フロアー」とは、参加者全てがその時に展開している会話に参加し、フロアーを共有している状態であるとしている。さらに、Hayashi（1991）は、「単独的フロアー」には、会話のフロアーを聞き手として支える人があまり活発に登場しない場合と、あいづちや質問表現、評価的発話などで活発にフロアーを支えている場合の段階を区分している。なお、評価的発話とは、「すごいですね」など、発話に対する感想や意見を述べる短いコメントのことである。

中井（2006）では、Edelsky（1981; 1993）とHayashi（1991）を参考に、母語話者と初中級の非母語話者が参加する四者会話における会話のフロアーの分析を行った。その結果、非母語話者は、皆の注目を引き、ターンを長い間持ち続け、自身の話を話すような「単独的フロアー」には参加しやすい様子が見られた。一方、他の参加者による「単独的フロアー」や、他者が共同で話を作り上げていく「共同的フロアー」には、非母語話者が参加するのが難しいという例が見られた。非母語話者は語彙・文法力や聞き取りの力が十分でないため、フロアーを支える聞き手として、あいづち、繰り返し、質問表現、評価的発話などの言語行動や、うなずき、笑い、視線などの非言語行動を用いて参加しにくいということである。ここから、初級の会話授業の活動を設計する際は、単独的フロアーと共同的フロアーへの参加の特徴の違いを考慮に入れ、学習者にとって、フロアー参加の難易度に変化を持たせた会話練習活動を考える必要があると言える。

以下、Hayashi（1991）を参考に、聞き手の会話のフロアーへの参加の度合いが低いものから順に、「①モノローグによる単独的フロアー」、「②ダイアローグによる単独的フロアー」、「③共同的フロアー」という３つのフロアーの種類に分けて、会話練習活動のデザイン例と教材例を示す。

2. 会話のフロアー形成を取り上げた会話練習活動のデザインと教材例

以下、会話のフロアーへの参加の難易度を考慮に入れて、３種の会話のフロアー形成を取り上げた会話練習活動と教材例を挙げる。

2.1 モノローグによる単独的フロアー形成を取り上げた会話の練習

学習者が1人ずつクラス全体の前でスピーチをするという「①モノローグによる単独的フロアー」を形成する練習を行う。例えば、教材を用いて、モノローグによるスピーチの例を教師が示すと具体的なイメージがわきやすい（【教材例❶私の大好きな写真・宝物の説明】）。なお、モノローグによる単独的フロアーは、基本的に聞き手があいづちや質問などの言語行動をほぼ行わないが、スピーチをする人が話しやすいように、しっかり視線を送り、うなずいたり笑ったりするといった非言語行動を行いながら、フロアーを支えるように促すとより良い雰囲気づくりができる。一方、スピーチをする学習者も聞き手から反応がもらえるように、視線や話し方を工夫するように促すとよい。

そして、スピーチを行った後に、撮影しておいたスピーチの映像資料を見ながら、内容、構成、表現（声の大きさ、スピード、視線、強調、ポーズ、発音、イントネーション、資料提示など）、語彙・文法、聞き手の反応の獲得、質疑応答などについてどうであったか、良かった点、改善点などについて確認することで意識化し、次の発表の参考にする。こうした振り返りは、学習者の精神的負担を考慮して、教師が学習者と個別に行ってもよい。さらに、初中級以上であれば、自己評価シートを用いて、スピーチにおける口頭表現特有の音声的な注意項目について、学習者自身が分析するという活動も行える（【教材例❷スピーチの自己分析評価シート】）。このような自己評価をすることによって、学習者が自分自身のスピーチを客観的に振り返ることができ、自己の管理のもと、より良いスピーチを意識的に行えるようになるだろう[1)]。

2.2 ダイアローグによる単独的フロアー形成を取り上げた会話の練習

グループになって、東京・日本の面白いところ・ものについて、授業ボランティアにインタビューするという「②ダイアローグによる単独的フロアー」を形成する練習を行う（第 11 章【教材例❶日本・東京のおもしろいところ・おもしろいもの】）。その際、学習者が聞き手として質問表現やあいづち、評価的発話などの言語行動の他、うなずき、笑いなどの非言語行動を積極的に用いてやり取りをしながら、授業ボランティアの単独的フロアーを支えて、情報を聞き出すように促す。こうした活動を行う前には、インタビューの仕方の例を示してから、グループで会話を始めるようにするとよい。あるいは、先に授業ボランティアが学習者の出身地についてインタビューを行うようにし、その話し方を学習者が参考にしながら、次に学習者が授業ボランティアにインタビューしてみるのもよいだろう。なお、授業ボランティアを教室に呼ぶのが難しい場合は、オンラインで繋いで参加してもらう方法もあるだろう。または、学習者同士で出身地のことについてインタビューし合うことも

1）「学習者が客観的に自身の会話を振り返る・分析する」とは、メタ認知力の育成と関係がある。三宮（1995, p. 60）は、メタ認知について、「自らのコミュニケーション活動を対象化し、モニターし、コントロールする」ものであるとしている。

できるだろう。

その他の練習例としては、グループの参加者全員で単独的フロアーを持つ機会を均等に回していくディスカッション形式のものがある。例えば、「私の大好きな写真・宝物」、「日本に来てびっくりしたこと」などの話題について、話し手と聞き手の役割を順番に交替しながら話す活動を行う。または、ディスカッションの構造を示した教材を提示し、単独的フロアーと共同的フロアーの違いについて、学習者に意識させる（【教材例❸ディスカッションしよう】）。単独的フロアーの練習では、「将来の夢」、「子供の頃の思い出」などについて、グループで１人ずつ順番に、自身の単独的フロアーを形成して、その中で自身の意見やストーリーを述べていくという活動を行う。この場合、学習者同士がお互いに情報を共有していない話題を選ぶと、自ずとインフォメーション・ギャップが起こり、聞き手の学習者が興味を持って聞ける状態となる。また、聞いた後に、どのような内容だったか報告するようにすると、聞き手として相手の話を積極的に聞く動機付けになるだろう。

2.3 共同的フロアー形成を取り上げた会話の練習

「③共同的フロアー」の練習では、学習者が興味のある話しやすいテーマを選んで、賛成と反対のチームに分かれてディスカッションする。例えば、「子供の頃からPCゲームをしたほうがいいか」、「お金と時間とどちらが大切か」などのテーマだと話しやすいだろう（【教材例❸ディスカッションしよう】）。この際、賛成チームと反対チームでそれぞれの共同的フロアーを形成し、協力し合って意見を述べていく。あるいは、国・文化が共通する学習者２人以上が協力しながら、その他の学習者に情報や意見を述べつつ、互いに積極的に共感を示すようなあいづち、評価的発話、繰り返しなどを用いて、共同的フロアーを形成する練習をしてもよい。

なお、賛成と反対のディスカッションを行う際は、賛成１人と反対１人の二者による会話から始めるとターンを交互に取りやすい。これは共同的フロアーではなく、ダイアローグによる単独的フロアーになり、一人一人のフロアーへの参加の責任感が増す。そのため、その後、グループ人数を増やした共同的フロアーに参加する際も、より積極的に参加できるようになるだろう。一方で、意見を強く押し付けて相手を傷付けないように、柔らかい言い方の表現も確認しておくとよい。また、ディスカッションのテーマが難しい場合は、テーマに関連する語彙リストをあらかじめ配布して確認しておいたり、事前に各自の意見について考える準備をしておいたりするのもよいだろう。

さらに、中級以上の授業では、ディスカッションをしている映像教材を見た後に、ワークシートを用いて、それぞれのフロアー形態で、話し手と聞き手がどのような言語的・非言語的な表現を用いて参加しているか、または、参加するのがよいかを話し合う。特に、ターンを取りたい時は、タイミングを見て話し出すだけでなく、息を大きく吸う、手を前に出す、前傾姿勢になるといった非言語での意思表示の仕方を確認するとよい[2)]。それとともに、参加者全員が意見を言う機会が均等に与えられているか配慮し、自分が長く話しすぎていないか注意しつつ、あまり意見を述べていない者がいれば意見を求めたりするように注意を促しておくことも重要である。その後、実際に練習してみる。４～５人以上のグループでディスカッションする際は、司会者の学習者を１人決めてもよいだろう。なお、良い例、悪い例のビデオを視聴しながらディスカッションの留意点や表現が学べる教材には、菅長他（2022）がある。

3. まとめ

以上のように、会話のフロアーの形態に応じた会話練習活動をデザインし、教材を作成する必要があると言える。その際、会話のフロアーへの参加の難易度が学習者にとって適切か、会話のフロアーの種類の偏りがないかなどを十分考慮に入れることによって、学習者の会話能力をバランス良く向上させることができると考えられる。

2) 言語・非言語行動によるターンの受け継ぎについては、中井（2003）参照。

【教材例❶】初級後半～中級用

私の大好きな写真・宝物の説明

★1　あなたの大好きな写真か宝物を友だちに見せて、説明しましょう。

Q　何の写真ですか。いつどこで撮りましたか。
写真には何が写っていますか。どうしてこの写真が好きですか。
この写真を撮った時の面白いエピソードがありますか。

れい）

What?	この写真は、富良野で撮った写真です。
Where, Famous for?	富良野は、北海道の真ん中にあって、 ラベンダー畑で有名です。
When?	今年の７月に富良野に行った時に撮りました。
What is in?	この写真には、大きくてきれいなお花畑が写っています。
Comments, Why?	お花畑がとてもカラフルで、ホテルのカーペットみたいですから、この写真が大好きです。
Episodes?	この日はたくさん人が来ていて、みんなたくさん写真を撮っていました。 おみやげにラベンダーのポプリを買ってかえりました。
Closing	みなさんも、ぜひ富良野に行ってみてください。 以上です。ありがとうございました。

★2　あなたの大好きな写真か宝物について、スピーチをしましょう。

【教材例❷】中級用

スピーチの自己分析評価シート

名前＿＿＿＿＿＿＿＿＿＿＿＿＿＿＿＿＿＿＿＿

	満点	得点
1. 分析内容	10	
2. 構成、説明の仕方・順番・ポイントの提示の仕方	10	
3. 表現 ＊声の大きさ・スピード： ＊視線・強調・ポーズ： ＊発音・イントネーションなど： ＊レジュメ・スライド：	5	
4. 語彙・文法	5	
5. 聞き手の反応が得られたか	5	
6. 質問への応答・他者の発表へのコメント	5	
合計点　Total Points	40	

【教材例❸】中級用

ディスカッションしよう

1）シングル・フロアー：

★次のテーマで自分の話や意見を話しましょう。

＊ 将来の夢
＊ 子供の頃の思い出
＊ 理想の友人
＊ 外国語を学ぶ意義、留学の意義
＊ 日本や外国でのカルチャーショック　　など

★ポイント★

話す人：1. 聞いている人に分かりやすく、自分の話をしましょう。
　　　　2. 全員が平等 equal に話すようにする。

聞く人：1. 話す人が話しやすいように、あいづち、コメントなどを使って、興味を示しましょう show your interest。
　　　　2. 分からない言葉や分からないこと、もっと聞きたいことには、質問しましょう。

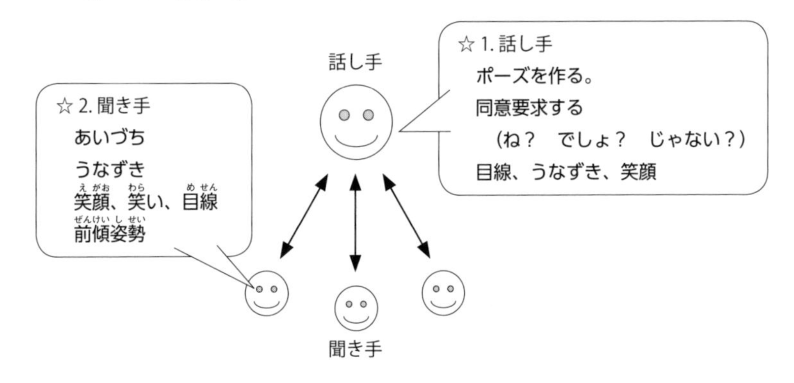

2）コラボラティブ・フロアー（賛成・反対チーム）：

★次のテーマで、賛成チームと反対チームに分かれて、ディスカッションしましょう。

＊　子供の頃から PC ゲームをしたほうがいいか

＊　お金と時間とどちらが大切か

＊　海と山とどちらが楽しいか　　　　　　　　　　など

★ポイント★

1. 同じ意見の人とグループで、一緒に協力して cooperate、意見を主張する。

2. あまり意見を強く押し付けないで don't push your opinion、やわらかく意見を言うようにする。

＊賛成の意見を言う時： 私は～に賛成です。	＊反対の意見を言う時： 私は～に反対です。
＊他の人の意見に同意する時： 私もそう思います。 私も X さんの意見に賛成です。 その通りだと思います。 私も同じ意見です。	＊他の人の意見に反対する時： 私は、そうは思わないんですけど。 それは、ちょっと違うんじゃないかと思います。 私は、別の意見があります。
＊意見を言う時 （肯定 affirmative clause）： （aff.）と思います。 （aff.）んじゃないかと思います。 （aff.）ほうがいいと思います。	＊意見を言う時 （否定 negative clause）： （neg.）と思います。 （neg.）んじゃないかと思います。 （neg.）ほうがいいと思います。

☆ 1. 賛成
あいづち、うなずき
そうそうそう、だって、
その通りだと思います。
私もそう思います。
私も同じ意見です。

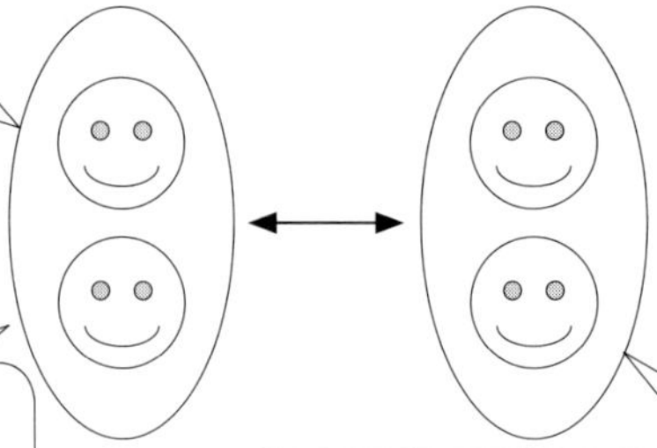

☆ 2. 意見表明
～と思います。
～ほうがいいと思います。
～べきだと思いますけど。
～はずだと思うんですけど。
同意要求
～なんじゃないでしょうか。
～よね？
～でしょ？　そうでしょ？
～そう思いませんか。

☆ 3. 反対
文頭：でも、だけど、
そんなふうに言っても、
それはそうかもしれないけど、
それはちょっと違うかなと思います。
だって、～
え、でも、私はちょっと違う意見があります。
例えば、～

☆ 1. 反対する時は、どのようにしたらいいでしょうか。

☆ 2. 同じチームの人に賛成する時は、どのようにしたらいいでしょうか。

☆ 3. 自分の意見を強く主張したり、相手に同意を要求したりする時は、どうしたらいいでしょうか。

☆ 4. ターンを取りたい時は、どうしたらいいでしょうか。

やってみよう！

（1）自身の経験や物をトピックにして、【教材例❶私の大好きな写真・宝物の説明】の独自の教材を作ってみましょう。

（2）【教材例❸ディスカッションしよう】をもとに、実際にディスカッションをしてみて、話し手と聞き手の行動の特徴を振り返り、教材を作ってみましょう。

【付記】本章は、中井（2010, pp. 144, 157-163）をもとに加筆修正を行った。

参考文献

三宮 真智子（1995）「メタ認知を促すコミュニケーション演習の試み『討論編』－教育実習事前指導としての教育工学演習から－」『鳴門教育大学学校教育研究センター紀要』9, 53-61.

菅長 理恵, 中井 陽子, 渋谷 博子, 伊集院 郁子（2022）『留学生と大学生のためのエピソードとタスクから描く私のキャリアプラン－課題発見解決力と人間関係構築力を育てる－』凡人社

中井 陽子（2003）「言語・非言語行動によるターンの受け継ぎの表示」『早稲田大学日本語教育研究』3, 23-39. http://hdl.handle.net/2065/3513（2023 年 12 月 1 日閲覧）

中井 陽子（2006）「会話のフロアーにおける言語的／非言語的な参加態度の示し方－初対面の日本語の母語話者／非母語話者による 4 者間の会話の分析－」『早稲田大学日本語研究教育センター講座日本語教育』42, 25-41.
http://hdl.handle.net/2065/5838（2023 年 12 月 1 日閲覧）

中井 陽子（2010）「作って使う：会話授業のさまざまな可能性を考える」尾﨑 明人, 椿 由紀子, 中井 陽子（著）関 正昭, 土岐 哲, 平高 史也（編）『日本語教育叢書「つくる」会話教材を作る』第 2 章第 4 節, スリーエーネットワーク, 135-188.

Edelsky, C.（1981）. Who's got the floor?. *Language in society, 10*（3）, 383-421.

Edelsky, C.（1993）. Chapter 8: Who's got the floor? In Tannen, D.（Eds.）, *Gender and conversational interaction*（pp.189-227）. New York: Oxford University Press.

Hayashi, R.（1991）. Floor structure of English and Japanese conversation. *Journal of Pragmatics, 16*（1）, 1-30.

第13章 談話技能を考慮に入れた会話練習活動のデザイン

中井 陽子

考えてみよう！

(1) どのような時、どのように「聞き返し」をするでしょうか。
(2) 会話における聞き手の役割は何だと思いますか。

1. はじめに

会話の授業を考える上で大切なことは、学習者自らが伝えたいことを表現し、自らが望むように積極的に会話に参加していくためのスキルを身に付けられるような教室活動をデザインし、それを支援するための教材作成を行うことである。こうした会話運用のためのスキルのことを「談話技能」と呼ぶ。中井他（2004, p. 81）では、談話技能について「話し手や聞き手として会話に参加しながら、会話を円滑に展開していくために必要な言語的・非言語的な要素を、談話レベルで効果的に用いるための技能である」と定義している。談話技能は、特に、自分が望むように自分を表現するための言語的・非言語的なスキルであり、教科書で積み上げ式に学んだ語彙・文型を実際に用いながら談話レベルで会話を進めていくために必要なものでもある[1)]。

2. 談話技能を考慮に入れた会話練習活動のデザインと教材例

以下、実際に談話技能を会話練習活動にどのように取り上げていくことができるのか、話し手と聞き手の役割を意識してデザインした初級の会話授業とそこで作成・使用した教材を例に挙げる。取り上げる談話技能は、①語彙・表現の確認と聞き返し（聞き手として）、②あいづちと評価的発話（聞き手として）、③フィラーとメタ言語表現（話し手として）、④会話の型と質問表

1) 中井他（2004）では、自らが望むように、話し手や聞き手として、積極的に会話に参加していくために、構造シラバスによる語彙・文型の指導にあわせ、初級の段階から、談話レベルでの会話教育を行う必要性があると考え、「談話レベルでの会話教育のための談話技能の指導学習項目案」というシラバスの提案を行った。指導学習項目は、「A.言語的項目（話し手／聞き手）」「B.非言語的項目」「C.音声的項目」「D.言語・非言語・音声の総合的技能項目」という４分類から成る。

現（聞き手として）、⑤評価的発話とカジュアルスピーチ（話し手・聞き手として）である。

これらの談話技能は、初中級の学習者が効果的に用いなかったために、自身の意図に反して、話題に関心がないなどと誤解されてしまったもの（第1章の会話例を参照のこと）を指導学習項目化したものである。なお、以下に紹介する会話練習活動は、日本語母語話者の授業ボランティアが会話相手として参加している場合を想定している。授業ボランティアが参加しない場合は、クラスメートの学習者や教師が会話相手となってもよい。

2.1 語彙・表現の確認と聞き返し（聞き手として）

授業ボランティアと初めて会話をする際に、語彙が分からなくて、理解できなかったり誤解が起こったりすることがある。こうしたことを防ぐために、「①語彙・表現の確認と聞き返し」の教材をもとに、聞き返しで用いる言語的・非言語的な表現の例を確認して意識化させる（【教材例❶聞き返しのしかた】）。聞き返しの練習の際は、教師がわざと難しい語彙や方言などの未知語を入れた話をし、学習者に聞き返しをするように仕向ける。なお、「はい？」「えっ？」などの聞き返しは、イントネーションに気を付けるよう注意を促すとよい。

その後、授業ボランティアと自己紹介の会話を行い、授業ボランティアに趣味などを聞くよう学習者に指示する。そして、授業ボランティアの用いる語彙・表現が分からない時は、教材で学んだ聞き返しの表現（例：〜って何ですか。）を用いて聞き返し、聞き取った語彙とその意味をメモするように指示する。授業ボランティアにも、時々難しい語彙を用いて、学習者の聞き返しを誘導するように頼む。聞き返しの会話を行った後、学習者と授業ボランティアに聞き返しがきちんとできたか、また、どのような語彙をワークシートに記入したか確認する。これにより、聞き返しを積極的に行う動機付けになる。また、授業ボランティアにとっても、初めて話す学習者の語彙レベル、理解レベルがどの程度なのか、把握しやすくなるだろう。

2.2 あいづちと評価的発話（聞き手として）

まず、教師があいづちの使い方の悪い例を見せる。教師が学習者の1人に「昨日、何をしましたか。」と質問し、学習者がそれに答えている間、教師が無表情で一切あいづちを打たない。それを見てどのように感じたかを学習者に確認する。その上で、再度、教師が学習者に同じ質問をし、あいづちを打ちながら興味を持って聞いている様子を示し、聞き手の反応の重要性を強調する[2)]。その後、会話の中で聞き手として用いるあいづちと、「いいですねえ。」などの相手の話に対する自分の感想をコメントする評価的発話の例をまとめた「②あいづちと評価的発話」の教材で確認する（【教材例❷いい聞き手になるために】）。特に、使い分けが難しい「そうですか。」「そうですね。」「そうですか？」といったあいづちについては、教師がやり取りの例を出しながら、学習者に説明をするのがよい。また、「昨日ね、」と話し手が話し出してすぐに、「ふーん。」や「なるほど。」などの理解・納得の機能を持つあいづちを使わないように注意を促す。その後、教師が自分の面白かった経験について話し、わざとポーズを長めに取って、学習者のあいづちや評価的発話を促すようにする。その際、難しい語彙を時々使い、聞き返しをする復習も行う。このように、話が理解できた時はあいづちや評価的発話、理解できない時は聞き返しをする練習を行う。

次に、グループになって、あいづちのタイミングやバリエーション、イントネーションなどを練習する（【教材例❸あいづちの練習をしましょう！】）。また、聞き手として、あいづちの他、評価的発話、繰り返し、笑い、うなずき、視線などを用いて、聞いていること、理解していること、興味があることを示し、会話を円滑に進めるということにも触れて練習を行う。さらに、話し手も、このような聞き手からのあいづちなどの反応を十分得るために、ポーズの置き方、節と節の間に終助詞「ね」を入れる方法、終助詞「よね」や「でしょ？」などの同意要求、視線などの他、ユーモアや話題内容の面白さなどの工夫が必要であることを指摘し、練習する[3)]。

その後、授業ボランティアやクラスメートに「週末の予定」や「東京・日本のおもしろいところ・もの」などについてインタビューする。その際、学習者は聞き手となり、あいづちや評価的発話、聞き返しなどを用いて、話し手から情報を聞き出し、ワークシートに記入していく（第11章【教材例❶

2) 日本語のドラマの会話などであいづちの使い方を観察する活動を行ってもよい。

3) 聞き手を引き込むために話し手が用いる言語的・非言語的・音声的要素については、相場・中井(2010)参照。

日本・東京のおもしろいところ・おもしろいもの】)。インタビュー会話の直後に、学習者が聞き手としての談話技能をきちんと用いることができていたか確認する。最後に、学習者が聞き出した情報をもとに、発表原稿を作成してクラス全体の前で発表し、情報を共有するのもよい。

2.3 フィラーとメタ言語表現（話し手として）

「あのー」「えっとー」などの言いよどみ表現のフィラー、および「何と言うんでしょう。」「あー、言葉忘れちゃった。」などの発話している言語自体について言及するメタ言語表現の例をまとめた「③フィラーとメタ言語表現」の教材で確認し、口頭練習をする（第 11 章【教材例❹文と文のつなげ方】）。その後、授業ボランティアやクラスメートとグループを作り、学習者が話し手となって、フィラーやメタ言語表現を使う練習をする。例えば、学習者が持参したお気に入りの写真について説明する活動を行い、言いたいことを考えている間、単なる沈黙にならないように、フィラーやメタ言語表現を用いるように促す。これにより、聞き手の授業ボランティアとインターアクションを続けているという意思表示をしたり、日本語の語彙や表現の助けを求めたりすることができる。

さらに、このような写真の説明の会話をもとに発表原稿にまとめ、学習者がクラス全体の前で発表するのもよい。その際、改まった発表で用いる丁寧なフィラーとメタ言語表現の練習も行う。

なお、学習者がフィラーを用いる際、フィラーの頻度やタイミングが適切か、母語のフィラーを使い過ぎていないかを点検することも重要である。また、聞き手の理解を妨げてしまうほどフィラーを過剰使用する恐れがある場合は、事前に話す内容を準備して練習を十分にしておくとともに、和やかな雰囲気を作って、緊張しすぎないようにしておくことも大切であろう。

2.4 会話の型と質問表現（聞き手として）

「④会話の型と質問表現」の練習は、以下のような手順で行う。

まず、3 種類の会話のタイプ[4]があることを確認し、話す相手によって様々

4) 中井（2003a）では、会話の話題開始部における質問表現の用いられ方の割合から、「質問－応答型（一方方向型）」「質問－応答型（相互型）」という会話の型に分類している。この他に、質問表現で話題を開始せずに、情報提供で話題を開始することが多い会話の型を「情報提供話題開始型」としている。

に話し方を変えるということを意識化させる。3種類の会話のタイプには、「①相手に質問してもらう」、「②相手に質問していく」、「③お互いに質問し合う」があり、このうち、②として、教師が自分の体験談について短い1文だけで情報提供をし、それについて学習者が質問表現によってさらに詳しい情報を聞き出していき、話題を積極的に展開させていく練習を行う。例えば、「T: 去年、素敵なところに行ったんです。― S: どこですか。」「T: 京都です。― S: 京都で何をしたんですか。」「T: お寺に行きました。― S: 何というお寺ですか。」などのようなやり取りである。学習者が積極的に質問することで教師の話に興味を示していることになり、教師が嬉しい気持ちになること、反対に長い沈黙が起きたり質問がなかったりすると寂しい気持ちになることを意識化させる。ただし、失礼なことやプライベートなことについて質問しないように注意を促すことも重要である。その後、以下のように、授業ボランティアやクラスメートと質問表現を使う練習を行う。

最初に、「①相手に質問してもらう」の練習として、学習者が授業ボランティアに一方的に質問してもらうという会話を行う。その後、学習者は、授業ボランティアがどのような質問をしてくれたかをワークシートに書き出す。

次に、「②相手に質問していく」の練習として、学習者が聞き手になって、話し手の授業ボランティアに一方的に質問するという会話を行う。質問する際は、「①相手に質問してもらう」の練習で授業ボランティアが質問してくれた内容や表現を参考にするように助言を与えるとよい。一方、授業ボランティアには、なるべく質問に対する返答は1文だけにして情報提供を少なめにしてもらうように指示する。これにより、学習者がより詳細な内容を尋ねる質問表現を用いて、積極的に話題を展開させていけるような練習を行う。また、学習者が授業ボランティアとの共通点を見つけ、お互いが興味を持つ1つの話題を深く掘り下げて話を続けることによって、相手に興味を持っているという態度を示すように指示しておく。学習者が質問して授業ボランティアの答えを聞く際は、あいづち、評価的発話、聞き返しなども積極的に用いて、話への興味を示すように促すとよい。会話が終わったら、学習者に質問表現がうまく使えたか感想を聞き、授業ボランティアにも学習者からの質問はどうだったか感想を聞く。例えば、学習者からは、授業ボランティアに質問をする会話について、「楽しかった」という感想ばかりでなく、「質問を考えるのが大変だった」「疲れた」などという声が上がる場合がある。一方、授業ボランティアからは、「沈黙があって、寂しく感じた」というものもあるが、「今まで自分が学習者に質問をして会話をリードしなければならないと頑張っていたが、今回は学習者が自分に質問をたくさんしてくれて、自分に興味があるように感じて涙が出そうなくらい嬉しかった」といった感想が聞かれることもある。このように、学習者と授業ボランティアが自身の会話を振り返り、感想を共有することによって、積極的に質問表現を用いることの難しさと同時に、質問表現が相手への興味を示すという重要な役割があることを意識化できる。その後、直前の会話での反省点を踏まえ、会話グループを変えて、さらに数回同じ設定で次の会話に臨むようにする。

最後に、「③お互いに質問し合う」の練習として、学習者と授業ボランティアが対等かつ自由に質問し合い、どちらも話し手と聞き手に交互になるという会話を行う。「②相手に質問していく」の練習で、学習者は、質問をすることに十分慣れているので、積極的に質問できるようになっている。そして、こうした対等に質問し合う会話の心地よさ、自然さというものにも気づき、いつも相手に質問してもらうだけでは対等な会話ではないということを自覚できるようにする。

このような質問表現を用いた会話の練習は、最初２～３人の少人数で行う。その後、３～５人の会話に発展させて、会話の中で聞き手として質問表現を他の参加者に振り分けて用いていくといった、より複雑で難易度の高い活動に発展させていくとよいだろう。その後、多人数の会話において、司会者が行う質問、指名、あいづち、評価的発話、まとめなどの表現を確認し、グループごとに司会者を１人決めて練習するのもよい。なお、質問する話題は、レベルによって抽象度・難易度を上げていくとよいだろう。

2.5 評価的発話とカジュアルスピーチ（話し手・聞き手として）

「⑤評価的発話とカジュアルスピーチ」の練習は、以下のように行う。

評価的発話の練習としては、話し手になる場合と聞き手になる場合の活動を行う。話し手としては、自身のお気に入りの写真について評価的発話を用いながら説明するという活動を行う。聞き手としては、「②あいづちと評価的発話」で述べたように、話し手の情報提供を聞きながら、あいづちとともに評価的発話を用いる練習を行う。

カジュアルスピーチ（普通体）の練習では、友人同士のくだけた話し方を扱う。学習者の多くは、まず「です・ます」体から学習を始めるため、日本語母語話者と友人になっても、なかなかカジュアルスピーチが使いこなせないことが多いため、練習が必要である。授業では、まず普通体の活用の復習を行い、終助詞「よ」「ね」や、「〜んです」といった「のだ文」などを文末に付けた普通体、「うん」「ううん」などの応答詞の普通体を使う練習を行う。必要に応じて、アニメやドラマなどのカジュアルスピーチが用いられている会話場面を視聴して使い方を確認してもよい。次に、グループに分かれ、ワークシートで文を普通体に変換する練習を行う（【教材例❹カジュアルスピーチにしましょう！】）。そして、カジュアルスピーチで質問文が書いてある教材をもとにグループで会話練習を行う（【教材例❺カジュアルスピーチで話しましょう！】）。その際、適宜、話題に対する感想などを述べる評価的発話もカジュアルスピーチで言えるようにするとよい。教師は、学習者がカジュアルスピーチを使えているか確認し、適宜フィードバックを行う。

3. まとめ

以上、話し手・聞き手として会話に積極的に参加していくための談話技能に焦点を当てた授業デザインとその教材を紹介した。このような教材を用いることにより、学習者に対し、会話への参加の仕方を意識化させ、日本語の談話技能をどのように用いていくのがよいかを考えて練習する機会を与えることができるだろう。特に、教室に授業ボランティアを呼んで会話練習をする場合は、第２章で述べたように、「会話授業の基本的な３段構成」で授業を行うのがよい。まず、談話技能に関する知識導入と練習を行う。次に、学習者が授業ボランティアと実際に会話をしながら談話技能を使う機会を設ける。その後、談話技能がうまく使えていたか振り返りを行い、次の会話の際に活かせるように改善点を意識化させる。詳細は、中井（2003b; 2012）を参照されたい。あるいは、演劇プロジェクトのようなシナリオを用いた会話練習を行うのも、談話技能を確認しながら繰り返し練習していけるため、有効である（中井, 2004）。その他に、カジュアルスピーチだけでなく、敬語などの使い方も場面に応じて練習していくことも重要であろう。

【教材例❶】初級〜中級用

聞き返しのしかた（Clarification Questions）

分からないことをはっきり伝える

↑

すみません、ちょっと意味が分かりません。

〜……ちょっと分かりません。

もう一度言っていただけますか／もらえませんか。

もう少しゆっくり話していただけませんか／もらえませんか。

〜ってどういう意味ですか。

〜って何ですか。

〜って英語で何ですか。

すみません、書いてください／もらえますか。

〜の部分 parts が分かりませんでした。

〜の部分をもう一度説明していただけませんか／もらえませんか。

〜？（くりかえす repeat）

〜……（くりかえす repeat）

はい？　　　　　　※イントネーションに気を付けましょう。

えっ？

ん？

あのー……

それは、〜ということですか。

（言い換える rephrase、例を示す show an example, etc.）

うーん……

Pause

ええ、ええ、ええ……

（
- 後で意味が分かるまで聞き続ける
  continue to listen till you understand the meaning
- 必要な分かる情報だけ聞き取る
  listen for important/understandable information only
- だいたいの情報だけ分かる
  comprehend overall information only

）

話題をかえる shift the topic

↓

分からないことを伝えない

【教材例❷】初級～中級用

いい聞き手になるために Being a good listener

あいづちの打ち方

ていねい formal	ふつう neutral	くだけた casual
はい。／はい、はい。 はい、はい、はい。 ええ。／ええ、ええ。 ええ、ええ、ええ。 そうですか。／そうですか↗ そうなんですか。 そうですねえ。／そうですね↗ そうでしょうねえ。 そうでしょうね↗ そうですよね↗ そうですよねえ。 その通りですね。 本当ですか↗	ねー。／ねーねー。 ねーねーねー。 あー。／あーあー。 あーあーあー。 はあー。／はーはー。 はーはーはー。 うん、うん、うん。 うーん。 へー。 えー。／えー↗ まあ！ あらー。 なるほど。 なるほどねえ。	うん。／うーん。 ふんふん。／ふんふんふん。 ふーん。 そう。／そうそう。／そうそうそう。 そうか。／そうかあ。／そっか。 そうなのか。／そうなの。 そう↗／そうか↗／そうなの↗ そう（だ）ねえ。／そう（だ）ね↗ そうだろうねえ。／そうだろうね↗ そうねえ。／そうね↗ そうだよねえ。／そうだよね↗ そうよねえ。／そうよね↗ そういうわけか。 その通り。 ほんと↗／まじ↗ うそ。／うそだろう↗／うそでしょ↗

タイミング：

＿＿＿＿、＿＿＿＿、＿＿＿＿、＿＿＿＿。

　　うん　　　ああ　　　うん　　　あー、そうですか。

　　　　　　　　　　　　　　　　　いいですねえ。

コメント（評価的発話）

好ましい状況 preferable situation

へー、それはよかったですねえ／あー、よかった。

わー、いいですねえ／いいねえ／いいなあ。

へー、すごいですねえ／すごい！／すごいなあ。

へー、おもしろいですねえ／おもしろい／おもしろいなあ。

うわー、おもしろそうですねえ／おもしろそう／おもしろそうだなあ。

へー、それは楽しいですね／楽しい／楽しいなあ。

うわー、おいしそうですねえ／えー、おいしそうねえ。

へー、おいしそうだなあ。

えー、うらやましい。

好ましくない状況 unpreferable situation

あー、それは大変でしたねえ／大変！

それは残念ですねえ／あー、残念。

うわー、それはひどいですねえ／うわー、ひどい！／えー、ひどいなあ。

えー、それはだめですよねえ／それはだめだよね。

えー、それは困りますよねえ／それは困るよねえ／それは困るなあ。

えー、やだー。

【教材例❸】初級～中級用

あいづちの練習をしましょう！

★次の会話を読んで、適当なところ（appropriate places）に、あいづちを入れてみましょう。

会話（1）

Q: 夏休みは、何をするつもりですか。

A: 夏休みはねえ、　　京都に行くんです。

あいづち：______________________________

A: 京都には新幹線で行くんだけどねえ、　　チケット高かったですよ。

あいづち：______________________________

A: 東京から京都まででねえ、　　1万2000円くらいでした。

あいづち：______________________________

A: でも、新幹線は速いからねえ、　　楽でいいですよね。

あいづち：______________________________

会話（2）

Q: 週末は、何をしましたか。

A: この前の週末はねえ、　　京都に行ったんです！

あいづち：______________________________

A: 初めての京都だったんですけどね、　　すごくきれいでしたよ。

あいづち：______________________________

A: お寺とかたくさん見られたし、　　食べ物もおいしかったですねえ。

あいづち：______________________________

A: ちょっと人が多かったけど、　　絶対に行ったほうがいいですよ！

あいづち：______________________________

【教材例❹】初級後半～中級用

カジュアルスピーチにしましょう！

Change the underlined formal speech into casual speech.

1. A: 今度、一緒に新宿で映画を見ませんか。

（　　　　　　　　　　）1

B: いいですね。じゃあ、いつにしますか。

（　　　　　　　　　　）2（　　　　　　　　　　）3

A: 今週の日曜はどうですか。

（　　　　　　　　　　）4

B: そうですね。じゃあ、1時ごろに会いますか。

（　　　　　　　　　　）5（　　　　　　　　　　）6

A: 分かりました。じゃあ、西口で待っていますよ。

（　　　　　　　　　　）7（　　　　　　　　　　）8

2. A: 映画、どうでしたか。

（　　　　　　　　　　）9

B: 面白かったですよ。A さんは、どうでしたか。

（　　　　　　　　　　）10

A: うーん、私は、ちょっと……。

B: えっ！　つまらなかったんですか。

（　　　　　　　　　　）11

A: いいえ、ちょっと寝ちゃったんですよ。

（　　　　）12（　　　　　　　　　　）13

B: えー、本当ですか。ぜんぜん、見なかったんですか。

（　　　　　　　　　　）14（　　　　　　　　　　）15

A: ええ。

B: えー、そうだったんですか。アカデミー賞 awards の映画ですよ！

（　　　　　　　　　　）16（　　　　　　　　　　）17

【教材例❺】初級後半～中級用

カジュアルスピーチで話しましょう！

★次の質問について、カジュアルスピーチで話しましょう。

Q１：スポーツする？　どんな？

Q２：毎日、何、食べてるの？　どんな食べ物が好き？　嫌いな食べ物ある？

Q３：映画とかドラマとか好き？　どんなの、よく見るの？　アニメは？

Q４：週末って、いつも何するの？　どこによく行くの？

Q５：旅行は、好き？　どんなところによく行くの？

Q６：その他の質問（Other questions）

やってみよう！

(1)【教材例❶聞き返しのしかた】を参考にして、聞き返しを扱った教材や授業案を検討しましょう。

(2)【教材例❷いい聞き手になるために】を確認し、【教材例❸あいづちの練習をしましょう！】をやってみましょう。その後、あいづちを扱った教材を作成してみましょう。

【付記】本章は、中井（2010, pp. 164-181; 2012, pp. 203-206）をもとに加筆修正を行った。

参考文献

相場 いぶき, 中井 陽子（2010）「会話授業におけるストーリーテリングの分析－聞き手を引き込むために話し手が用いる言語的・非言語的・音声的要素－」『日本語教育方法研究会誌』17（1）, 70-71. https://www.jstage.jst.go.jp/article/jlem/17/1/17_KJ00008197343/_pdf（2023年12月1日閲覧）

中井 陽子（2003a）「話題開始部で用いられる質問表現－日本語母語話者同士および母語話者／非母語話者による会話をもとに－」『早稲田大学日本語教育研究』2, 37-54. http://hdl.handle.net/2065/3496（2023年12月1日閲覧）

中井 陽子（2003b）「談話能力の向上を目指した会話教育－ビジターセッションを取り入れた授業の実践報告－」『早稲田大学日本語研究教育センター講座日本語教育』39, 79-100. http://hdl.handle.net/2065/3395（2023年12月1日閲覧）

中井 陽子（2004）「談話能力の向上を目指した総合的授業－会話分析活動と演劇プロジェクトを取り入れた授業を例に－」『小出記念日本語教育研究会論文集』12, 79-95. http://www.koidekinen.net/2004_12/nakai.php（2023年12月1日閲覧）

中井 陽子（2010）「作って使う：会話授業のさまざまな可能性を考える」尾﨑 明人, 椿 由紀子, 中井 陽子（著）関 正昭, 土岐 哲, 平高 史也（編）『日本語教育叢書「つくる」会話教材を作る』第2章第4節, スリーエーネットワーク, 135-188

中井 陽子（2012）『インターアクション能力を育てる日本語の会話教育』ひつじ書房

中井 陽子, 大場 美和子, 土井 眞美（2004）「談話レベルでの会話教育における指導項目の提案－談話・会話分析的アプローチの観点から見た談話技能の項目－」『世界の日本語教育　日本語教育論集』14, 75-91. http://doi.org/10.20649/00000344（2023年12月1日閲覧）

第14章　会話練習活動のフィードバック方法

中井 陽子

考えてみよう！

(1) 自分が学習者なら、会話授業でどのようなフィードバックをしてほしいでしょうか。
(2) 学習者にフィードバックする時に、気を付けることは何でしょうか。

1. はじめに

学習者の会話能力を伸ばすためには、会話練習を繰り返し行い、実際の会話に参加して話してみる機会を設けることが重要である。しかし、それだけでは、会話能力は十分に向上しない。教師は学習者の会話の良い点を褒めてさらに伸ばし、問題点を指摘して改善策を考えさせることが必要である。そうして初めて、学習者は自身の会話能力を客観的に捉え、自己改善していくことが可能となる。

こうした会話へのフィードバックを的確に行うためには、まず教師が日本語の会話や学習者の話し方の問題点の特徴を十分に把握し、フィードバックの視点を増やしておくことが必要である。尾﨑（2010）は、教師が「うん、いいですね」など、漠然としたフィードバックをしないように、会話の採点項目を並べたシートなどをもとに、事前に学習者の会話を評価する視点を定めておく方法もあると述べている。

そして、教師が会話のフィードバックの方法に関する知識を持つ必要もある。例えば、教師が学習者の発話の不適切な部分をはっきり指摘する「明示的フィードバック」の方法がある。または、学習者が不適切な発話をした際に、教師がそれに対して適切な日本語に言い換えたり意味を確認したりして自然な反応をする「暗示的フィードバック」の方法もある。この方法では、教師が会話の流れを遮ることなく、学習者にそれとなく不適切な部分を指摘することができる。これらの方法を意識し、学習者にどのような点をどのようにフィードバックするか考えながら、フィードバックの方法を適切に使い分けていくことが重要であろう[1]。

さらに、会話へのフィードバックは、教師からだけでなく、学習者同士や授業に参加している授業ボランティアなどからも行うことができる。あるいは、学習者自身がメタ認知を働かせて内省して自身の会話を振り返ることも、良いフィードバックとなるだろう。また、どのようなタイミングでフィードバックするかも重要である。

以下、会話練習活動におけるフィードバックの方法について見ていく。

2. 会話練習活動の前・途中・後のフィードバック

フィードバックと言うと、一般的に会話練習活動の途中と後に行うことを指すことが多い。しかし、会話練習活動の前の段階で、学習者が他者の会話を分析してフィードバックしてみる活動も重要となる。これにより、学習者はフィードバックの観点を増やすことができ、会話練習活動の途中と後に行うフィードバックについて観点を増やしてより意識化できるようになる。そこで、本節では、会話練習活動の前・途中・後という３つの段階に分けて、学習者へのフィードバックの方法について述べる。

2.1 会話練習活動を行う前のフィードバック

会話練習活動に入る前の導入として、モデル会話の映像教材や教師による会話のデモンストレーションを学習者自身が見て、そこで何が起こっているのかを分析してディスカッションしてみるとよい。つまり、ここでのフィードバックとは、学習者が他者の会話を観察して、どうであったかを意識化して説明してみるというものになる。あるいは、学習者の観察した点に対して教師が助言を与えたりすることもフィードバックとなる。

例えば、談話技能の会話練習活動を行う前なら、観察する会話の中の参加者達があいづちや質問表現をどのように用いているのかに注目して分析するように学習者に指示する。その後、グループになって、その会話の良い点や自然さ、問題点、改善点などについて話し合ったり、クラス全体で意見を述べ合ったりする。

このように、自身の参加していない会話は、客観的に観察しやすいため、

---

1) 詳しくは、小柳（2021）などを参照のこと。

問題点や改善点にも気づきやすい。また、当事者がその場にいないため、気軽に問題点を指摘しやすい。そのため、フィードバックすることの練習にもなる。そして、他者の会話を客観的に観察する視点を持っておくことで、学習者が自身の参加する会話を客観的に観察する際の参考になる。それにより、自身や他の学習者の会話へのフィードバックもしやすくなると言える。

2.2 会話練習活動を行っている途中でのフィードバック

会話練習活動を行っている途中では、実際に会話を行いながら、その会話がどのようであるか、学習者や授業ボランティアが客観的に観察し、より円滑な会話になるように調整していくように指示する。例えば、あまり話していない人や、楽しそうに参加していない人などがいた場合は、その人に視線を向けて話しかけたり、質問をしてターンを渡したりして、会話の輪の中に入れるように工夫することが重要である点を意識化させておく。こうした観点は、会話練習活動を行う前に観察した会話のフィードバックの視点を再度取り上げると意識化させやすい。はじめは、教師の助言やサポートを多めに与え、徐々に学習者自身が意識的に自身の力で会話を客観的に観察して、そこで求められることや問題点を把握し、会話を円滑に進めるための調整をしていけるようにするとよい。

会話練習活動中における教師からのフィードバックとしては、例えば、共同的フロアーの会話（多人数の話し合いなど）の練習活動の際、教師が各会話グループを回り、それぞれの会話が円滑に進んでいるか会話の外から観察する。そして、楽しく会話が盛り上がっているグループは、教師が遠巻きに見守りながら、学習者と授業ボランティアがどのように会話に参加し、どのような内容を話しているかを観察しておく。一方、会話が円滑に進んでいないグループは、今話している話題を教師が確認しつつ、「～さんはどう思いますか」などと学習者を指名して話させたり、「～について話してはどうですか」と話題を振ったりして、話題の展開を促進させる。それでも話題が停滞してしまっている場合は、教師自身がその話題に対する意見などを投げかけ、共同的フロアーが盛り上がるように仕掛ける。あるいは、共同的フロアーの中で学習者があまり積極的に参加できていない場合は、会話の流れを中断しないように、その学習者の耳元でこっそりと「日本語が分からなかったら、聞き返しをしてみてください」「もう少し積極的にあいづちを使ってみてください」などと教師がささやいて、学習者が会話へ参加しやすくなるような調整を行う。学習者同士で分からない部分についての聞き返しや話題の整理などの会話の調整が困難な場合は、教師が代わりに行ってみるのもよい。

なお、学習者が会話に参加するのが難しいのは、日本語力だけでなく、時には座っている位置や角度などの物理的な問題の場合もある。もし学習者が会話のグループの輪の中から少し外れたところに座っている場合は、教師がグループを促して、その学習者が会話の輪の中に入れるように、椅子のレイアウトを変えるのも効果的である。

このように、会話練習活動中に教師や授業ボランティア、学習者同士がフィードバックを行うことによって、学習者が円滑に会話を進めていけるように意識的に調整するような能力を育成することが重要である。そのため、会話中の学習者による語彙や文法などの誤用に関しては、会話の進行に大きな問題がなく、会話相手に失礼がない限り、細かくフィードバックする必要はないだろう。あるいは、重要な点だけメモしておき、後でまとめてフィードバックするのもよいだろう。

2.3 会話練習活動を行った後でのフィードバック

会話練習活動が終わったら、学習者に個別にフィードバックする場合と、クラス全体に向けてフィードバックする場合がある。例えば、1組のロールプレイが終わるごとに、そのロールプレイについてコメントをする場合は、個別性の高いことをフィードバックできる。そのコメントを参考にして、次に行う組のロールプレイがより良いものになっていくように励まして動機付けしていくこともできる。各学習者に対して、口頭ではなく、個別にコメントを書いて渡すという方法もよい。一方、全ての組のロールプレイが終わった後で、クラス全体に向けてコメントする場合は、全体に共通する点をフィードバックしていくとより効率がよいだろう。

さらに、談話技能の会話練習をした後は、参加した会話の感想を各会話のグループごとに確認するのがよい。その際、まず学習者に自分自身の会話への参加の仕方がどうであったかを振り返らせるのがよいだろう。例えば、質問表現を用いる会話練習活動の後に、学習者が「難しかった」と答えた場合、教師は、「それはどうして難しかったのか」「ではどうすればよかったのか」などと問いかけ、学習者自身に考えさせるようにするのがよい。反対に、学習者や会話相手の授業ボランティアが「楽しかった」と答えた場合、教師は、「なぜ楽しかったのか」「会話中にどのようなことに気を付けて努力していたのか」「なぜ会話がうまくいったのか」などと、会話の成功体験について後から分析させ、そこで必要な談話技能を意識化させる。あるいは、会話練習活動の終了後に、参加した会話の感想を日本語か媒介語で各自シートに記入させて、自身の会話を振り返らせるのも有効である（【教材例❶会話感想シート】）。シートは記入後、回収して教師が赤ペンでフィードバックを行うのもよい。なお、この会話の感想シートは、「2.1 会話練習活動を行う前のフィードバック」で行うモデル会話などの映像教材の分析の際に用いてもよいだろう。

その他に、学習者の会話を録音して、後で学習者と教師が共に聞きながら改善点を指摘する方法もある。学習者が録音データを聞いて自分で書き起こしながら振り返る課題を設けるのもよいだろう。

あるいは、学習者の参加する会話を撮影し、クラス全体で視聴しながら、会話がうまく展開しているところや、問題のある箇所で画面を止めて、上記のようなフィードバックの点についてディスカッションしてみるのもよい。または、各会話グループで、撮影した自分達の会話を視聴し、各自の会話への参加の仕方がどうであったか客観的に分析し、その結果をクラス全体に向けて口頭発表するという機会を設けてみるのも面白い（中井, 2008; 2012）。なお、自身の会話を撮影されるのを嫌がる学習者もいるので、撮影してもよいか、嫌なら撮影しなくてもよいという点を必ず伝えておくべきである。同様に、会話を撮影すると、学習者達はどうしてもカメラを意識して消極的になってしまったりするので、通常の会話が自然に行えない場合がある点も考慮に入れておくべきである。最初は録音だけにして慣れてきたら撮影する、カメラは見えない位置に置くなどの工夫が必要だろう。

このような会話練習活動後のフィードバックを行うことによって、学習者が自身の参加する会話を客観的に観察する視点を身に付け、次の会話に参加していく能力を自律的に向上させていくことが可能になるだろう。

ただし、このようなフィードバック活動では、主に以下の３点に気を付けなければならない。１つ目は、自分達が参加している会話についてコメントし合うという行為は、時に、会話参加者の人格まで非難することになり、本人を深く傷付けてしまうことがあるという点である[2)]。例えば、「～さんがあいづちをあまり打ってくれなかったので、会話が盛り上がらなかった」「私はあの話題に興味がなかったから、質問をあまりしなかった」などというコメントである。学習者がお互いにコメントし合う場合は、まずは、お互いに良いところを見つけて褒め合い、その良い点を自身の会話の技術として、見習い、取り入れるように促すのが理想である。学習者の弱い点は、その学習者自身が指摘するか、教師の立場、あるいは、その会話に参加していない第三者として、教師や他の学習者が指摘するのがよい。各学習者の面子に配慮しつつ、お互いにコメントがしやすいような教室の雰囲気が作れるようにするべきであることは言うまでもない。

２つ目の気を付ける点は、教師として威圧的にコメントをしないようにするべきだということである。教師は、１人の会話傍聴者としての感想をフィードバックするような態度で接するのがよい。例えば、「～さんは、このように話すべきだった」「全然直らない！」というよりは、むしろ「～さんは、こんな感じに見えたけど、どうしてでしょうか。もう少しこうしてもよかったかもしれませんね」などと柔らかく示唆するようなフィードバックをするのがよいだろう。そして、教師からのフィードバックは、「～の部分がとても良かったです！」「～がもっとできれば、すごく良くなります。」などと、

---

2) この点に関して、「第11章　コミュニケーションの基本的な機能に基づく会話練習活動のデザイン」の観点から見ると、「①事実関係を伝える活動」や「⑥言葉で遊ぶ活動」などの会話練習の時は、会話相手との関係性があまり焦点化されないため、学習者同士がフィードバックを行ってもそれほどパーソナリティーを傷付けたりお互いの関係性を悪化させたりするリスクは少ないだろう。しかし、「③相手に働きかける活動」や「④交流していく活動」などの会話練習の際に、学習者同士で相手の話し方の気になった点についてフィードバックし合う場合は、お互いの関係性を取り上げることにもなるため、注意が必要である。さらに、「第12章　会話のフロアーの種類に基づく会話練習活動のデザイン」の観点から見ると、例えば、「①モノローグによる単独的フロアー」では、その他のフロアーの会話練習活動よりも、聞き手との関係性が焦点化されないため、「スピーチ中にもっと聞き手に視線を向けたほうがよかった。」「もっと表情を付けてすらすら話したほうがよかった。」などと学習者同士フィードバックし合っても、傷付いたりすることは少ないだろう。しかし、「②ダイアローグによる単独的フロアー」の会話練習活動のフィードバックとして、「あなたの話が長くて、他の人が話す時間がなくなってしまった。」や、「③共同的フロアー」の練習の後、「みんなが話している時、～さんがつまらなさそうにしていた。」などと率直にフィードバックし合うと、お互いの関係性に言及することになり、その後の関係が危うくなることもありうる。

常に前向きに学習者を褒めたり励ましたりするようにし、否定的に取られないように心がける必要がある。改善点を多く指摘するあまり、学習者の自信ややる気を失くさせないようにするべきである。学習者の日本語レベルや性格に合わせて、学習者が受け入れられる量で、かつ重要な点のみフィードバックするのがよいだろう。特に、学習者の弱いと感じられる点については、客観的に、かつ、その学習者がそのように言われてどう感じるかを慎重に考えてから指摘するのがよい。また、学習者の長所だと思われる点については、積極的に褒めて、さらに伸ばせるように助言し、他の学習者にも提示・紹介していくのがよいだろう。こうした点は、学習者同士でフィードバックをし合う際にも注意点として教師から伝えておくとよい。

３つ目は、会話で用いる談話技能のようなものは、学習者のアイデンティティーやパーソナリティーと関係することが非常に多いということにも気を配る必要がある。例えば、欧米系の学習者の中には、日本語母語話者のように頻繁にあいづちを用いるのは、自分らしくないとして、嫌がる者もいる。そのような場合は、教師から、日本語母語話者と話す際にあいづちをあまり用いないことから来る誤解の危険性（例：自分の意思に反して、話が理解できない、話に興味がないと思われてしまう）を学習者に十分伝えた上で、どうするのか学習者自身に選択させるようにするべきである。あるいは、あいづちの代わりに、うなずいたり笑顔でいたりするだけでもよいという助言を与えるのも１つの方法である。

当たり前のことであるが、会話能力を伸ばし、会話に参加していくのは、学習者自身である。したがって、教師の役割は、学習者に会話自体の特徴や日本語特有の会話の特徴を提示して意識化させ、それらを用いる練習の機会を与えることと、学習者が自身の会話を的確に振り返り、改善できるように支援することである。そして、学習者が母語と日本語の相違点について考え、日本語での会話に取り入れたいと思う談話技能などを自身で選択していけるように支援していくのがよいと言える。決して、教師の考えや日本語母語話者の会話の仕方などを学習者に押し付けてはいけない。あくまでも学習者の選択肢を増やす機会を教師が与えるという態度で教室活動に臨むべきであろう[3)]。

---

3) 詳しくは、中井他（2004）、中井（2012）などを参照されたい。

3. まとめ

以上、会話練習活動の前、途中、後という３つの段階に分けて、学習者へのフィードバックの方法について述べた。このように、学習者が会話練習活動自体を客観的に観察・分析して振り返ることで、自律的に自身の会話への参加の仕方を向上させていく能力を身に付けることが可能になると考えられる。

さらに、学習者が自身の会話にフィードバックを与えて改善していけるようになるためには、まずは、教師自身が学習者の会話を客観的に分析し、的確なフィードバックが与えられるような視点を増やしていかなければならない。そのためには、教師が会話の分析を行い、その成果を会話教育に活かしていくという「研究と実践の連携」が必要である。この点については、第1章でも述べたが、さらに第22章でも、会話教育のために教師が行う「研究と実践の連携」と会話データ分析の視点の必要性という観点から述べる。

【教材例❶】初級後半～中級用

会話感想シート

名前（　　　　　）　会話相手の名前：（　　　　　）20　　年　月　日

1）話題（どのような話をしたか）

2）会話相手の印象（impression）

3）自分のよかった点／がんばった点

4）自分の悪かった点／弱いと感じた点

5）会話がスムーズに進んだところとその理由

6）会話がうまく進まなかったところとその理由

7）その他コメント

やってみよう！

(1) グループで会話をしてみて、その後、会話に参加した感想を【教材例❶会話感想シート】に記入してみましょう。これにより、どのようなことが意識化できたか考えましょう。

【付記】本章は、中井（2010, pp. 182-188; 2012, pp. 217-220）をもとに加筆修正を行った。

参考文献

尾﨑 明人（2010）「作る前に」尾﨑 明人, 椿 由紀子, 中井 陽子（著）関 正昭, 土岐 哲, 平高 史也（編）『日本語教育叢書「つくる」会話教材を作る』第 1 章, スリーエーネットワーク, 1-36.

小柳 かおる（2021）『改訂版　日本語教師のための新しい言語習得概論』スリーエーネットワーク

中井 陽子（2008）「日本語の会話分析活動クラスの実践の可能性－学習者のメタ認知能力育成とアカデミックな日本語の実際使用の試み－」細川 英雄, ことばと文化の教育を考える会（編著）『ことばの教育を実践する・探究する－活動型日本語教育の広がり－』凡人社, 98-122.

中井 陽子（2010）「作って使う：会話授業のさまざまな可能性を考える」尾﨑 明人, 椿 由紀子, 中井 陽子（著）関 正昭, 土岐 哲, 平高 史也（編）『日本語教育叢書「つくる」会話教材を作る』第 2 章第 4 節, スリーエーネットワーク, 135-188.

中井 陽子（2012）『インターアクション能力を育てる日本語の会話教育』ひつじ書房

中井 陽子, 大場 美和子, 土井 眞美（2004）「談話レベルでの会話教育における指導項目の提案－談話・会話分析的アプローチの観点から見た談話技能の項目－」『世界の日本語教育 日本語教育論集』14, 75-91. http://doi.org/10.20649/00000344（2023 年 12 月 1 日閲覧）

第4部

会話教育の発展

概要

第 1 部〜第 3 部までは、会話授業を行う際に参考になる基本的な知識や授業デザインという観点から、会話教育の理論と基礎、および、会話活動の多様なデザインについて述べた。

第 4 部「会話教育の発展」では、授業で扱う活動の観点や内容・方法、教育対象となる分野などを広げ、より多様な教育内容、教育方法、教材を扱った発展的な会話教育について紹介する。まず、会話教育の中でも「音声」に焦点を当て、第 15 章で音声の自律学習と教師の指導について述べる。次に、第 16 章でナラティブの教室活動、第 17 章で話し合いの教室活動、第 18 章でアニメ・映画・テレビ番組・演劇を活かした会話活動について述べ、会話教育で扱う活動のバリエーションを広げることをねらう。そして、第 19 章で問題解決型プロジェクトの教室活動について述べ、学習者同士が対話しながら協力して問題を発見し、それを主体的に解決していくプロセスにまで目を向けていくことの重要性を指摘する。さらに、第 20 章で外国人介護人材への会話教育のフィールドにまで発展させ、学習者の多様性・専門性に応じた会話教育のあり方についても議論を広げていく。最後に、第 21 章で ICT を利用した会話教育について述べ、今後の会話教育における対面、オンラインの使い分け、デジタル媒体の活用のあり方を考えるヒントとしたい。

第 15 章　音声の自律学習と教師の指導

伊達 宏子

考えてみよう！

（1）日本語の音声にはどのような特徴があるでしょうか。
（2）日本語のピッチパターン（声の抑揚）はどのようなものだと思いますか。

1. はじめに

日本語学習で、漢字を覚える、文法を覚える、などとは言っても、発音を覚えると言う人は少ないかもしれない。また、漢字クラス、聴解クラス、読解クラス、会話クラス、作文クラスなどはあっても、発音クラスを設けている教育機関は多くない。発音は自然に身に付くもので、学習の対象とは考えない人も多いようである。また、教師が苦手意識を持っている項目の 1 つに、音声指導が挙げられることもある。しかし、学習者の声に耳を傾けてみると、「発音がうまくなりたい！」、「日本人のようにしゃべれるようになりたい！」と思う人は案外多い（戸田, 2008）。アニメの声優にあこがれを持つ者もいる。適切な発音が身に付いていると、日本語が上手だと褒められることも多く、音声学習が目標言語の学習意欲を高める作用もあると考えると、音声学習は重要な項目であると言える。

以下、音声学習を考える際に参考となる、単音と韻律、日本語のアクセント、日本語のイントネーション、実践について述べ、最後にまとめる。

2. 単音と韻律

音声は、母音、子音の小さな音の単位である「単音」と、アクセント、イントネーション、ポーズ、リズムなどの単音よりも大きい単位である「韻律」に分けて考えることができる。単音と韻律、どちらが主に音声の自然さに関わるかというと、それは韻律であることが知られている（佐藤, 1995）。適切な韻律を習得できれば、自然な日本語に聞こえるということになる。

3. 日本語のアクセント

日本語は、語中における音の高さの変化によって意味が区別されるピッチ（高低）・アクセント言語である。語中のアクセントの高・低（High・Low、以下 H・L）には規則がある。ここでは東京方言（共通語）に限定して話を進める。

「雨（あめ）」は HL で発話する。これを LH で言うと、それは「飴（あめ）」を意味することになる。「あめ」という同じ音の並びでも、アクセントが異なると、伝達する意味が変わってしまうのである。このようにアクセントがその語を他の語と区別する機能を、アクセントの「弁別機能」と言う。ただし、「雨」は「降る」し、「飴」は「舐める」ものであるので、学習者がアクセントを間違っても文脈から意味の推測が可能である場合も多い。しかし、「柿（かき）」と「蠣（かき）」ならどうだろう。どちらも「食べる」ものであるので、混乱が生じるかもしれない。前者は LH、後者は HL である。単語の全てに LH と HL のような対があるわけではないが、対ではない単語でもアクセントを誤って発話すると、誤解されることがある。例えば、昔、ある留学生に兄弟の有無について尋ねると、「あねが２人います」という答えが返ってきた。この時、一瞬「姉（あね）」なのか「兄（あに）」なのか分からなくなって、「え？」と聞き返した。留学生が「あね」を HL で発話したためである。「姉」も「兄」も兄弟のグループという点で近く、「ane」「ani」の音の並びの違いは語末の母音「e」「i」のみで、その発音も近いことから混乱が生じたのである。このように普段よく聞く単語も、聞き手が想定するアクセントと異なって発話されると、聞き手の理解につまずきが生じうるし、聞き返すことも多くなるため、学習者に「アクセントなんか気にしなくてもよい」とは、なかなか言いにくい。

語のアクセントには、語の中で下がるところがない、または、下がるところがある、の２種類がある。下がるところがないものを平板式といい、下がるところがあるものを起伏式と言う（図 15-1）。例えば、「りんご」は平板式、「バナナ」「たまご」「さしみ」は起伏式である。「バナナ」は「バ」の後で、「たまご」は「ま」の後で、「さしみ」は「み」の後で下がる。それぞれ、起伏式の下位分類として、頭高型、中高型、尾高型と呼ぶ。この下がる前の拍を「アクセント核」と呼ぶ。「さしみ」の「み」の後で下がるかどうかは、

「さしみが」のように、助詞の「が」を付けてみると分かる。「りんごが」の場合は「ご」の後で下がらず、「が」まで高さを保つ。平板式の下位分類は平板型のみになる。

式	起伏式			平板式
型	頭高型	中高型	尾高型	平板型
例	バナナ（が）	たまご（が）	さしみ（が）	りんご（が）

図 15-1　日本語のアクセント

下がるところがある「起伏式」にはもう１つ重要な規則がある。それは語中では、一度下がると二度と上がらないということである。「バナナが」（HLLL）の高低アクセントが、HLHL や HLLH にはならない。一度下がったものがまた上がれば、それは違う語の始まり、単語の境界を意味する。これをアクセントの「境界表示機能」と言う。「とうきょう（LHHH）」「だいがく（LHHH）」は２つの独立した語であるが、「とうきょうだいがく（LHHHHLLL）」のように、「だ」まで H の高さを保ってその後下げれば、それは１つのまとまった語、ここでは複合名詞と知覚されるのである。話者が「とうきょうだいがく（LHHHLHHH）[1]」と言ってしまえば、聞き手は２つに分けて知覚した語を、文脈から頭の中で１つの塊の語だと認識しなおさなければならなくなるため、意味処理に時間がかかる。発話の中でこのようなことが何度も起これば、聞き手は疲れてしまうため、聞き手に負担をかける発話となる。母語話者が発話の中で自然にコントロールしているアクセントも、学習者にとってはアクセントの規則に関する知識がなければ難しいのである。東京方言（共通語）のアクセントを知るには、アクセント辞典（後述する OJAD を含む）がいくつかあるので、一度見てみるとよい[2]。

1）なお、頭のLHについては、語のアクセントではなく、上昇のイントネーションであると考えられている。アクセントに関しては、下がり目のみに注目するというのが現在の一般的な捉え方である。

2）ここでは名詞の例を取り上げたが、動詞・形容詞のアクセントにもかなり規則性がある。OJAD「単語検索」（https://www.gavo.t.u-tokyo.ac.jp/ojad/search）では、様々な日本語教科書に掲載されている単語の各活用形のアクセントを一括で見ることができる。語のアクセント核の位置を後ろの拍から数えると、各活用形が持つ規則性が観察できる。

4．日本語のイントネーション

アクセントは語ごとに決まっているH・Lの型であるが、イントネーションは語より広い範囲に現れるピッチの変化パターンである。日本語の文のイントネーションは「へ」の字型イントネーション（中川他，2013）と呼ばれ、文全体で、文頭では声が高く始まり、文末に向かうにしたがって低くなっていく「へ」の字のパターンが大小繰り返し現れ､意味のまとまりを表現する。

例えば､「学期末の試験が終わり、夜は友達と家で飲んだ」という文を学生の気持ちになって言ってみよう。アクセント（H・L）は､「がっきまつの（LHHLLL)」「しけんが（LHLL)」「おわり（LHH)」「よるは（HLL)」「ともだちと（LHHHH)」「いえで（LHL)」「のんだ（HLL)」である。しかし、H、Lを同じ高さを保って声の上げ下げを繰り返せるだろうか。これはなかなか大変であり、このような発話はぎこちない感じもする。

では、自然な発話ではどのようなイントネーションになっているのだろうか。まず筆者が発話した例（図15-2）を見てみよう。図15-2の上段には音響分析ソフトPraatを用いて抽出した音声波形、ピッチ曲線を示し、下段には実際のピッチ曲線をなぞって描画した模式図と、文節ごとのかな表記に対応するアクセントのH・Lを示している。テキスト中の読点「、」の箇所でポーズ（休止）を置いて、全体で7つの句を前半・後半に分けて発話しているが、前半は3句、後半は4句から成る。前半3句は一息で発話し、後半4句はやや長いため2句ずつに分けて発話した。第1、2、3句のHの辺りのピッチに注目すると、その高さは、段々に下がっていることが分かる。第4、5句のHでも高さに大きな段差があり、第6、7句のHでも、段々に下がっていることが分かる。アクセント核のある句の連続で後続句のピッチが小さく抑制される現象は､「カタセシス（catathesis)」や「ダウンステップ（downstep)」という用語で知られている（前川, 1998)。このように、前半は、第1句と第2・3句で2つの「への字」（模式図の実線）が出現し、3句合わせて全体で大きな「へ」の字（破線）を形成している。後半は、第4･5句で1つの「へ」の字と、第6句と第7句で2つの「へ」の字（実線）が出現している。さらに第6・7句でも1つの「へ」の字が形成され、後半も4句合わせて大きな「へ」の字（破線）を形成しているように見える。

つまり、アクセントの型はH・Lと説明しているが、実際の発話のピッチパターンは、直線的な高低の２段階では決してない。複数拍を使って緩やかに上昇下降が生じる「へ」の字パターンの繰り返しなのである。隣接する句のアクセント型の組み合わせによって、「へ」の字の形状が急峻になったりなだらかになったりと形に変化は生じる。だが、基本的にこのイントネーションの大小をうまく形成させることによって、聞き手に意味のまとまりを効率良く知覚させているのである（平野他, 2009）。大きなまとまりを形成させることは、話者の発話の組み立て方にも関わり、複雑な認知機能も必要になってくる。まずは、小さなまとまりごとにしっかりポーズを置き、そこまでを「へ」の字を意識して発話するだけで、聞き手に格段に伝わりやすい発話になる。教科書の本文を学習者に教師の後について読ませる時、あるいは学習者自身で音読練習をする時、ぜひこの「へ」の字のイントネーションのまとまりを意識してほしい。

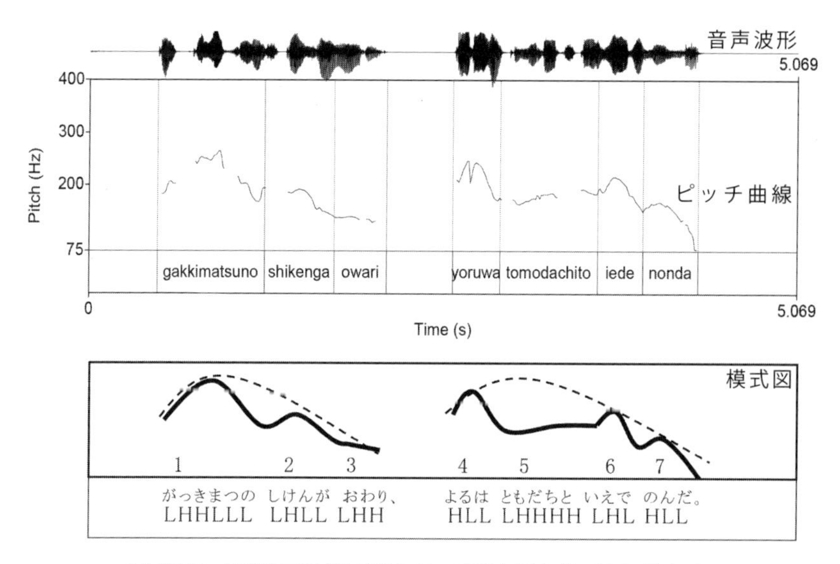

図 15-2 「学期末の試験が終わり、夜は友達と家で飲んだ。」を発話した時のピッチパターンの様子

5. 実践

では、発話時には目に見えないアクセントの高低とイントネーションの「へ」の字のまとまりを、実際にどのように練習すればいいだろうか。東京大学の音声工学の研究室で運営しているOJAD（Online Japanese Accent Dictionary、オンライン日本語アクセント辞書）（峯松他, 2013）を紹介する。OJADの各機能のうち、「韻律読み上げチュータスズキクン」は学習者にかなり好評の機能である。自分の書いたスピーチ原稿でも、インターネット記事でも、教科書本文でも、好きな文を枠の中に入力すると、そのアクセント型とイントネーションが視覚的に描画され、合成音声が作成される。作成された音声は自分のPCにダウンロードでき、好きなだけ練習することもできる。海外で日本語のネイティブスピーカーがいない環境でも、OJADで一生懸命練習してスピーチ大会で優勝したという喜びの声も時々寄せられる。つまり、韻律の自律学習が可能であるということが海外の学習者の体験から明らかになっているのである。

図15-3のように、OJAD「スズキクン」にいくつかのパターンで文を入力してみよう。ここでは入力の仕方の違いによって、異なる出力結果が得られることを示す。まず、「学期末の試験が終わり、夜は友達と家で飲んだ。」を入力すると、①の出力結果が出てくる。出力結果の最も下の行には入力した漢字かな交じり文、その上にはアクセントを直線やカギで示したひらがなの羅列が表示されている。カギ部分（実際の画面では赤字になっている）はこの後で声の高さが下がるアクセント核の位置を示している。その上方の曲線がイントネーションを表しており、アクセントの影響によって多少の凹凸が生じるが、全体的には句頭が高く句末にかけて低くなる、「へ」の字のカーブを示している。読点後の後半の句で「夜は友達と／家で飲んだ。」のように、区切りを示すスラッシュ（／）を挿入してみると、②の出力結果が出てくる。ひらがなの羅列は句の境界が瞬時に分かりにくいので、長い文の場合は、途中でスラッシュを入れると見やすくなる。また、学習のはじめは③のように、文節ごとにスラッシュを入れてもよい。そして意味の繋がりのあるところで徐々に音声を下げる意識を持つとよい。一方、文中に読点やスラッシュを全く入れなければ④のような出力結果が出てくる。これはかなり分かりにくく、合成される音声も不自然さが増すので、適当な長さごとにスラッシュを入れて何度か作成を試してみて、自分が読みやすい句単位に調整するとよい。

6. まとめ

以上のように、日本語は音の高さの変化パターンが重要な言語で、語や句の意味をまとめたり、語や句の境界を区別したりするのに上昇下降の「へ」の字パターンを多様に使っていることが分かる。耳ではなかなか実態がつかみにくい音声の動きを視覚的に表示すると、その輪郭がはっきりと意識できるようになってくる（平野, 2014; 伊達他, 2019）。音声を聞き、「へ」の字を指でなぞりながら音読すると、聴覚、視覚、触覚が同時に刺激され、学習効果が高くなる。教室での学習時にも、教師も学習者も共通のイメージを持って練習ができるため、OJAD の活用は教室指導にも取り入れやすく、お勧めである。自律学習では、本書の第 6 章で紹介のあるモデル会話の練習、第 10 章のオンライン交流会でのスピーチ準備、第 18 章の演劇やアフレコの自主練習などにも活用できるので、お試しいただきたい。

一点付け加えておきたいのは、OJAD は特にどこかにフォーカスを置かない文の読み上げを想定して、アクセントとイントネーションが描画されるということである。この基本的な音声の表現から、どのように発話の重要な部分を強調するのか、どのように嬉しい感情や悲しい感情を込めるのかを考えることにより、多様な音声表現の工夫の領域が広がっていく。そのような工夫を考えることは、学習者同士や教師とのインターアクション活動を行う際の醍醐味である。その下地を整えるため、音声知識の確認や基礎練習に繰り返し活用すれば、OJAD は日本語学習の良い相棒となるだろう。

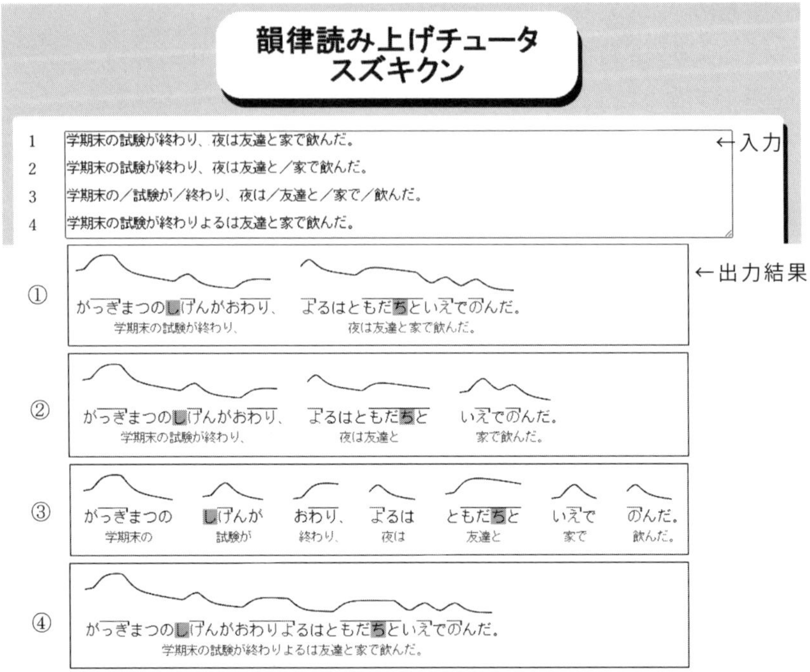

韻律読み上げチュータ
スズキクン

1 学期末の試験が終わり、夜は友達と家で飲んだ。
2 学期末の試験が終わり、夜は友達と／家で飲んだ。
3 学期末の／試験が／終わり、夜は／友達と／家で／飲んだ。
4 学期末の試験が終わりよるは友達と家で飲んだ。
←入力

←出力結果

① がっきまつのしけんがおわり、 よるはともだちといえでのんだ。
学期末の試験が終わり、 夜は友達と家で飲んだ。

② がっきまつのしけんがおわり、 よるはともだちと いえでのんだ。
学期末の試験が終わり、 夜は友達と 家で飲んだ。

③ がっきまつの しけんが おわり、 よるは ともだちと いえで のんだ。
学期末の 試験が 終わり、 夜は 友達と 家で 飲んだ。

④ がっきまつのしけんがおわりよるはともだちといえでのんだ。
学期末の試験が終わりよるは友達と家で飲んだ。

図 15-3 OJAD「スズキクン」に文を入力した時の出力結果
スラッシュ（／）の入れ方による違い

やってみよう！

（1）OJAD「スズキクン」（https://www.gavo.t.u-tokyo.ac.jp/ojad/phrasing）に自分のスピーチ原稿などを入力して、アクセントとイントネーションの線を見ながら音読してみましょう。

（2）PC に Praat（https://www.fon.hum.uva.nl/praat/）をインストールし、自分の音声を録音して、ピッチ曲線を確認してみましょう。また、モデル音声や友達の音声と比較してみましょう。Praat の使い方については、書籍（北原他, 2017）やインターネット上の情報が参考になります。

参考文献

北原 真冬, 田嶋 圭一, 田中 邦佳（2017）『音声学を学ぶ人のための Praat 入門』ひつじ書房

佐藤 友則（1995）「単音と韻律が日本語音声の評価に与える影響力の比較」『世界の日本語教育 日本語教育論集』5, 139-154. https://www.jstage.jst.go.jp/article/jlem/1/2/1_KJ00008196341/_article/-char/ja/（2023 年 12 月 1 日閲覧）

伊達 宏子, 中村 則子, 峯松 信明（2019）「OJAD を用いた音読練習による日本語韻律自然性の向上に関する実験的検証」『音声研究』23, 6-21. https://www.jstage.jst.go.jp/article/onseikenkyu/23/0/23_6/_article/-char/ja（2023 年 12 月 1 日閲覧）

戸田 貴子（2008）「日本語学習者の音声に関する問題点」『日本語教育と音声』第 2 章, くろしお出版, 23-41.

中川 千恵子, 中村 則子, 許 舜貞（2013）『さらに進んだスピーチ・プレゼンのための日本語発音練習帳』ひつじ書房

平野 宏子（2014）「『総合日本語』の授業で行うゼロ初級からの音声教育の実践－アクセント，イントネーションの自然性を重視した視覚化補助教材の使用－」『国立国語研究所論集』7, 45-71. https://repository.ninjal.ac.jp/records/533（2023 年 12 月 1 日閲覧）

平野 宏子, 広瀬 啓吉, 河合 剛, 峯松 信明（2009）「母語話者と中国語話者の日本語朗読音声の基本周波数パターンの比較」『日本音響学会誌』65（2）, 69-80. https://www.jstage.jst.go.jp/article/jasj/65/2/65_KJ00005185653/_pdf/-char/ja（2023 年 12 月 1 日閲覧）

前川 喜久雄（1998）「1 音声学」田窪 行則（編著） 前川 喜久雄, 窪薗 晴夫, 本多 清志, 白井 克彦, 中川 聖一（著）『岩波講座 言語の科学 2: 音声』岩波書店, 2-52.

峯松 信明, 中村 新芽, 鈴木 雅之, 平野 宏子, 中川 千恵子, 中村 則子, 田川 恭識, 広瀬 啓吉, 橋本 浩弥（2013）「日本語アクセント・イントネーションの教育・学習を支援するオンラインインフラストラクチャの構築とその評価」『電子情報通信学会論文誌』J96-D（10）, 2496-2508. https://www.gavo.t.u-tokyo.ac.jp/~mine/CALL/sabbatical/05_OJAD_J.pdf（2023 年 12 月 1 日閲覧）

OJAD（オンライン日本語アクセント辞書）東京大学大学院 工学系研究科 峯松・齋藤研究室 https://www.gavo.t.u-tokyo.ac.jp/ojad/（2023 年 12 月 1 日閲覧）

Praat: doing phonetics by computer. https://www.fon.hum.uva.nl/praat/（2023 年 12 月 1 日閲覧）

第16章　ナラティブの教室活動

中井 陽子

考えてみよう！

(1)「ナラティブ」とは、自分が体験したこと、そこから感じたことについて語る体験談や物語のことです。あなたは、友達や家族とどのような時、どのようなナラティブを語るでしょうか。
(2) どうしてナラティブを語りたくなるのでしょうか。また、ナラティブを語っている間、聞き手にはどのように反応してほしいでしょうか。
(3)「ナラティブ」を会話授業で扱う際、どのようなテーマでどのような活動ができるでしょうか。また、指導の際の留意点は、何でしょうか。

1. はじめに

自分が体験したことや、体験から感じたこと・学んだことなどについての語りを他の人に聞いてもらいたくなることがある。こうした語りをナラティブと言う。ナラティブを語ることで、相手に自分を理解してもらったり共感を得たりして、お互いの仲間意識が高まりやすくなる。あるいは、ナラティブを語ることで、相手を楽しませたり感動させたりすることもできる。または、体験からの教訓を伝えることで相手の人生に影響を与えることもあるだろう。一方、他者のナラティブを聞き、それに対する自身の理解や興味、共感、感動、学びを伝えていくことで、語り手の話に積極的に参加して共にナラティブを構築していくことも重要である。そこで、本章では、ナラティブのより良い語り手、聞き手になるための会話活動について述べる。

2. ナラティブの活動の進め方と教材例

ナラティブの活動は、以下のような流れで行うとよい。

(1) ナラティブについて分析する

ナラティブの活動を行う際は、まず、ナラティブとは何か、普段、誰とどのようなナラティブを語るかなどについて、学習者に考えさせるとよい。

次に、日本語母語話者や学習者が実際にナラティブを複数人で語っている動画教材を視聴する。これをもとに、【教材例❶ナラティブの動画を分析しよう！】のように、ナラティブの内容・流れ・進め方、語り方、聞き手の反応などについて、学習者に観察させてワークシートに記入させる。さらに、ナラティブの内容をどのような順番で話すと分かりやすいかという観点から、ナラティブの構成要素（導入、展開、結末・パンチライン、まとめ・感想、教訓）について、動画教材の文字化とともに確認する。

動画教材例「中国留学中の苦労話」はhttps://www.3anet.co.jp/np/books/4868から閲覧可

【教材例❶ナラティブの動画を分析しよう！】

1. 日本人学生３人が「中国留学中の苦労話」（中国語力の不足～食生活）のナラティブを語っているビデオを見ましょう。ナラティブをどのように語っていたか、メモをしましょう。

(1) ナラティブの内容・流れ・進め方：
・苦労話について１つのキーワード（食生活）を提示し、３人が自分の経験を話しています。
・自分の苦労話をした後、ターンを他の人に譲っています。
　例：Xさんなんか食べ物でありました？
(2) ナラティブの語り方：
・接続詞を多く使用し、聞き手の反応をもらいながら語っています。
　例：話し手：うちも結構何でも食べれる方だったけど、あの、パクチー？
　　　聞き手：はいはいはい。あーパクチー。はいはいはいはい。
　　　話し手：パクチーが、ほんとにー。
(3) ナラティブの聞き手の反応：
・あいづちやコメントをしています。
・ナラティブの内容を理解して、自分の類似体験や共感を述べています。

2. ナラティブの構成要素を確認しましょう。

構成要素		例
ナラティブ	導入（時間、場所、状況の説明）	私が、なんか一番大変だなってぱっと思いついたのは、やっぱ、自分の中国語の力が足りなくて、あのー、着いたばっかで、乗り換えの時とか、（省略）
	展開	フラットな感じで中国語で話しかけてくれる人達の、そういう速さ、スピードとかが全然耳が慣れてなくて、何言ってるか分からないし、で、分からないってなった途端に、なんかその、声調が、なんかすごい、圧力がすごく出てきちゃって、それで結構なんか途中、前半の方は外行くのが怖いなっていうのはありました。（省略）
	結末・パンチライン	なんか、こう、外に出るの怖いなって考えてた時に、なんかもう、治す方法は、なんか、荒治療しかないと。行ってとにかく慣れるしかないやと思って、もう外出て、町の人に話しかけられても、「そうなんですよー」みたいな感じで、話すようにしようと思って。なんか、心の問題？
ナラティブへのコメント	まとめ・感想	やっぱ心の持ちようだよね。
	教訓	「間違えてもいいやー」みたいな。

(2) ナラティブの参加の仕方について確認する

ナラティブを語ったり聞いたりしながら参加する際に大切な以下の点について確認する。

(1) ナラティブを語る際に用いる表現、談話技能を【教材例❷ナラティブを語る時の便利な表現】などで確認する[1]。

(2) 皆で似たような話を関連付けて話すようにする。例えば、「私もそういう経験があります」のような表現で、前のナラティブと次のナラティブを繋げて話せるようにするとよい[2]。

(3) 話す順番や話す量が均等になるように気を付ける。例えば、「〜さんも、そういう経験がありますか」などと言って、他の人にもナラティブを話す機会を与えるように配慮させる。３人以上で話す際は、司会者役を決めて、話す順番を回していくのもよい[3]。

(4) ナラティブを語る時は、一方的に長く話すのではなく、ポーズを入れて、他の人の反応をもらいながら、少しずつゆっくり話すようにする。例えば、「この前ですね、(ポーズ) 〜」などの動画教材の部分を見せたり、教師がポーズを入れて話す例を示したりするとよい[4]。

---

1) 中井(2005)では、ストーリーテリングの効果的なテクニックの指導項目として、「ストーリーテリングにおける話し手の技能」を提案している。例えば、順番・展開・発見などを表す接続表現や、前置き表現、登場人物の区別をする表現、感情を表す表現、「〜てくる／〜ていく」などの話を生き生きとさせる表現、「〜てしまう」などの感情・態度を示す表現などを挙げている。

2) 中井・夏(2023)では、参加者間で似たような経験について語り合うことで、会話が盛り上がり、親近感や仲間意識が高まるとしている。また、同じ出来事を共に経験した参加者が登場人物のセリフなどを引用して当時の状況を再現しながら、協力して１つのナラティブを語ることで、会話を盛り上げる様子も見られたとしている。

3) 中井・夏(2023)では、ナラティブの話題を提示したり話者を指名したりするといった司会進行を行うことで、参加者間の発話の均衡が保たれ、全員が参加してナラティブが語りやすくなるという。そして、司会進行によって、参加者間で似たような経験についてナラティブを重ねて語っていきやすくなるとしている。

4) 相場・中井(2010)では、ナラティブに聞き手を引き込むには、言語的要素(構造の明確さ、十分な情報と分かりやすさ、伏線の張り方、引用表現、繰り返し、「〜んです」、「ね」「よ」)、非言語的要素(手ぶり、聞き手への視線)、音声的要素(文末・節末でのポーズ、母音の引き伸ばし、下降イントネーション)が必要であるとしている。そして、聞き手がナラティブを理解しているか確認しつつ、積極的な参加を促すことで、話し手の体験や感動を聞き手と共有しやすくなると述べている。これに加え、ナラティブを語る上で内容の面白さ、意外性も重要であろう。

(5) ナラティブを聞く時は、あいづち、うなずき、笑い、繰り返し、評価的発話などを使って、興味を示して、話を盛り上げるようにする。話を発展させるための関連質問をしてもよい。例えば、「はいはいはい。あー、パクチー。はいはいはいはい」、「うーん、確かに」などの聞き手の反応や、「それで？」「どうして？」「その後どうなったんですか」などの質問の仕方の例を示すとよい。必要に応じて、教師が短いナラティブを語りながらポーズを入れて学習者の反応を待つようにして（例：前にドイツに

【教材例❷ナラティブを語る時の便利な表現】

登場人物の呼び方	複数の人物が登場する場合は、「彼」「彼女」と呼ぶと誰か分かりにくいので、名前で呼ぶようにする。名前が分からない場合は、「〜の女性」「〜している男性」「子供」「老人」などと区別できるようにして呼んでもよい。 例）ひげを生やした老人、 顔にあざのある少年
順番に説明する	まず／はじめに／次に／それから／で／その後／最後に
時や文と文の関係、場面展開を表す表現	前の日／その日／次の日の朝 すると／そこで／その後／しばらくして／ところが／それでも／実は／で／それで／そしたら／それから／そして／だから、 〜て、〜て、〜／〜時／〜前／〜後／〜てから 〜うちに／〜間に／〜と／〜ば／〜たら／〜なら 〜から／〜ので／〜けど／〜けれども／〜が 〜ないで／〜せずに／〜る代わりに／〜ながら 〜たところ／〜たとたん／〜途中／〜たばかり
感情を入れる／態度を示す	〜てもらう／〜てくれる／〜てあげる／〜てしまう／〜ちゃう 〜される／〜させる／させられる／〜のに／〜ても
話を生き生きとさせる	〜てくる／〜いく／〜しはじめる／〜し出す／〜しようとする 〜し終わる／〜てしまう 例）怒って部屋から出ていってしまいました。 例）毎日練習しはじめました。
セリフの引用	話し方のマネをしながら、登場人物のセリフを言ってみる。
聞き手に助けを求める／理解を求める	何と言うんでしたっけ？／何て言うんでしょう 〜って分かります？／知ってます？／〜ですよね／〜でしょう？
例（1）炭治郎達が列車に乗り込みました。すると、突然、前から鬼達が襲ってきました。それで、炭治郎が刀を抜いて戦おうとしたところ、鬼達は消えてしまいました。 例（2）エレンが巨人に食べられてしまいました。ところが、エレンは巨人化して、食べられた巨人の中から出てきたんです。そして、エレンが巨人化したとたん、大勢の他の巨人が襲ってきました。	

行ったんですけどね（ポーズ）、）、ポーズの時に学習者が聞き手の反応ができるような練習をしてもよい[5)]。

(3) ナラティブを話す

ナラティブの構成要素や参加の仕方を確認した後に、実際に学習者が２～４人程度のグループを作って、ナラティブを語り合う活動を行う。その際、教師がナラティブの話題をいくつか示し、その中から学習者が好きなものを選んで、グループで関連した話題のナラティブを回しながら話すように指示するとよい。ナラティブの話題は、季節や学習者の興味、思い出などに応じて示す（例：クリスマス、お正月、旅行、子供の頃の遊び、外国語学習、留学生活、カルチャーショックなど）。

また、以下のようなナラティブの構成要素を示したワークシート【教材例❸ナラティブを話そう！】を提示し、個別作業か宿題として学習者が自身のナラティブの内容をメモして準備するように指示する。これをもとに話すようにすると、学習者が構成要素を意識してナラティブが語れるだろう。

【教材例❸ナラティブを話そう！】

構成要素		メモ
ナラティブ	導入（時間、場所、状況の説明）	
	展開	
	結末・パンチライン	
ナラティブへのコメント	まとめ・感想	
	教訓	

ナラティブをグループで語った後に、自分や他の人のナラティブの語り方や、聞き手の反応（あいづち、うなずき、笑い、繰り返し、コメントなど）について振り返ってワークシートに記入するようにするとよい。

5) 中井（2005）では、ストーリーテリングの指導項目として、「話し手と聞き手の相互行為のための技能」を提案している。例えば、聞き手による聞き返し・確認、言いよどみ表現、聞き手の反応の他、話の展開を促す「それで？」や質問表現などである。さらに、中井・夏（2023）では、聞き手による情報要求（質問）でナラティブを展開させる他、登場人物や語り手の気持ちを代弁するセリフ発話、あいづち、言い換え、同意要求、感想、同意、共感などを表す発話、笑い、うなずきなどで理解・共感・興味を示すことが指摘されている。一方、中井・夏（2021）、夏・中井（2023）では、母語話者が自身の苦労話を語る際、学習者が聞き手の反応をあまりしないため、寂しい気持ちになった事例を報告している。

3. ナラティブの活動の留意点

ナラティブの活動を行う際は、教師や学習者がナラティブの動画を視聴して、その特徴や構成要素をよく観察しておき、ナラティブの語り方やそれに対するフィードバックの視点の参考にするのがよい。ナラティブの動画は、独自に収集したものでもよいが、ドラマやバラエティー番組などのナラティブの一部分を教材化してもよい。さらに、ナラティブを動画で視聴し、語られていた内容を口頭で要約して話してみる練習を行うのもよいだろう[6)]。

あるいは、教師が自身の体験談をもとに、ナラティブとして学習者に構成要素を示しながら見本として分かりやすく語るのもよいだろう。教師が自己開示をして、自身の体験談（例：海外で大変だったこと、驚いたこと、子供の頃の思い出など）を語れば、その後、学習者自身のナラティブの話題や語り方の参考になるだろう。

4. ナラティブの活動の発展

ナラティブの活動をさらに発展させた課題を３点述べる。

(1) 教室外でナラティブの話し手になる課題

授業でナラティブの活動を行った後、教室外の人を相手に自身のナラティブを語って聞いてもらうといった活動に広げることもできる。まず、学習者のナラティブを聞いてもらう相手（例：友人、知人、ホストファミリー、先輩、教員、職員など）を探す。小学校訪問など地域フィールドトリップの際に学習者がナラティブを語る機会を設けるのも、ナラティブを語る高い動機付けになるだろう。そして、学習者がナラティブを語った後、その時の様子や感想、語り手としての自己評価などを報告させるとよい。ナラティブの様子を録音して提出させ、教師がフィードバックするのもよい[7)]。

(2) 教室外でナラティブの聞き手になる課題

学習者が教室外の人のナラティブを聞いて共感を示すといった活動もでき

---

6) 詳細は、中井（2005）参照のこと。

7) 中井（2005）では、学習者のナラティブの音声を教師が文字化して赤ペンで修正点を記入した後、録音データとともに学習者に提示して、フィードバックする例を紹介している。学習者は、文字化と音声データ、教師からのフィードバックをもとに、自身のナラティブの長所と改善点を振り返り、自己分析レポートを提出する。

る。その際、学習者がナラティブを聞いてみたい人を探すのもよい。ただし、学習者の日本語レベルによっては、相手のナラティブを十分に聞き取れない場合もある。事前に動画教材のナラティブの構成要素（導入、展開、結末・パンチライン、まとめ・感想、教訓）ごとに内容を聞き取って要約する練習や、聞き手の反応をしてみる練習を行っておくことも有効だろう。

(3) ナラティブの観察と報告の課題

学習者が興味のあるドラマやバラエティー番組などを選び、そこで語られるナラティブを観察して、内容と特徴を報告する活動に展開させてもよい。これは、学習者がより自律的に学習していく姿勢の育成にもなるだろう。

やってみよう！

(1) ナラティブの教材例をもとに、動画教材を視聴して、ナラティブの構成要素や表現、聞き手の反応などについて分析をしましょう。
(2) グループでナラティブを語り合いましょう。その後、そのナラティブの構成要素や表現、聞き手の反応などについて振り返ってみましょう。
(3) ナラティブを扱った会話活動の意義や効果について考えた上で、どのような活動を行ってみたいか、検討しましょう。

参考文献

相場 いぶき, 中井 陽子（2010）「会話授業におけるストーリーテリングの分析－聞き手を引き込むために話し手が用いる言語的・非言語的・音声的要素－」『日本語教育方法研究会誌』17（1）, 70-71. https://doi.org/10.19022/jlem.17.1_70（2023年12月1日閲覧）

夏 雨佳, 中井 陽子（2023）「接触場面のナラティブにおける母語話者の調整行動－中国人日本語中級学習者との協働構築に向けて－」『国立国語研究所論集』25, 35-58. https://doi.org/10.15084/0002000012（2023年12月1日閲覧）

中井 陽子（2005）「談話分析の視点を生かした会話授業－ストーリーテリングの技能指導の実践報告－」『日本語教育－特集号　日本語教育の実践報告』126, 94-103.

中井 陽子, 夏 雨佳（2021）「談話技能教育における『研究と実践の連携』の循環プロセス－中国人日本語学習者と日本人学生が参加するオンライン会話倶楽部の活用に焦点を当てて－」『東京外国語大学国際日本学研究』1, 84-102. https://tufs.repo.nii.ac.jp/records/5646（2023年12月1日閲覧）

中井 陽子, 夏 雨佳（2023）「ナラティブの協働構築によるラポール形成－母語話者による留学中の苦労話の語りを通して－」『国立国語研究所論集』24, 89-112. https://doi.org/10.15084/00003689（2023年12月1日閲覧）

第17章　話し合いの教室活動

寅丸 真澄

考えてみよう！

（1）学校や職場で、どのような時、どのようなことについて話し合いをしますか。
（2）話し合いで困ったことがありますか。どのようなことで困りましたか。
（3）良い話し合いの条件を挙げてみましょう。

1. はじめに

社会のグローバル化に伴い、教育機関や職場、地域などでは、社会文化的背景の異なる人々が学習や仕事、市民活動を協働で行う場が増えている。多様な人々が集う場では、社会習慣や価値観の相違から、改善・解決すべき問題や共に取り組むべき課題が生まれることがある。話し合いは、そのような問題や課題の改善・解決を目的として、その重要性を高めてきた。現在では、国語教育や言語教育、市民性教育[1)]などにおいて、様々な取り組みがなされている。

話し合いの教育は、日本語教育においても着目されている。日本語学習者（以下、「学習者」）は、日本語や専門科目の授業や課外活動、地域社会など、様々な場で話し合いに参加する可能性が高い。日本語使用者の1人として、他の参加者と同等の立場で意見を表明し、その集団の意思決定に関わることは、問題や課題の解決に関わるだけでなく、そのコミュニティの構成員になることに繋がる[2)]。学習者にとって、円滑に話し合いに参加できるようになることは、学習や仕事、日常生活を営む上で必須と言える。

しかし、話し合いは、複数の参加者が特定のテーマに関して目的に沿って

1) 市民性教育とは、社会の構成員として市民が備えるべき市民性を育成するために行われる教育である。所属意識、権利の行使と義務の履行、社会問題への関心を高め、社会参画に必要な知識、技能、価値観を育むことを目的としている。
2) 寅丸（2017）は、授業活動における話し合いが教室コミュニティへの参加を促し、学習者の自己形成や自己実現に寄与したことを明らかにしている。

話す行為であり、独話や雑談とは異なる難しさがある。そこで、本章では、良い話し合いをするための会話活動[3]について述べる。

2. 話し合いの目的と種類

「話し合い」とは、「複数の参加者が集まり、特定のテーマについて意見交換や意思決定を行うコミュニケーション（相互行為）」（村田他, 2018, p. 7）と言える。話し合いを授業で扱う際は、話し合いのテーマ、目的、種類、話し方などに注意することが重要である。

授業で扱うことのできる話し合い活動のテーマは、授業内容に応じて、日常生活から社会問題まで幅広い。場合によっては、学生に考えさせたり、選択させたりすることもある。また、話し合いの目的も、参加者の意見交換を行うものから、何らかの課題を解決したり、イベントの企画立案をしたりするものまで様々である。さらに、話し合いは、こうした目的の他、参加者間の最終的な合意形成の有無という観点から、表 17-1 のように、5つの型に区分できる[4]。授業目的に応じて、話し合いの型（種類）を選んで実施するとよい。

表 17-1　話し合いの型（寅丸他, 2024）

話し合いの型	定義	目的	合意
①情報共有型	情報共有を主たる目的として合意形成を必須としない型（例：報告会等）	情報共有	不要
②意見交換型	意見交換を主たる目的として合意形成を必須としない型（例：読書感想会等）	意見交換	不要
③課題解決型	課題の解決を主たる目的として参加者間で検討して合意形成を図る型　（例：差別問題の解決等）	課題解決	要
④課題達成型	課題の達成を主たる目的として参加者間で検討して合意形成を図った上で、何らかの具体的成果を創造する型（例：企画立案等）	課題達成	要
⑤ピア活動型	ピア学習において学びを促進することを主たる目的として行われる型　（例：読解や作文授業におけるピア活動等）	ピア活動	要

3) 本章では、広義の概念を表す場合は「話し合い」、授業で扱う会話活動の全体を表す場合は「話し合い活動」という用語を使用する。

4) 「ディベート」とは、特定のテーマについて肯定派と否定派の立場に分かれて意見を戦わせ、最終的に勝敗を決める討論である。本章では、立場を固定して勝敗を競うのではなく、個人の立場から自由に意見を述べ合う話し合いを想定しているため、ゲーム性の強い「ディベート」は含まない。

授業中に実際に話し合い活動を行う際は、気持ち良く自分の意見を述べられるように、参加者全員に配慮した話し方をすることが重要である。さらに、話し合いのテーマ、目的、種類、話し方などについて整理し、必要に応じて、司会進行や書記の役割を分担するとよい。

3. 話し合い活動の進め方

話し合い活動の一例として、以下に授業の流れを示す。

（1）話し合い概念の共有

話し合いとは何か、学校や職場でどのような話し合いに参加しているかという、話し合いのイメージを共有する。

（2）話し合いの種類と特徴の整理

話し合いの種類を整理し（表 17-1）、特徴を確認する。

（3）動画視聴

日本語母語話者が実際に話し合いを行っている動画教材（中井他, 2022, 第 3 章・第 7 章などを授業内容に合わせて選択）を視聴し、話し合いの参加者役割とそれぞれの役割の特徴を整理する[5)]。例えば、表 17-2 のような役割が考えられる。これらの役割は、話し合いの種類やテーマ、展開、参加者同士の関係性によって変化するため、個人の役割が固定されているわけではないことに注意する。

表 17-2　話し合いにおける参加者役割（例）

参加者役割	特徴
司会者（ファシリテーター）	話し合いの進捗を管理しながら進める
討論者	話し合いのテーマについて意見を述べる
質問者	他者の発言に対して質問や確認を行う
支持者	他者の発言に対して補足や促しを行う
対立者	他者の発言に対して反対したり批判したりする

5) この他、菅長他（2022）でも話し合いの良い例、悪い例の動画が視聴できる。

（4）良い話し合いの条件の確認

（3）で紹介した動画教材を視聴し、どのような話し合いが「良い話し合い」か考えさせる。「良い話し合い」の条件について学習者間の合意を取っておくことは、以後の活動を意味付け、円滑に進める上で重要である。例えば、大切なマナーや留意点として、次のような点が考えられる。

①司会者は、話し合いのテーマや目的、話し合いへの参加ルールを明示し、何についてどのように話し合えばよいのか参加者全員で共有した後に話し合いを始める。話し合いの途中で論点がずれることのないよう、話し合いのテーマを常に意識し、ずれた場合は修正する。

②発話数や発話量が均等になるように話す。誰か 1 人が頻繁に話したり、長時間話し続けたりしないようにする。参加者全員が多くの参加者から多様な意見を聞けるように心がけ、意見表明を躊躇している参加者がいたら、「X さんはどう思いますか」というような発言で意見を促す。

③他者の意見に対しては、話の途中で割り込まずに傾聴を心がける。話に不明点がある場合は、質問や確認をしたり、説明を求めたりする。自分の意見を述べる前に、他の参加者の話を傾聴することが重要である。

④意見は、メタ言語[6] を使用するなどして聞き手に分かりやすく論理的に述べる。意見を述べる場合は、具体的なデータや経験など、根拠を示すことが重要である。また、反対意見や批判を述べる場合は、クッション言葉[7]を活用するなど、相手に失礼にならないように配慮する。

⑤参加者個人が話し合いを活性化させる貢献をいかにするのかという点も重要である。新しい意見を出すだけでなく、話し手の意見を補足する、意見の内容を精緻化するといった貢献も重要であるという視点を養う。

（5）話し合いの実施

話し合い活動は、読解授業後に読後感を交わす意見交換や、グループで調査研究の計画を立てるプロジェクト・ワーク、会話能力向上のための話し合

6）「メタ言語」は、言語に言及する言語とされている。話し合いを進める際は、特に談話を構造化する表現（「これから話し合いを始めます」「これまでの話をまとめると～」「まずはじめに～、次に～」など）が重要である。

7）「クッション言葉」は、意見表明や依頼、断りの場合などに語調を柔らげるために使用される。「大変失礼ですが」「X さんのご意見はごもっともですが」などがある。

いなど、様々な展開が可能である。授業の目的や内容に合わせて、テーマや種類を選択する。テーマを学習者に選択させる場合は、話しやすいものを教師が準備しておくのがよい。話し合いの種類としては、多様な意見や感想を聞く活動では「②意見交換型」、協働で課題について考えたり作業を行ったりするプロジェクト・ワークの活動では「③課題解決型」や「④課題達成型」が多い。

授業では、まず、話し合いのテーマ、目的、種類、話し方などについて参加者全員で確認する。学習者に活動について指示する際は、活動の内容、手順、注意事項などを明確に説明する。次に、学習者３、４人でグループを作り、話し合いを行う。グループ内でメモや議事録を作成させると、後で内容を整理するのに役立つ。話し合い後は、グループで話し合った結果を報告し合う。全体で質疑応答や意見交換を行う機会を設けると、学習者間でより多様な意見を共有することができる。

【教材例❶話し合いをしよう！】は、中級後半から上級レベルの学習者を対象とした教材例である。学習者は、まず、話し合いの目的について意見交換を行う。次に、「良い話し合い」の条件とは何か、グループ・ディスカッションを行う。最後に、「良い話し合い」の条件に留意しながら、現実で起きている諸問題について話し合いをする。こうした一連の課題を経験することで、学習者が話し合いについての意識と知識を活性化させ、運用できるようになることが期待されている。

(6) 話し合いの振り返り

「良い話し合い」のための条件が満たされているかという観点から、学習者が自分自身とグループ全体の活動の振り返りを行う。良かった点、不十分だった点、今後の課題などについて自己評価や他者評価を行い、気づいた点や学んだ点を記述させると、学びをより深めることができる。

4. 話し合い活動の留意点

教師は、話し合いの前に、動画などを利用して学習者に話し合いの観察や分析をさせておくとよい。話し合い後は、学習者に留意してほしい観点（話し合いの展開、発話量、司会進行の方法、意見表明や質問の際の言語表現や非言語表現など）から、学習者個人とグループに対してフィードバックを行う。話し合いに積極的に参加した学習者に対しては、グループへの貢献度を評価することも重要である。さらに、話し合い活動では、まず話し合いのスキルや態度に対する評価に重きが置かれるが、「③課題解決型」の場合は問題を十全に解決できたのか、「④課題達成型」の場合は話し合いによってどのような課題を達成したのか、といった点も重要である。

5. 話し合い活動の発展

近年、知識注入型の授業から課題解決型授業への転換が進んでいる。急速に変化する社会で学習者が自己実現を果たしていくためには、問題解決や探究活動に取り組むことによって主体性や問題解決能力を育むことが重要だからである。そのような社会の要請から着目されてきた学習方法がアクティブ・ラーニングである。アクティブ・ラーニングとは、プロジェクト・ワークやグループ・ワーク、ディスカッションなどの様々なアクティビティを介して、学習者に「主体的・対話的で深い学び」（中央教育審議会, 2016）を経験させる学習である。アクティブ・ラーニングでは、社会問題の解決方法の検討や調査研究の計画、イベントの企画など、現実に必要とされる「③課題解決型」や「④課題達成型」の話し合いを行うことも有効である。現実の問題をテーマとした話し合い活動は、学習者の動機付けを高め、「主体的・対話的で深い学び」を促すことが期待される。

【教材例❶話し合いをしよう！】

1．「話し合い」とは、複数の参加者が特定のテーマについて意見交換や意思決定などを行うコミュニケーションのことです。どのような時に話し合いが必要になるのでしょうか。また、話し合いをする目的とは何でしょうか。

解答例： ・複数の人々が協働して何らかのプロジェクトをしなければならなくなった時、学校やコミュニティで意思決定が必要になった時など。 ・話し合うことによって意見を共有したり、合意形成を得たりすることが目的である。意見の共有や合意形成が得られれば、参加者同士が理解、納得をした上で行動や活動をすることができるようになる。このような意見の共有や合意形成についての考え方は、市民性教育に通じるものである。

2．⑴参考映像の話し合いの流れをメモしてみましょう。

⑵話し合いの参加者にはどのような特徴（配慮など）が見られるか、考えてみましょう。

⑶良い話し合いの条件とは何か、考えてみましょう。

解答例： ⑴話し合いの流れ ①司会者による話し合いの目的とトピックの確認→②話し合い→③司会者による話し合いの要約とまとめ→④終了 ⑵特徴（配慮など） ・司会者は、話し合いのテーマや目的、話し合いへの参加ルールを明示し、何についてどのように話し合えばよいのか参加者全員で共有している。 ・ターンや発話量が均等になるように話す。誰か1人が頻繁に、または長時間話し続けないようにする。 ・他の参加者の意見に対しては、話の途中で割り込まずに傾聴を心がける。 ・意見は、聞き手に分かりやすいように順序よく論理的に述べる。 ・参加者それぞれが話し合いを活性化させるための貢献をする。 ⑶良い話し合いの条件 ・参加者全員が話し合いのグランドルールを共有している。 ・参加者が互いに傾聴し合い、誰でも安心して意見が述べられる環境である。 ・参加者が多角的な観点から意見を述べ、話し合いを活性化させている。 ・話し合いの目標に向かって、参加者全員が協力し合っている。 ・話し合いの目標が達成されている。

3．次のテーマから好きなものを選んで、グループで話し合ってみましょう！

テーマ
・留学生活を充実させるために必要なこと
・新入生との懇親会の開催計画
・大学内の多文化共生を進めるための試み
・これからの社会における人とITの共存（生活・教育・仕事の場など）

上の話し合いの振り返りをしてみましょう。

良かった点	
不十分だった点	
今後の課題	

やってみよう！

(1) 話し合いの動画教材（中井他, 2022）などを視聴して、複数の観点から分析しましょう。

(2) 話し合い活動の教育上の意義や効果について考えた上で、どのような話し合い活動を取り入れたらよいか、検討しましょう。

参考文献

菅長 理恵, 中井 陽子, 渋谷 博子, 伊集院 郁子（2022）『留学生と大学生のためのエピソードとタスクから描く私のキャリアプラン』凡人社

中央教育審議会（2016）『幼稚園、小学校、中学校、高等学校及び特別支援学校の学習指導要領等の改善及び必要な方策等について（答申）』https://www.mext.go.jp/b_menu/shingi/chukyo/chukyo0/toushin/_ _icsFiles/afieldfile/2017/01/10/1380902_0.pdf（2023 年 12 月 1 日閲覧）

寅丸 真澄（2017）『学習者の自己形成・自己実現を支援する日本語教育』ココ出版

寅丸 真澄, 中井 陽子, 大場 美和子（2024）「『話し合い』の研究論文の年代別傾向－教育現場に活かす『話し合い』の型の提案－」『早稲田日本語教育学』36（印刷中）

中井 陽子, 大場 美和子, 寅丸 真澄（2022）『会話データ分析の実際－身近な会話を分析してみる－』ナカニシヤ出版

村田 和代, 井関 崇博（2018）「話し合い学の領域と研究課題」村田 和代（編）『話し合い研究の多様性を考える』ひつじ書房, 1-19.

第18章 アニメ・映画・テレビ番組・演劇を活かした会話活動

中井 陽子

考えてみよう！

(1) 日本のアニメ、マンガ、ドラマ、映画、テレビ番組などのメディア作品で、日本語学習に活用できそうなものは何でしょうか。
(2) これらのメディア作品を教材にした場合、学習者は何が学べるでしょうか。

1. はじめに

日本のアニメ、マンガ、ドラマ、映画、テレビ番組などに興味を持って日本語学習を始める学習者は多いと言える[1)]。これらの視覚情報の多いメディア作品は人を引き付けるようなストーリーが多いため、授業で活用することにより、楽しみながら、会話の中での語彙・文型の使われ方や社会文化的知識が学習できるという利点がある。そのため、学習者の学習動機も高くなると言える[2)]。

さらに、創られた映像や作品を見るだけでなく、演劇のように架空の状況の中に入り込んで自身の身体と言語を用いて演じてみるという自己表現の方法もある。演劇を日本語教育に取り入れることにより、「言語を感情や身体と結び付け、学習を“deep”にする」（佐野, 1995, p. 209）ことができると言える。そして、学習者が日本語で演劇を行うことで、「一人ひとりが使う言語の範囲」、つまり自己表現の幅が広げられるのである（平田, 1998, p. 150）。その上、演劇を行う際には、演劇中の役柄同士の対話だけでなく、演出家と俳優の対話や、劇場での俳優と観客の対話も体験できるという（平田, 1998）。よって、演劇を授業で行う場合も、学習者同士、教師、観客と

1) 片田（2016）によると、日本語専攻の留学生と短期交換留学生の計103人にアンケート調査を行ったところ、半数以上が、日本に興味を持ちはじめたきっかけとして、日本のアニメ・マンガやドラマを挙げていたということである。
2) 日本語教育における映像作品の意義や利用実態は、保坂他（2012）を参照のこと。

の多角的な対話（インターアクション）が生まれるとともに、その中で[3]学習者が日本語を自身の感情や身体と結び付けて内在化できると言える。

以下、アニメ・映画・テレビ番組・演劇を活かした会話活動について、中井（2012a; 2012b）などをもとに、３つの実践例を取り上げて述べる。

2. 日本のメディア作品紹介の発表

学習者が各自のお勧めの日本のメディア作品（例：小説、映画、アニメ、マンガ、ゲーム）を１つ選んで紹介する活動について述べる。この活動は、自身のお勧めの日本のメディア作品について発表することで、作品の魅力を学習者同士で共有し、日本語学習の動機付けを高めることを目的とする。

メディア作品紹介活動の内容は、①作品概要（作品名、公開年、作者）、②登場人物、③あらすじ（主な出来事・ストーリー）、④魅力（作品のテーマやメッセージ、好きなセリフやシーン、作品の評価：自身、他者、口コミ、受賞など）、⑤まとめ・結論という順で、構造立てて発表する。発表は、個人かグループで行い、スライドや動画、写真などの資料を適宜用いるとよい。学習者が選ぶ作品によって、日本の文化、生活、愛や友情、成長、勇気、信頼、生と死、人間の欲といったテーマについて考察を深めた発表を行うこともできる。なお、初級から上級までレベルに応じて、発表の長さや内容の深さを変えるとよい。

3. ビデオ作品作成プロジェクト

中上級レベルを対象とした「ビデオ作品作成プロジェクト」の活動例について述べる[4]。この活動は、日本語の会話を分析する視点を身に付けること、プロジェクトワークを通じて、日本語の会話能力を向上させることを目的とする。この活動の授業デザインは、図 18-1 の通りである[5]。まず、コース前半に、「①会話データ分析活動・意識化」として、日本語のテレビ番組な

3）インターアクションの対象は、第２章を参照のこと。

4）活動例や教材例の詳細は、中井（2012a）を参照されたい。

5）授業デザインの枠組みの詳細は、第２章「会話教育のための授業デザインと実践」を参照のこと。また、この他に、談話技能の練習と演劇プロジェクトを取り入れた会話授業の実践例は、中井（2004）を参照のこと。

どを視聴して、そこで行われている会話の特徴、談話技能などを分析する。そして、①で意識化した会話の特徴や談話技能を取り上げて「②会話練習・実際使用」し、それについてメタ認知を働かせて「③自己分析・意識化」する。この①〜③は、学習者が何をどのように学べばよいのかについて教師が指導していくことが中心となる活動を行う。これをさらに発展させて、コース後半に、「④ビデオ作品作成プロジェクト」を行う。このプロジェクトでは、①〜③で学んだ会話の特徴や談話技能を活かしてシナリオを作成し、台詞の演出と練習を行い、ビデオ撮影・編集をした後、教室外の観客を呼んで、ビデオ作品上映会を行う。その後、「⑤上映ビデオによる自己分析・意識化」を行い、今後の自身の会話の改善点を振り返る。この④〜⑤は、学習者が主体となって自律的に行う活動であるため、教師は支援中心となる。つまり、「指導中心」から「支援中心」の活動へと段階的に進めるような授業デザインになっている。

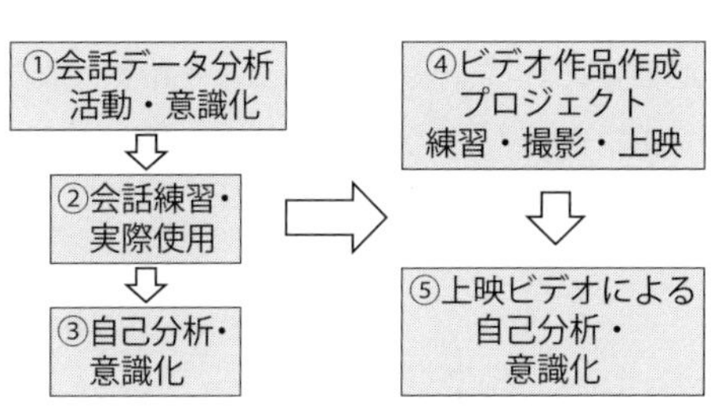

図 18-1 ビデオ作品作成プロジェクトの授業デザイン（中井, 2012a, p. 301）

また、会話ビデオの分析で会話の特徴や談話技能を意識化するとともに、日本のテレビ番組の構成も学び、それらを活かして学習者が独自のビデオ作品を作れるようにする。これにより、映像を見る主体から、映像を作り出す主体へと段階的に移れるようにする。図 18-1 の①〜③、および、④〜⑤について、以下、活動例を具体的に紹介する。

3.1 会話データ分析活動・会話練習・実際使用（コース前半）

まず、コース前半の「①会話データ分析活動・意識化」、「②会話練習・実際使用」、「③自己分析・意識化」では、テレビ番組のトークショーやバラエティーショー、旅行番組の会話ビデオを視聴し、表 18-1 のような談話技能と会話の構造の分析を行い、その後、それを用いる練習を行う[6)]。

6) 活動例と教材例の詳細は、第13章「談話技能を考慮に入れた会話練習活動のデザイン」を参照のこと。

表 18-1　会話データの分析と練習の項目

(1) 談話技能	・聞き手の役割（聞き返し、あいづち、評価的発話、繰り返し） ・話し手の役割（文と文の繋げ方、フィラー、メタ言語表現、説明） ・質問の仕方、話題の変え方、スピーチレベルシフト
(2) 会話の構造	・ストーリーテリングの仕方（ナラティブの語り方）、自由会話の仕方 ・ディスカッション、ディベートの仕方 ・旅行の時の会話 ・番組の進行、司会者のテクニック

3.2 ビデオ作品作成プロジェクト（コース後半）

コース後半の「④ビデオ作品作成プロジェクト」、「⑤上映ビデオによる自己分析・意識化」は、表 18-2 のような手順で行う。ビデオ作品は、学習者が独自に作成したインタビュー番組や国別料理対決ドラマの他、アニメやマンガ、映画などの設定や登場人物などを参考にしたパロディーのシナリオを書いて作成してもよい。

表 18-2　ビデオ作品作成プロジェクトの手順

(1) ビデオ作品の作成計画	テレビ番組の会話ビデオを分析・練習してきたことを参考にして、作成するビデオ作品のアイデアを考える
(2) テレビ番組の分析	自分達の作品と似ているテレビ番組を分析する 例：司会者の言葉、番組の構成、出演者のコメントの仕方など
(3) ビデオ作品作り・演出	ビデオを見る観客を意識して、シナリオを作成し、練習・演出する
(4) 撮影する・編集する	日本語の実際使用をする
(5) 上映する・司会進行する	司会進行、作品説明など、日本語の実際使用をしながら、作品完成と上映の達成感を味わう
(6) 振り返る	自己評価、他者評価、教師評価を行い、今後の自律学習に繋げる

以上のようなビデオ作品作成プロジェクトでは、映像を通して教室外の場面や話者を教室の中に持ち込んで分析し、それを参考に、今度は学習者自身がビデオの中に入り込んで作品を作成し、教室外の観客に見せるという特徴がある。このように、映像を活用することによって、教室という限られた空間をより広げ、学習者の会話能力やインターアクション能力を育成するのに有効であると考えられる。

4. 映画視聴と演劇上演を融合させた活動

中上級～上級レベルを対象とした「映画で学ぶ日本語」の活動例について述べる[7]。この活動は、4技能を総合的に用いたインターアクション能力を育成することを目的とする。授業では、まず、コース前半に「①映画の視聴・ディスカッション」を行い、映画から得た情報を学習者が自分なりに分析・解釈する活動を行う。その後、コース後半に「②演劇上演」を行い、①で学んだことを自身の表現に取り入れ、演劇作品にして上演する活動を行う。以下、①と②の活動例を具体的に紹介する。

4.1 映画の視聴・ディスカッション（コース前半）

コース前半の「①映画の視聴・ディスカッション」は、図18-2のように、映画を視聴しながら、インターアクション能力（言語能力、社会言語能力、社会文化能力）育成のための4技能を総合的に用いた様々な会話活動を行う[8]。視聴する映画は、内容と日本語が分かりやすく、大学生のうちにディスカッションしておいてほしいテーマのあるもの（例：友情、成長、勇気、挑戦）を選ぶとよい。以下、言語能力、社会言語能力、社会文化能力育成のための活動について述べる。

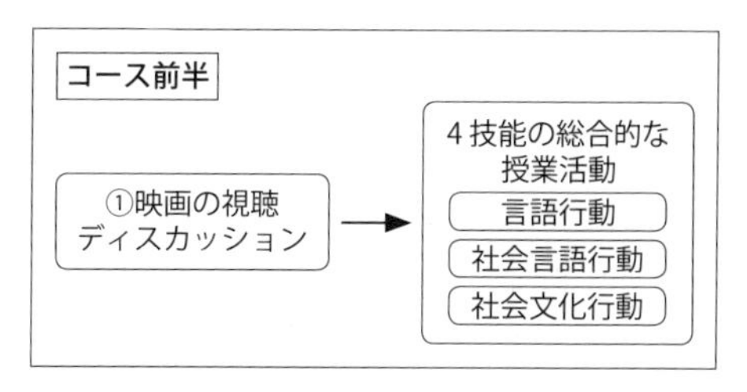

図 18-2　映画視聴の会話活動

(1) 言語能力（音声・語彙・文法）育成の活動

映画視聴をしながら、音声・語彙・文法といった言語能力の育成を図ることができる。例えば、穴埋めディクテーションができる。まず、映画のシーンを文字化したスクリプトで、重要なキーワードや日常生活で役立ちそうな表現の部分を穴抜きにした教材を作る。そして、学習者がそのシーンの台詞を聞き取りながら穴埋めをする。その後、穴埋めの答え合わせをしながら、語彙や表現の確認を行う。

さらに、映画から学んだ単語のクイズを行うのもよい。単語クイズは、映

---

7) 活動例や教材例の詳細は、中井（2012b）を参照されたい。

8) インターアクション能力については、第1章「会話と会話能力」を参照のこと。

画視聴の際に配布した単語リストを範囲とする。そして、単語クイズでは、映画のストーリーを解説した文がいくつか並んでおり、その中の空欄に適切な単語を入れる問題にする。これにより、ストーリーを思い出しながら、単語を選べるため、文脈の中での単語の使い方も確認できる。

(2) 社会言語能力（談話レベルの話題の展開など）育成の活動

映画の視聴をもとに、談話レベルの文章や発話を理解し産出するといった社会言語能力の育成を図ることができる。例えば、映画の台詞を文字起こししたスクリプトを読解して意味を確認する活動ができる。さらに、グループで感情を込めながらスクリプトを読み合わせて練習をするのもよい。

この活動をさらに発展させて、アフレコ（after-recording）を行う活動ができる。この活動では、まず、学習者がスクリプトを見ながら映画の音声を何度も聞いて発話練習をする。その後、音声を消した映画のシーンを流し、学習者が声優のように演技しながら発話を披露する。

また、映画の視聴したシーンの内容について説明するストーリーテリングの活動もできる。まず、映画のあるシーンを半分の学習者が視聴し、半分の学習者が目を閉じて見ないようにする。その後、視聴した学習者が見ていない学習者とペアになり、そのシーンのストーリーを口頭で身振りも交えながら分かりやすく、かつドラマチックに説明する。こうしたストーリーテリングを行うためには、学習者が視聴した映画のシーンを自分なりに解釈する必要が出てくる。さらに、視聴したシーンで起こったことを順序立てて再現するために、言語と身体（身振りなど）を駆使して相手に伝える必要もある。これにより、学習者が映画の世界をより深く理解することができる。

さらに、ストーリー説明の単語クイズを行うのもよい。この単語クイズは、指定されたいくつかの単語を使って、視聴した映画のシーンについて順序立てて説明する問題から成る。これにより、口頭で行ったストーリーテリングを文章で再度書いてみるという復習にもなり、談話レベルで単語を使ってストーリーを説明する能力の定着が図れる。

(3) 社会文化能力（社会文化的な知識・解釈）育成の活動

映画のテーマを分析して深く考察し、学習者自身の解釈や意見を互いに伝え合うといった社会文化能力の育成を図ることができる。例えば、映画の内容理解や登場人物の背景に関する内容把握問題に取り組んでみるのもよい。

あるいは、途中まで視聴したストーリーがその後どのように展開するか予測して話してみる活動も行える。

さらに、映画の内容に関連する資料を読解して、映画の背景知識を深め、日本の生活・文化・社会の理解を広げるのもよい。また、映画のテーマについて考える設問を設けた意見ワークシートに、学習者が自分なりに深く考えた意見を記入し、それをもとにグループでディスカッションすることもできる。設問としては、映画で一番好きなシーンは何か、主人公の立場になったら自身はどのように行動するかを問うのもよい。さらに、映画から伝わるメッセージは何かを考える設問を設け、現代社会の問題、社会風刺などについて読み取ってディスカッションすることもできるだろう。

4.2 演劇上演（コース後半）

コース後半の「②演劇上演」では、図 18-3 のように、コース前半から視聴してきた映画のテーマや状況設定、登場人物、台詞などを参考にして、各グループで演劇のシナリオを作成し、台詞練習、演出を行う。小道具・衣装、音響、背景用スライド作成も学習者が行う。教師は演出をしながら、リハーサルの監督を行うのもよい。そして、演劇上演は、大学の大講堂などで、観客を集めて行うと、学習者の達成感もより増すだろう。

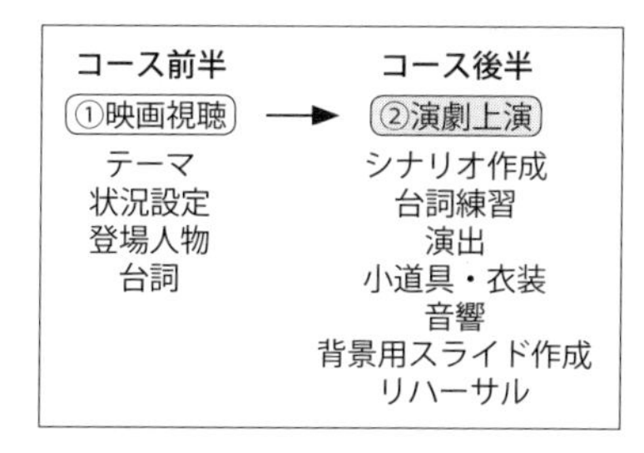

図 18-3　映画視聴～演劇上演の会話活動

5. まとめ

以上､日本のメディア作品紹介の活動､ビデオ作品作成､演劇上演では､メディア作品の視聴を通して、学習動機を高めるとともに、それらの中で用いられている言語行動、社会言語行動、社会文化行動について学びながら、そこから読み取れるテーマやメッセージを解釈して議論することができる。さらに、発表やビデオ作品作成、演劇を行う際に、学習者同士、教師、観客との多角的な対話（インターアクション）を経験しながら、学習者が日本語を自身の感情や身体と結び付けて内在化し、自己表現の幅を広げることができると言えよう。

やってみよう！

(1) 日本のアニメ、マンガ、ドラマ、映画などのメディア作品を１つ選んで、言語能力・社会言語能力育成のための活動の教材（例：ディクテーション教材、語彙クイズ）を作成してみましょう。
(2) (1) の作品をもとに、社会文化能力育成のためのディスカッションの活動ができるように、意見ワークシートを作成してみましょう。

【付記】本章は、中井（2012a；2012b; 2018）をもとに加筆修正を行った。

参考文献

片田 康明（2016）「日本語を学ぶ動機と日本に対する意識について－留学生へのアンケート調査結果から－」『外国語教育－理論と実践－』42, 67-99. https://opac.tenri-u.ac.jp/opac/repository/metadata/3996/GIK004205.pdf（2023 年 12 月 1 日閲覧）
佐野 正之（1995）「Drama Method（ドラマ的指導法）」田崎 清忠, 佐野 富士子（編）『現代英語教授法総覧』大修館書店, 209-214.
中井 陽子（2004）「談話能力の向上を目指した総合的授業－会話分析活動と演劇プロジェクトを取り入れた授業を例に－」『小出記念日本語教育研究会論文集』12, 79-95. http://www.koidekinen.net/2004_12/nakai.php（2023 年 12 月 1 日閲覧）
中井 陽子（2012a）『インターアクション能力を育てる日本語の会話教育』ひつじ書房
中井 陽子（2012b）「映画視聴と演劇上演を融合させた授業の分析－インターアクション能力育成を目指して－」『IAPL オンラインジャーナル』1, 1-28. http://performinglanguage.net/wp-content/uploads/journal1/01nakai.pdf（2023 年 12 月 1 日閲覧）
中井 陽子（2018）「ワークショップ（導入）会話授業のデザインと授業例の紹介－インターアクション能力育成を目指して－」『二〇一六年度メキシコ日本語教師会紀要』, 48-64. https://docs.wixstatic.com/ugd/5ca4e3_cb6ee9c755f74347ba5146e7f2a456dc.pdf（2023 年 12 月 1 日閲覧）
平田 オリザ（1998）『演劇入門』講談社現代新書
保坂 敏子, Gehrtz 三隅 友子, 門脇 薫（2012）「映像作品を利用した日本語教育の体系化に向けて－海外における利用実態と教師の意識から－」『徳島大学国際センター紀要・年報』2012, 47-59. https://repo.lib.tokushima-u.ac.jp/109421（2023 年 12 月 1 日閲覧）

第19章　問題解決型プロジェクトの教室活動

相場 いぶき

考えてみよう！

(1) 私達は日頃、自分自身や自分達が暮らす社会についてどのような問題を抱え、それを解決することによってどうなることを望んでいるのでしょうか。
(2) 問題解決のために必要な対話[1]とは、どのようなものでしょうか。

1. はじめに

私達は日々、大小問わず様々な問題に直面している。例えば大学生が締め切りまでにレポートを仕上げることも問題（課題）の1つであるし、社会に目を向ければ、経済、環境、貧困など、解決すべきより広範で規模の大きな問題が山積している。「問題解決型プロジェクト」とは、自分や周りの人達、あるいは社会における問題を発見し、解決策を探る一連の活動のことである[2]。解決の過程では他者との深い対話が必要となることから、問題解決と日本語教育は決して無縁ではない[3]。本章では、問題解決型プロジェクトの実践例をもとに、学習者が問題解決のプロセスの中でどのように日本語能力、問題解決能力、さらには思考力、協働力、リーダーシップ、主体性といった力を伸ばすことができるかを考える。

---

1) 本章では「対話」は「会話」の中に含まれるものとする。

2) いわゆるPBLにはProblem-based Learning（問題解決学習）とProject-based Learning（プロジェクト学習）があるが、両者には多くの共通点があり、厳密に区別されないことも多い。本章では、学習者がプロジェクト学習の形で問題解決に当たる活動を「問題解決型プロジェクト」とする。なお、溝上・成田（2016, p.11）は、Project-based Learning（プロジェクト学習）を「実世界に関する解決すべき複雑な問題や問い、仮説を、プロジェクトとして解決・検証していく学習」と定義している。

3) Assessment and Teaching of 21st Century Skills (ATC21s)が提唱する「21世紀型スキル」において、思考の方法の1つとして「問題解決」、働く方法の1つとして「コミュニケーション」が挙げられており（グリフィン他, 2014）、21世紀を生きる人材を育成する日本語教育においても、これらのスキルの育成は重要だと考えられる。

2. 問題解決型プロジェクトの進め方と教材例

日本語教育の一環として問題解決型プロジェクトを行う際、まずはこの活動が学習者にとってどのような意味を持つかをしっかりと把握し、目的を明確化することが大切である。そのため、日本語コースでこのような活動を行う際は、教師が学習者にその意義や目的を明確に説明するとともに、学習者同士でも話し合って確認するとよい。

次にプロジェクトの目的となる共通テーマを提示する。後述のように、具体的な問題定義（解決すべきこと）はプロジェクトを進めながら個別に設定していく。問題解決にはデザインやビジネスなど、様々な分野で取り入れられている手法[4)]があるため、日本語コースの目的に合うものを応用すると活動をスムーズに進めることができる。

図 19-1 はスタンフォード大学 d.school とデザイン・コンサルタント会社の IDEO が体系化した「デザイン思考[5)]」による問題解決の５つのフェーズに、日本語教育場面での具体的な活動例（観察、インタビュー、アンケート

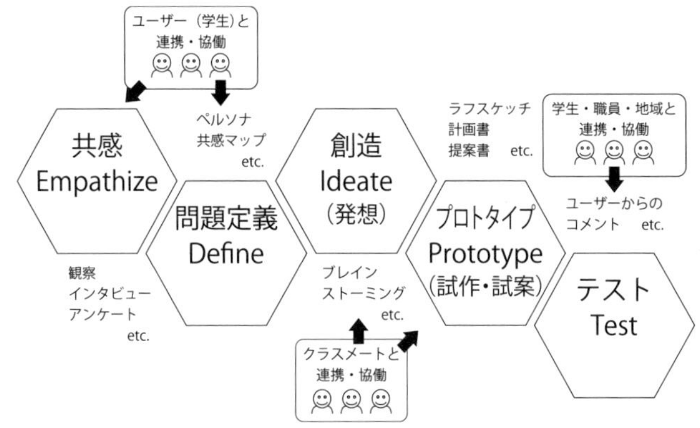

図 19-1　デザイン思考の５つのフェーズと活動例
（d.school をもとに相場, 2022a 改変）

---

4) 例えば、Plan（計画）、Do（実行）、Check（評価）、Action（改善）の４つのプロセスを繰り返し行うことで業務の改善を目指す「PDCA サイクル」や、問題の要因をツリー状に記して解決策を探る「ロジックツリー」など、問題解決の手法は数多くある。

5) 「デザイン思考」とは、ユーザーの気持ちに共感しながらデザイナーが商品開発をする際にたどる人間中心のアプローチであり（ブラウン, 2019）、近年はビジネスや教育にも応用されている。門倉（2021）は、プロジェクト学習の優れた手法として日本語教育への応用を提言している。なお、現在 d.school は、デザイン思考を拡張した「デザイン能力」を推進している。https://dschool.stanford.edu/about/#about-8-core-abilities を参照。

など）を組み込んだものである。

共感、問題定義、創造、プロトタイプ、テストという５つのフェーズにおける活動は一直線に進むものではなく、必要に応じて戻ったり繰り返されたりすべきものである[6]。その意味でも、教師側がプロジェクトの進捗を把握し、適切な活動を促すことが極めて重要である。学習者は、問題解決のプロセスで多様な他者と連携・協働することによって、日本語能力のみならず、問題解決能力をも育むことが期待できる。

表 19-1　問題解決型プロジェクトにおける活動例（相場, 2022a 加筆）

	活動	内容・目的・具体例など
共感	観察	実際にユーザー（学生）が大学の施設や設備、オンライン化、情報発信に対してどのような問題を抱えているかを観察する。 例：雨天時の自転車置き場における困難
	インタビュー	形式的なインタビューではなく、雑談でもよいので学生の意見や感想を直接聞く（共感しながらじっくりと本音を探る）。
	アンケート	Google Forms などのオンラインアンケートでなるべく多くの学生の意見を収集する。
問題定義	ペルソナ	典型的なユーザー（学生）を想定し、基本情報、目的に応じた項目を４つ以上設定する。【教材例❶】参照 例：趣味・特技、性格、生活習慣、悩みなど
	共感マップ	ユーザー（学生）の言動から、①発言（言ったこと）、②行動（したこと）、③思考（たぶん考えていること）、④感情（たぶん感じていること）をまとめ、⑤問題点（不満やストレス）、⑥改善策（要求や必要なこと）を考える。【教材例❶】参照
創造	ブレインストーミング	問題解決のための試作品・試案のアイデアを出し他者からフィードバックをもらう。 例：フィードバック・マトリックス（いい点＋　改善点△　疑問点？　新しいアイデア！）の４つに分けてフィードバックをまとめる。
プロトタイプ	ラフスケッチ	試作品をスケッチする、または模型を作る。 例：自転車置き場の屋根のデザイン案、アプリのスマホ画面
	計画書／提案書	試案を分かりやすく図式化する。 例：自転車置き場の屋根の素材・費用の概案、オンライン授業の応用案
テスト	ユーザーからのコメント	試作品・試案についてコメントをもらう。 例：自転車置き場の屋根の美観と実用性、e-Handbook の形式や配信頻度、地域の飲食店と学内の店とのコラボレーションの可能性

6) ウ（2019）は、デザイン思考は一直線の方法論ではなく、シチュエーションに応じて自分が使えるように理解し、応用しなくてはならないものであると指摘している。

表 19-1 は、相場（2022a）が行った問題解決型プロジェクトにおける活動例である[7]。この実践での共通テーマは、「大学の施設や設備、オンライン化、情報発信に対する学生からの提言」である。

また、以下は大学の情報発信システムの問題をスマートフォン・アプリの開発によって解決することを目指した場合の、それぞれのフェーズにおける活動の進め方と具体例である。

(1) 共感（Empathize）

まずはユーザー（学生）がどのような問題を抱えているかを把握するために、具体的な場面を観察する、あるいはユーザーに対し個別のインタビューを行う。ユーザー自身が気づいていないニーズを掘り起こすことができるよう、インタビューでは共感を持って話を聞く姿勢が大切である。アンケートは必須ではないが、インタビュー前に全体の傾向をつかむために、もしくはインタビュー結果を裏付けるために行うとよい。不特定多数へのアンケート調査より、具体的な 1 人に対する深いインタビューがここでは重要である。例えば、大学からの情報発信がメールに偏り必要な情報を見落とす学生が多いという問題がある場合、日頃学生が陥りがちなトラブルを観察したり、特定の学生の話を詳しく聞いたりし、現状を把握する。アンケート調査を事前に実施してインタビュー対象者をあぶり出してもよいし、インタビュー後に実施してインタビューで聞き出した状況がどのくらいの学生に当てはまるかを確認してもよい。

(2) 問題定義（Define）

典型的なユーザーを想定したペルソナを作ることによって、具体的に問題を解決したい人物を想像し、独りよがりではない解決策の提案を目指す。プロジェクトの共通テーマは全体で目指すべき大まかな目的を述べたものであるのに対し、ここでの問題定義は「共感」で得た気づきによってはじめて見えてくる、具体的に解決すべき問題である。「(ユーザー)は、(ユーザーのニーズ) が満たされる方法を求めている。というのは、(気づき) だからだ。」などの定型文で示すことで、問題解決の方向を定めることができる。

---

7) 具体的な活動については、Lee (2018)、伊豆 (2021) を参考にした。デザイン思考のフェーズは図19-1で示したような5つとは限らず、活動にも様々なものがあるため、表19-1で示したものは、あくまでも日本語コースにおける一例である。

スマートフォン・アプリ開発の例では、「学生は、より簡単に学内情報にアクセスできる方法を求めている。というのは、学生はインターネットブラウザーを介さずにスマートフォンで簡単に情報にアクセスしたいからだ。」が問題定義文となる。

(3) 創造（Ideate）

試作品や試案のためのアイデアを出し、フィードバックをし合う。クラスメート以外の学生や教職員、地域住民など、多様性のあるコメントが得られるとさらによい。アイデアを出し合う際のブレインストーミングでは、フィードバック・マトリックスを用いて、良い点、改善点、次への提案、不明な点をまとめるのも一案である。ここでは、対話を重ねてより多くのアイデアを出すことが重要である。スマートフォン・アプリの例であれば、アプリにはどのような情報や機能が必要かについて話し合いを重ねる。

(4) プロトタイプ（Prototype）

「創造」で得たアイデアを具体的なかたちに落とし込んでいく。ものの開発であればラフスケッチ（概略図）や模型（試作品）などで実物を示す。アイデアや意見のようにかたちのないものも、試案を図式化することによってプロトタイプを提示し、フィードバックをし合う。はじめから完成品を目指すのではなく、作っては話し合うことを何度も繰り返し、試作と対話を重ねていく。例えば、スマートフォン・アプリを提案する場合は画面のデザインや機能のラフスケッチ、または紙などで作ったアプリの模型を見せながら改良を重ねる。

(5) テスト（Test）

実際にユーザーに試してもらい、フィードバックを得る。これが終着点ではなく、フィードバックをもとにさらに良いものを作るための活動である。しかし、日本語コース内のプロジェクトでは時間に限りがあるため、現実的にはここがゴールとなる。その際、関係部署からゲストを招き最終報告会というかたちで発表を行い、コメントや評価を得るとよい。例えば、学生が開発したスマートフォン・アプリの発表会では、学生や教員だけでなく、ITオフィスなどの技術者や学内の情報発信担当者から、より実践的な評価やコメントを得て、今後の課題を探る。

3. 問題解決型プロジェクト活動の留意点

このように、問題解決型プロジェクトでは、ユーザー、つまり人間中心の視点で解決策を見出していくことが大切であり、そのプロセスで鍵となるのは、学習者がより多様な他者と対話を重ねることである（相場, 2022b）。よって教師には、より多くの対話を生む工夫や、そこで必要とされる日本語能力を見極めることが求められる。他にも以下のような点に留意したい。

まず、日本語コース内で行う問題解決型プロジェクトには、学習期間や形式（オンライン・対面）、学習者自身のニーズやビリーフなど、様々な制約があることを念頭に置く。それらを無視して壮大な問題解決を掲げるのではなく、実際に取り組むことが可能で達成感がある共通テーマを慎重に設定する。

また、【教材例❶ペルソナ・共感マップ】のように典型的なユーザー（問題解決を必要とする人物）をペルソナ化し、日常生活から性格まで詳細を定める。共感マップの作成によってさらにユーザーへの共感が高まり、不特定多数が抱えている（であろう）問題について漠然と解決策を探るのではなく、より具体的な誰かのための問題解決が可能となる。最終的に１人のための問題解決からより多くの問題解決へと繋げることを目指す。

さらに、一対一のインタビュー形式の対話を通して当事者自身が気づいていないニーズを探るよう心がける。これは、問題解決のプロセスにおいて重要なだけでなく、学習者が相手に共感しながら対話を進める力を育むことに繋がる。その際、敬語表現などの言語運用能力の向上も意識する[8)]。

4. 問題解決型プロジェクト活動の発展

本章で示したのは大学の日本語コースにおける問題解決型プロジェクトの例であったが、条件がそろうなら、実社会にフィールドを移して問題解決を試みるとよいだろう。以下はその例である。

- 留学生や外国人が暮らす上で困難を感じている点を見つけ、解決策を探る
  例：町の中にある標識、公共施設の案内、食品の成分表示などの見なおし
- 学習者と日本人が連携・協働しながら地域活性化の解決策を探る
  例：担い手の減った地域の祭り・行事への参加や集客の立案
  　　多文化共生社会に対するニーズの把握とイベントの実施

---

8) インタビューの方法などについては、「第９章 インタビュー活動」を参照のこと。

【教材例❶ペルソナ・共感マップ】

図書館の開館時間に関する問題解決をテーマにした教材例

ペルソナ：

◆基本情報（名前・性別・年齢・学年・専攻・居住地など）：
川田美久・女性・21歳・大学3年生・ビジネス・アパートで一人暮らし（東京）

◆目的に応じた項目（特技・性格など4つ以上）：

情報1．趣味・特技　パソコン（文書作成と表計算が得意）
ギター（友達とバンドをやっている）

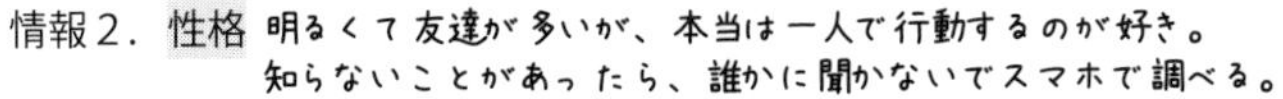
情報2．性格　明るくて友達が多いが、本当は一人で行動するのが好き。
知らないことがあったら、誰かに聞かないでスマホで調べる。

情報3．生活習慣　夜型。朝早く起きるのは難しい。主に午後の授業を取っている。
週3回夕方からアルバイトをしている。帰るのは午後10時頃。
課題をやるのは12～2時頃。食事はコンビニで買うことが多い。

情報4．悩み　就職活動が心配。大学では直接相談できる人が少ないと感じている。
他の学生が何をしているか気になる。

共感マップ：

①発言 SAY（言ったこと）	③思考 THINK（たぶん考えていること）		⑤問題点（不満やストレス）
・遅い時間に図書館を使いたくても開いていない。 ・学業とアルバイトで忙しくて、とても疲れている。図書館でリラックスしながら勉強できる場所があれば嬉しい。	・大学の図書館が好きな時に使えたら便利。特に遅い時間に開いていれば助かる。 ・図書館の自習スペースをもっと使いやすくしてほしい。飲み物などが飲めるといい。		・図書館の開館時間が短いこと。特に遅い時間に勉強したいときに開いていない。 ・個室がなく、周囲が気になる。飲み物が飲めない。
②行動 DO（したこと）	**④感情 FEEL（たぶん感じていること）**	➡	**⑥改善策（要求や必要なこと）**
・授業が終わると大学をすぐに出る。勉強はアルバイトの前に近くのカフェですることが多い。 ・大学の図書館にはほとんど行かない。時間が合わない。	・図書館の開館時間が自分の生活スタイルと合ってないため、行きたいと思わない。 ・1人だと気楽だし、カフェのほうが勉強しやすい。 →キャンパス内で勉強する意欲が低くなる。		1．図書館の利用状況を調べて、どの時間帯に学生が多く利用しているかを知る。頻繁に利用する学生には理由を聞いてみる。 2．開館時間の延長や個室の増設が可能か、図書館に確認する。（費用や人材の問題は？） 3．1．と2．の結果から、より多くの学生にとって図書館が利用しやすくなるよう提言する。

やってみよう！

（1）問題解決型プロジェクトの活動例（表 19-1）を見て、それぞれの活動でどのような能力が伸ばせるか考えてみましょう。第 1 章のインターアクション能力（言語能力、社会言語能力、社会文化能力）の観点から検討してもよいでしょう。

（2）問題解決型プロジェクトの意義や効果について考えた上で、どのようなテーマや目的で、どのような活動を行ってみたいか、検討しましょう。

参考文献

相場 いぶき（2022a）「『デザイン思考』の手法を用いた問題解決型プロジェクト学習－上級日本語コースにおける取り組みと今後の課題－」『The 28th Princeton Japanese Pedagogy Forum Proceedings』, 37-49.

相場 いぶき（2022b）「上級日本語コースにおける問題解決型プロジェクトの実践と考察－『デザイン思考』を用いた取り組みから学習者が得たもの－」『2022 年度日本語教育学会秋季大会予稿集』, 348-353.

伊豆 裕一（2021）『はじめてのデザイン思考－基本 BOOK & 実践 CARDs －』東京書籍

ウ ジャスパー（著）見崎 大悟（監修）（2019）『実践 スタンフォード式デザイン思考－世界一クリエイティブな問題解決－』インプレス

門倉 正美（2021）「アカデミック・ジャパニーズにおけるデザイン思考の可能性」『アカデミック・ジャパニーズ・ジャーナル』13, 54-57.

グリフィン P., マクゴー B., ケア E.（編）三宅 なほみ（監訳）益川 弘如, 望月 俊男（編訳）（2014）『21 世紀型スキル －学びと評価の新たなかたち－』北大路書房

ブラウン ティム（著）千葉 敏生（訳）（2019）『デザイン思考が世界を変える［アップデート版］－イノベーションを導く新しい考え方－』早川書房

溝上 慎一, 成田 秀夫（編）（2016）『アクティブラーニングとしての PBL と探求的な学習－アクティブラーニングが未来を創る－』東信堂

d-school, Hasso Plattner, Institute of Design at Stanford. Design Thinking Bootleg. https://dschool.stanford.edu/resources/design-thinking-bootleg（2023 年 12 月 1 日閲覧）

Lee, David.（2018）. *Design thinking in the classroom*, California: Ulysses Press.

第20章　外国人介護人材への会話教育

大場 美和子

考えてみよう！

(1) 身体が不自由、あるいは、認知症の高齢者に対する介助では、どのようなやり取りをするでしょうか。
(2) 外国人介護人材が介助を行う時、どのような日本語の問題があるでしょうか。
(3) 外国人介護人材が介護の現場で働くためには、どのような会話教育を行う必要があるでしょうか。

1. はじめに

近年、外国人介護人材は、日本の少子高齢化と介護人材不足などを背景に、様々な制度によって受け入れが拡大される方向にある[1)]。しかし、各制度の目的や在留資格、来日前後に行われる研修の期間・内容が異なることもあり、外国人介護人材が来日時に持つ介護の専門的な知識や経験、日本語のレベルも大きく異なる。さらに、制度によっては、介護の専門的な知識や経験を身に付ける機会も限られ、OJT（On-the-Job Training）で介護技術とそれに関わる日本語を習得していく場合も多い（吉田, 2019）。

このような外国人介護人材を対象とした日本語教育については、2008年の経済連携協定（EPA）制度開始の頃から、様々な教材開発が進められてきている。介護に関わる表現の教材、食事・入浴・衣服の着脱・排泄といった介助の種類別の教材、現場での声かけや記録・申し送りの教材、介護福祉士国家試験受験の教材などがある。これらの教材には、紙媒体で出版されたものに加え、インターネット上に公開されたものもある。「看護と介護の日本語教育研究会」ウェブサイトでは、こういった外国人看護・介護人材を対象

1) 2023年現在、外国人介護人材の受け入れには、(1) 経済連携協定（Economic Partnership Agreement、EPA制度）による看護師・介護福祉士候補者の受け入れ、(2) 技能実習制度、(3) 特定技能制度、(4) 在留資格「介護」の4つがある。ただし、(2) は見なおしが検討されている。

とした教材の基本情報をまとめて公開（半年ごとに更新）している。

以下、本章では、介護の現場における介助のやり取りに着目し、「介助の談話の型」という新たな概念を取り入れた、外国人介護人材育成のための会話教育の具体例、および使用教材例について述べる。

2.「介助の談話の型」を取り入れた会話教育

大場（2019; 2020a）、大場・吉田（2022; 2023）では、介護技術講習会（以下、講習会）[2)] での介護演習のロールプレイや実際の介護施設での就労場面の調査を行い、介助のやり取りにおいて、ある一定のパターンがあること、そこに特定の文法項目の誤用が頻出することを指摘している。これを踏まえ、介護技術と関連するやり取りを指導する際、次の２つの提案を行っている。

１つは、「介助の談話の型」を意識した会話教育を行うことである。これは、食事・入浴・排泄といった「介助の種類」は異なっても、介護職員と高齢者のやり取りに、共通する「介助の談話の型」が観察されたことを踏まえている（大場, 2019）。介助は、高齢者のある特定の目的のための動作（食べる、着替えるなど）を介護職員が支援する、という点で共通性があるためである。

「介護の談話の型」を具体的に見ると、介護職員は、まず、動作の説明・確認を行い、これから高齢者が行う動作を要求し、かけ声をかけて高齢者が要求された動作を行った後に、安全・安楽確認を行うという流れである（大場, 2019）。

動作説明・確認 → 動作要求 → かけ声 → 安全・安楽確認

もう１つは、この「介助の談話の型」の導入の際に、外国人介護人材の間違いやすい日本語の文法項目を指導することである。これは、講習会の外国人受講生の日本語に、助詞、授受表現、述語の活用など、特定の文法項目の誤用（例：立つ上がるの時前かがんで、少し前に出してもいただけますか）

2) 日本介護福祉士養成施設協会のウェブサイトによると、介護技術講習会の受講により、介護福祉士国家試験の実技試験が免除される条件があるとしている。具体的には、国家試験で、実技試験と介護技術講習会のうち後者の講習会を選択し、講習会で修了認定を受けたことを届け出るとある。講習会は、「介護過程の展開、コミュニケーション技術、移動の介助、排泄の介助、衣服の着脱の介助、食事の介助、入浴の介助等、総合評価」の８項目、合計32時間から成るとしている。

が集中していたためである（大場, 2019）。そして、これらは、一般的な日本語教育においても観察される初級の文法項目の誤用である。

外国人介護人材の教材には、一般的な日本語教育の教科書にはない介助に関連する語彙や関連情報が提供されている。その語彙も、日常の業務と国家試験とでは同じ概念でも異なる表現の場合がある。例えば、日常の業務では「仰向け」という表現を使っていても、国家試験の筆記試験では「仰臥位」という表現が使われることがある。外国人介護人材は、介助自体の学習とともにこういった表現も学習することとなる。講習会を観察した際、外国人・日本人受講生両者共に、介助の種類別に、やり取りとその関連する表現を丸暗記する様子が観察された。

そこで、介護技術の指導の前後に、介助の種類は異なっても、ゆるやかに共通する「介助の談話の型」があることを提示すること、そして、その導入の際に、関連する表現とともに、誤用の多い文法項目を取り入れて練習することが有効であると考えられる。介助の種類は異なっても、介助によって表現を入れ替えれば、介助のやり取り自体は同じパターンで進められることを意識させることができる。この練習時に、最初から間違いやすい文法項目とともに指導すれば、文法項目の誤用を防ぐことにも繋がると考えられる。

介助の談話の型を意識させ、関連語彙や文法項目を指導することは、一般的な日本語教育と流れは似ている。ただし、実際の就労場面で介護の業務を遂行するという目的に向け、場面を介護に特化し、関連する表現や情報を活用することが、一般的な日本語教育との違いであり、重要な点である。

3. 介助の談話の型を意識化させる教材例

以下の例（1）（2）は、「介助の談話の型」のモデル会話例で、講習会の介助のロールプレイの場面におけるデータ（大場, 2019）を踏まえて作成している。講習会の介護演習では、通常、高齢者は身体の左右のいずれかに半身麻痺があり、失語症であるという設定で行われる。よって、高齢者は、うなずきや「はい／いいえ」という短い発話による反応しかしない。このため、介助をする者が高齢者の麻痺側を支えつつ、どのような動作ができるか確認しながら、介助を進める必要がある。

例（1）は、移動の介助で、椅子から車椅子へ移乗するため、利用者に立ってもらう際のやり取りである。そして、例（2）は、体調不良の利用者がベッド上で排泄を行うために差し込み便器を使用する介助である。ベッド上で寝たままでズボンを下げる際のやり取りとなる。発話の右側には、「介助の談話の型」を構成する項目（動作説明・確認、動作要求、かけ声、安全・安楽確認）を記載している。例（1）（2）は異なる種類の介助であるが、談話の流れは共通する「介助の談話の型」となっている。

例（1） 移動の介助（椅子から車椅子への移乗）

介護職員：今から立ち上がりますので、	動作説明[3]
左手を膝の上に置いていただけますか。	動作要求
高齢者　：（うなずいて手を置く）	―
介護職員：ありがとうございます。	謝辞
では、１、２、３で立ち上がりますね。	動作説明
私は支えますね。	動作説明
はい行きますね、１、２の３。	かけ声
高齢者　：（椅子から立ち上がる）	―
介護職員：大丈夫ですか。	安全・安楽確認

例（2） 排泄の介助（ベッド上で差し込み便器を使用）

介護職員：山田さん、今から差し込み便器を入れます。	動作説明
高齢者　：（うなずく）	―
介護職員：少し腰を上げていただいてもよろしいですか。	動作要求
高齢者　：（うなずく）	―
介護職員：１、２、３で上げていただけますか。	動作要求
高齢者　：（うなずく）	―
介護職員：１、２の３。	かけ声
高齢者　：（腰を上げる）	―
介護職員：ありがとうございます。大丈夫ですか。	謝辞、安全・安楽確認

外国人介護人材を対象とした日本語授業の活動では、介助の状況を確認し、その介助に関連する表現を導入した上で、この「介助の談話の型」を提示してロールプレイの練習に繋げる。介助の種類別に練習する場合でも、その都

3）「動作説明」は「介助の談話の型」の「動作説明・確認」の発話機能の１つである。

度、この「介助の談話の型」を提示して意識させる。これにより、単に、特定の介助に必要な表現を丸暗記するような状態を防ぎ、多少、表現にバリエーションがあったとしても、「介助の談話の型」に沿って介助のやり取りを行えばいいという認識に繋げることができる。

4. 外国人介護人材に誤用が多く見られる文法項目の指導例

大場（2019）の調査では、講習会の外国人受講生の日本語の誤用（文法、発音、表現、語用）には、文法の誤用が突出して多く、その中でも、以下の例のような、助詞、授受表現、述語の活用に誤用が集中していたとしている。

例（3） 左手で膝に置いて、　（助詞の誤用）
→左手を膝に置いて、

例（4） 腰を上げてもよろしいですか。　（授受表現の誤用）
→腰を上げていただいてもよろしいですか。

例（5） ズボンをおろしことができますか。　（述語の活用の誤用）
→ズボンをおろすことができますか。

介助の談話の型を意識化して練習する際、誤用の発生しやすい文法項目や表現の指導を同時に行うことが重要である。まず、高齢者と介護職員のどちらが動作を行うのかによって授受表現を整理する。その上で、高齢者の動作を説明する位置の表現（例：左側に、前の方に、右手を○の上に、左手で○を持って、など）や、動作の説明の表現（例：つかまって、向いて、など）のバリエーションを提示するとよい。

5. 介助のやり取りの活動の発展

介護の現場では、例（6）（7）のように、高齢者が介助に対する不満や拒否、帰宅願望を表明したり、理解困難な発話をしたりして、例（1）（2）のようなスムーズなやり取りにならないこともある（大場・吉田, 2023）。認知症などの場合、これから行う動作を「もうやった」と言ったり（例（6））、逆に、既に行った動作を「していない」と否定したりすることもある。また、介護施設に居住しているのにも関わらず帰宅すると言うなど（例（7））、やり取りがかみ合わないこともある。

例 (6) 介護職員：○○さん、おトイレ行きます。
高齢者　：さっき行ったんじゃないの？
例 (7) 高齢者　：もうすぐ帰るでしょ？

こういった高齢者とのかみ合わないやり取りに対し、特効薬のような解決策があるわけではない。しかし、外国人介護人材の就労場面の現地調査では、高齢者の発話の内容が合理的ではなかったとしても、基本的に否定せず、高齢者の認識に合わせた対応も観察された（大場, 2020b; 大場・吉田, 2022; 2023）。

そこで、外国人介護人材を対象とした日本語授業では、高齢者が介助を拒否した場合の対応について考え、グループで話し合う活動を行うのもよい。具体的には、【教材例❶】のように、状況を設定し、高齢者に対して①どのように声をかけるのか、②その声かけを行った理由は何か、そして、最終的にその介護をどうするのか、について話し合うという活動である。通常、介護職員は、業務表に従って介護業務を遂行する必要もあり、まずはその場で高齢者に声をかけて何らかの対応をする。それで十分な場合もあるが、その後、別の対応の可能性はなかったか、再検討することもできる。その際、その高齢者本人の視点からどのような介助をすべきかを考えるのが重要である。

【教材例❶入浴「お風呂には入らない！」】

状況：山田さん（施設利用者、認知症）は、いつも入浴の声かけをすると拒否する人です。今日も入浴を伝えると次のように大声で言いました。
山田：お風呂には入らない！
①あなたはこの高齢者に対し、何と言いますか。
②なぜ、あなたは①のように言ったのでしょうか。

実際の就労場面の介助は、高齢者の状況や施設などによってもやり方が異なるという声を聞くことがある。また、高齢者とのかみ合わないやり取りは、必ずしも解決するとは限らない。それを踏まえた上で、介助の談話の型と就労場面のやり取りがどのように異なるのか考えたり、かみ合わないやり取りが発生した際にそれまでとは異なる言い方を考えたりすることも有効である。これにより、介助のやり取りの学習を効率的に行ったり、就労場面の問題を軽減したりすることに繋げうるであろう。

やってみよう！

(1) 外国人介護人材対象の教材では、どのような介助の例が扱われているか調べてみましょう。
(2) 外国人介護人材対象の教材の中で高齢者の介助を行っている場面の会話例を見て、「介助の談話の型」の分析をしてみましょう。そして、その会話にどのような文法項目や語彙が使用されているか調べてみましょう。

【付記】本研究は、JSPS 科研費 18K02118「教材開発を目指した高齢者介護施設における新人介護人材育成のプロセスの実態調査」（代表：大場美和子）、第 51 回（2020 年度）三菱財団社会福祉事業・研究助成「日本人介護職員の経験値による指導と技能実習生の教え合いを活用した介護人材育成プログラムの構築」（代表：大場美和子）の助成を受けた。

参考文献

大場 美和子（2019）「介護技術講習会における介助の談話の構造と日本語の問題の分析－ EPA 介護福祉士候補者を対象に－」『社会言語科学』22（1), 107-124. https://www.jstage.jst.go.jp/article/jajls/22/1/22_107/_article/-char/ja/（2023 年 12 月 1 日閲覧）
大場美和子（2020a）「グループホームにおける早番の業務と介助の談話の分析―ミャンマー人介護職員を対象に―」『2020 年度日本語教育学会春季大会予稿集』, 189-194.
https://www.nkg.or.jp/event/.assets/yokou-20spring200507-1057.pdf（2023 年 12 月 1 日閲覧）
大場 美和子（2020b）「高齢者の想定外の言語行動に対する調整の分析－グループホームの外国人介護職員を対象に－」『社会言語科学会第 44 回大会発表論文集』, 118-121.
https://conference.wdc-jp.com/jass/44/contents/common/doc/7_1.pdf（2023 年 12 月 1 日閲覧）
大場 美和子, 吉田 輝美（2022）「認知症グループホームにおける介助の業務と談話の分析－在住外国人と技能実習生を対象に－」『社会言語科学会第 46 回大会発表論文集』, 58-61.
https://conference.wdc-jp.com/jass/46/contents/common/doc/3_5.pdf（2023 年 12 月 1 日閲覧）
大場 美和子, 吉田 輝美（2023）「特養入居者とスリランカ人技能実習生のかみ合わないやり取りの分析」『社会言語科学会第 47 回大会発表論文集』, 167-170. https://conference.wdc-jp.com/jass/47/contents/common/doc/10-2.pdf（2023 年 12 月 1 日閲覧）
看護と介護の日本語教育研究会ウェブサイト
http://nihongo.hum.tmu.ac.jp/kangokaigoN-SIG/index.html（2023 年 12 月 1 日閲覧）
公益社団法人日本介護福祉士養成施設協会ウェブサイト「介護技術講習会」
https://kaiyokyo.net/kosyukai/index.html（2023 年 12 月 1 日閲覧）
吉田 輝美（2019）「認知症高齢者グループホームでの OJT による外国人介護人材育成方法と課題」『福祉図書文献研究』18, 51-61.

第21章　オンラインで行う会話教育

尹 智鉉

考えてみよう！

（1）通話アプリケーションやWeb会議システムなどを使って遠隔地の相手と話すのは、どのような点で対面の会話と違うと思いますか。
（2）オンライン授業では、どのような工夫をしたら、学習者が効果的に学べると思いますか。

1．はじめに

新型コロナウィルス感染症（COVID-19）の世界的流行によって多くの日本語教師が突然オンライン授業を担当することになった。その中で「対面授業に比べてやりにくい」「学生との距離感が縮まらない」と感じた教師もいたようである。このような困難を感じるのは、オンライン授業のどのような特徴によるものだろうか。また、オンライン授業を担当する時は、どのような点を工夫する必要があるのだろうか。以下では、オンライン授業の基本的な特徴と種類について説明し、オンラインの会話授業で使えるアクティビティの例を紹介する。

2．オンライン授業の特徴および注意点

オンライン授業には、授業のデジタル化と遠隔授業の実施という２つの側面がある。オンラインの会話授業を行う際は、こうした２つの側面があることを理解し、対面授業と違ってどのような点に留意すべきかをあらかじめ考えておくとよい。

まず、授業のデジタル化には以下の①～③のような「３つの段階」（飯塚, 2021）があることを理解し、自分のオンライン授業ではどの段階を目指すのかを、その実現方法とあわせて検討する必要がある。①デジタイゼーション（Digitization）の段階では、アナログデータや物理的素材をデジタルデータ化する。例えば、電子版教科書を用意したり、手書きのイラストを写真ファ

イルに変換したりする。②デジタライゼーション（Digitalization）の段階では、教育のプロセスもデジタル化する。LMS（Learning Management System）を使った資料の配信やクイズの実施などがこれに該当する。③デジタルトランスフォーメーション（Digital Transformation）の段階では、単にデジタルツールを活用するだけにとどまらず、デジタル化によって教育のあり方に変革をもたらそうとする。

次に、オンライン授業には遠隔教育としての特徴（長所と短所）があることを理解し、その特徴を授業の中でどう扱うのかについて考えておく必要がある。尹（2009）では、テレビ会議システム[1]を使って日本国内のチューターと海外の日本語学習者を繋げ、1対1の会話セッションを同じペアで複数回実施した。録音・録画データから参加者の意識と行動について分析を行った結果、遠隔会話では対面と異なり、物理的空間を共有していないことによる心理的ノイズ[2]が生まれやすい点が確認された。しかし、話す話題の選択や参加者間の相互作用によって心理的ノイズの軽減や克服は可能であることも示唆された。ここから、遠隔会話では参加者の動機付けに繋がる環境を積極的に整えていくことが重要であることが分かる。参加者間の物理的距離を活かして真正性のある文脈を取り入れた話題を選択することや、非言語行動を含む参加者同士の関わり方によって互いに話しやすい雰囲気を作り、ラポール[3]を形成できる機会を提供することも効果的だと言える。

上記の特徴の他に、オンライン授業を計画・準備する際に注意が必要な点として、オンライン授業での教材・資料の利用における著作権（著作財産権）の問題がある。財産権としての著作権には複製権（第21条）、上映権（第22条の2）、公衆送信権[4]（第23条）などが含まれ、これらは著作権者

1) 専用の接続回線や機器を用いて特定の拠点同士での会議を実現するシステムを指す。一方、Web会議システムの場合、専用の機材の代わりに、手持ちのパソコンやスマートフォンで接続すれば、いつでもどこでも会話に参加できる。

2) 「ノイズ」とは、対人コミュニケーションを妨害するものを指す。Grice et al.（2019）は、ノイズを、①物理的ノイズ、②生理的ノイズ、③心理的ノイズに分類した。オンライン授業におけるコミュニケーションのノイズについて野村（2022, p. 29）は「教室で対面授業を行う場合よりも増加する」としている。

3) ラポール（rapport）はフランス語が語源の言葉で、「調和した関係」「心が通い合う関係」という意味を持つ。

4) 公衆送信とは、LMSでの授業資料配布や一斉電子メール、動画ストリーミングなどを通して履修生に著作物を送信することを指す。

専有の権利とされる。著作物の教育利用については、著作権法第35条に定められている。オンライン授業では、教材などのインターネットによる公衆送信が大きな要素となるため、著作物の適切な利用方法についてあらかじめ確認、対応する必要がある。最新の著作権制度に関する正確な情報は、文化庁の「令和5年度著作権テキスト」に詳しい。また、大学ICT推進協議会（AXIES）では、2023年に著作権教育教材として、「先生向け冊子」（PDF、WEB）と「学生向け学習教材」（動画）を配信しており、重要なポイントを分かりやすく解説している。

3. オンライン授業の種類

このような特徴を持つオンライン授業は、その実施方法を基準に「同期型授業（synchronous learning）」と「非同期型授業（asynchronous learning）」に分類できる。前者は、Web会議システムなどのツールを使って教員と学生が異なる場所にいながら同時かつ双方向で展開される授業である。そして後者は、LMSなどのツールで資料や動画を配信し、クイズや課題にフィードバックを与えるなどの方法で教育を行う授業である。

では、オンラインで行う会話授業の場合、どのような実施方法を選べばよいのか。同期型授業の最大のメリットは、音声および画面共有などを通じてリアルタイムで学ぶことができる点である。そのため、参加者間のやり取りにおける双方向性や即時性を重視する会話教育では同期型授業の方法を選択する場合が多い。一方、非同期型授業の最大のメリットはオンライン授業に参加する学習者の集中力維持[5]や通信量の制限といった問題に対処できる点である。

そこで提案したいのが、同期型と非同期型の学習を有機的にブレンドする授業方法である。この方法では、1つのコースの中で単元（1コマの授業）ごとにオンライン授業の種類（同期型／非同期型）を選択し、組み合わせることができる。この他に、同期型授業を基本に非同期型のアクティビティを課題やグループワークとして部分的に取り入れる方法も考えられる。また

5) オンライン授業の参加者が長時間PC画面を直視しながら集中力を保つのは、対面授業の場合よりも困難であるとされる。

反転授業[6]と言われる方法では、学習者に対し授業前に学習内容の説明動画を視聴するように指示し、授業では同期型コミュニケーション重視の活動を展開するといった組み合わせ方が主流となっている。授業の目的や到達目標、学習者の特徴、学習環境などを踏まえ、最適かつ実現可能な実施方法を選ぶとよい。

続いて、オンラインの会話授業で使える同期型と非同期型のアクティビティを紹介する。

4. 同期型授業のアクティビティ

リアルタイムで学べる同期型のオンライン授業を行うためにはWeb会議システムのようなツールの使用が欠かせない。これだけでも双方向のコミュニケーションは実現可能だが、さらに「ちょっとした仕掛け」があり、楽しく言葉のやり取りができれば、オンライン授業で発生しやすい心理的ノイズの軽減や克服にも繋がり、参加者の動機付けにも有効であろう。以下、同期型授業で使える２つのアクティビティと使用するツールを紹介する。

①サイコロトーク／ルーレットトーク

Web会議システムのブレークアウトルーム機能を使い、４～６人程度のグループに分かれて実施する。活動では、サイコロの目を好きな文字列に変更できるWebアプリ[7]や、ルーレットの項目を書き込めるWebアプリ[8]を使用する。教師が質問項目を決めておくか、トピックだけを示して学生がグループごとに質問項目を決める「話し合い」の活動から始めることもできる。質問項目が決まったら、Webアプリを画面共有で示しながら順番にサイコロを振るかルーレットを回し、出た目に設定されたテーマでトークをする。例えば、「私のおすすめ」に関する６つの質問についての話し合いは、初級後半のクラスでも実施できる。学習者のレベルや学習内容に合わせて質問項目を決めれば、中級以上のクラスでも「交流していく活動」や「心の動きを表す活動」が楽しく行える（第11章参照）。

---

6) 反転授業とは、説明型の講義など基本的な学習を宿題として授業前に行い、個別指導やプロジェクト学習など知識の定着や応用力の育成に必要な学習を授業中に行う教育方法である（ジョナサン・サムズ, 2014）。

7)《サイコロメーカー》https://stopwatchtimer.yokochou.com/

8)《Webルーレット》https://jp.piliapp.com/random/wheel/

②ワールドカフェ

Web 会議システムのブレイクアウトルーム機能と付箋が使えるオンラインホワイトボード[9]を使う。ワールドカフェは、もともとは対面の活動において各グループがアイデアを書いたボードや紙を見ながら歩き回って意見交換をする手法を取るが、ブレイクアウトルームと Web ツールを使うと、空間や人数の制約を受けずにオンラインでも展開できる。図 21-1 は、中級レベルの学習者を対象としたオンライン授業で SDGs[10]を扱った活動ツールの使用例である。まず、各グループで SDGs の 17 のゴールを実現可能性の段階ごとに分類するための話し合いを行い、その結果を Google Slide に可視化させる。その後、クラス全体で意見集約を行い、３つのゴールを選んで実現可能な方法に関するワールドカフェを実施する。ゴールごとにリーダーを決め、Google Jamboard などの付箋アプリとブレイクアウトルームを用意する。参加者はブレイクアウトルームを移動しながら、各国での事例紹介やアイデアの共有などを行い、付箋に記録する。最後に、Jamboard の付箋を使って類似した内容をまとめたり、特徴を見つけて色分けしたりする活動を行う。この方法は、少人数での対話を重ねていくことで参加者の見解が広げられ、「相手に働きかける活動」や「事実関係を伝える活動」に応用できる（第 11 章参照）。

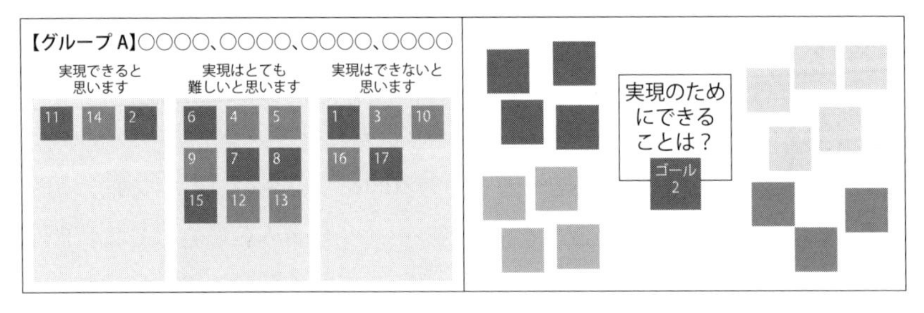

図 21-1 Google Slide（左）と Jamboard（右）の使用例

9)《Google Jamboard》https://edu.google.com/intl/ALL_jp/jamboard/(2024年12月31日にサービス終了予定)
《Miro》https://www.miro.com
《Mural》https://www.mural.co

10) 国連が定めた持続可能な開発目標（Sustainable Development Goals）のことで、経済・社会・環境の3つの側面のバランスがとれた社会を目指す世界共通の目標として17のゴールが示されている。

5. 非同期型授業のアクティビティ

非同期型の場合、学習への取り組み方や時間設定の面で学習者に一定の自由度が許容される。非同期型のアクティビティと聞くと、学習者が1人ずつ行う口頭発表の練習などをイメージしやすいが、映像や音声を使った非同期型の対話も可能である。次にその実施方法を説明する。

①短い動画や映像を使ったリレートーク

Flip[11]は、マイクロソフト社が提供する無料のアプリケーションで、学習者が短いビデオ、テキスト、音声メッセージを使って自分の考えを表現できるように教師がオンライングループを作成、提供できる。セキュリティ対策としてドメイン単位[12]でアクセスを制限することができ、動画を撮影する際にモザイクをかけたりステッカーを貼ったりして顔を隠すこともできるため、参加者自身がプライバシーや自己開示のレベルを調整できる。

物理的に離れているオンライン授業の参加者同士がビデオで町の風景の一部を映しながら「私の町」を紹介したり、「私の好きな写真」「私の宝物」などのテーマで手元にある実物を映しながら紹介したりするような活動は、初級後半クラスでも実施可能である。参加者は投稿された内容に対して動画でリアクション、コメントを行うことができる。非同期型であるため、学習者の現在地による時差を気にする必要がなく、リアルタイムだと気後れしてしまう学習者もじっくり準備して活動に参加できるというメリットがある。

6. まとめ

以上、オンライン授業の特徴と種類について概観し、オンラインの会話授業をよりインターアクティブに展開したいと思っている日本語教師のためにいくつかのコツを紹介した。今後、日本国内外にいる日本語学習者のニーズはさらに多様化していき、従来とは異なる学習方法も続々と登場するであろう。こうした状況の中で、日本語教師として自分が「使える手」を見つけ、「自分の道具箱」を豊かなものにしておけば、様々な変動や変化の中でも日本語教師として生きるために大きな強みとなるに違いない。

---

11) 《Flip》 https://info.flip.com/en-us.html

12) ドメインとは「インターネット上の住所」のことである。Flipでは、ページごとにアクセスできる参加者を管理できる。

やってみよう！

(1) オンラインで会話授業を行うには、授業で使う教材やリソースは基本的にデジタル化する必要があります。オンラインの会話授業で使える教材・リソースにはどのようなものがあるか考えてみましょう。

(2) オンラインの会話授業では、同期型と非同期型をどのように組み合わせると効果的だと思いますか。また、そのように考えた理由は何ですか。話し合ってみましょう。

(3) オンラインの会話授業でやってみたいアクティビティはありますか。楽しく学べる「ちょっとした仕掛け」や物理的距離を活かした「真正性のあるトピック」にはどのようなものが考えられますか。仲間と一緒に共有してみましょう。

参考文献

飯塚 重善（2021）「DX 時代の人間中心設計」『国際経営フォーラム』32, 121-141.

ジョナサン B., サムズ A.（著）山内 祐平, 大浦 弘樹（監修）上原 裕美子（訳）（2014）『反転授業－基本を宿題で学んでから、授業で応用力を身につける－』オデッセイコミュニケーションズ

大学 ICT 推進協議会（2023）「すごくわかる　著作権と授業」https://axies.jp/_media/2022/10 /20230801_sugowaka35.pdf（2023 年 12 月 1 日閲覧）

野村 和宏（2022）「学生の意欲を高める対面、オンライン、ハイブリッド授業－ What, How, and Why －」『言語と文化』26, 19-38.

文化庁（2023）「著作権テキスト－令和 5 年度版－」https://www.bunka.go.jp/seisaku/chosakuken/seidokaisetsu/pdf/93908401_01.pdf（2023 年 12 月 1 日閲覧）

尹 智鉉（2009）『遠隔の日本語教育と e ラーニング－テレビ会議システムを介した遠隔チュートリアルの可能性－』早稲田大学出版部

Grice, G. L., Mansson, D. H., & Skinner, J. F.（2019）. *Mastering public speaking: Loose-Leaf Edition* (*10th edition*). London: Pearson.

第5部

会話教育のための会話研究と実践

概要

本書では、会話教育を行う際に必要となる知識や具体的な活動例について、基礎から発展まで段階的に述べてきた。これらの知見を活かし、独自の会話授業のデザインを主体的に行いつつ、自己研鑽をしていける教師になることが理想である。

そこで、第5部「会話教育のための会話研究と実践」では、会話教育を行うために、自律的に研究と実践を連携させながら自己研鑽していける教師に必要なことについて議論する。第22章では、教師の自己研鑽のための「研究と実践の連携」について述べる。まず、授業改善のための「実践研究」の必要性について指摘する。次に、会話データ分析、会話教育実践、会話指導学習項目化を行うという、会話教育のための「研究と実践の連携」の重要性について述べる。

第22章 教師の自己研鑽のための「研究と実践の連携」

中井 陽子

考えてみよう！

(1) より良い会話教育を行うために、教師はどのような研究を行うべきでしょうか。
(2) 授業を行った後、どのような振り返りが必要でしょうか。

1. はじめに

本書では、会話教育を行うために必要となる、理論的な基礎知識の他、授業デザインと教材の例を取り上げて説明してきた。これらの会話授業のデザインと教材は、筆者らが行ってきた研究と実践の中から生まれてきたものである。教育実践の場や実践を行う教師、そこに参加する学習者が異なれば、自ずとそこで行われる教育実践や使用される教材も異なってくる。そのため、現場に即した会話授業のデザインとそこで必要とされる教材は、その現場を知る教師の手で創り出していくことが求められる。よって、各教師には、研究と実践を共に重視する姿勢と、自身の実践を振り返り、改善していく実践研究が重要となる。そこで、本章では、会話教育を行うに当たって、自律的に研究と実践を連携させながら自己研鑽していける教師になるために、何が必要かについて議論する。

まず、次の第2節で、会話授業をデザインして実施した後、さらに改善し、次の実践に活かしていくための「実践研究」の必要性について述べる。それとともに、会話データ分析、会話教育実践、会話指導学習項目化を行うという、会話教育のための「研究と実践の連携」の重要性について述べる。次に、第3節で、会話教育のための「研究と実践の連携」の一環として、会話データ分析を行うことで、会話の特徴を分析する視点を広げることの重要性について述べる。さらに、第4節で、会話教育実践を対象とした実践研究の行い方の例を紹介する。1つ目は、教室活動内の会話をデータとした分析とそれをもとにした授業改善の例である。2つ目は、会話授業の実践を行った後に、学習者や授業ボランティアなどに授業の感想を聞くことで､実践を振り返り､改善するための方法とその例について述べる。

2. 「研究と実践の連携」の重要性

細川（2005）は、「実践」それ自体が「研究」であるという立場から、「実践研究」の重要性について述べている。細川（2005, p. 11）によると、「実践研究」とは、教室活動の設計、具体化、学習活動の支援のために、「教師自身が自分の実践を内省的に振り返りつつ、その意味を確認し、他者とのインターアクションを積極的に受け入れ、より高次の自己表現をめざそうとする活動である」という。つまり、教師による実践の振り返りとその改善が次の実践を行っていく上で重要であると言える。

こうした実践研究という考え方は、教師が授業を設計し、それを具体的な授業活動にして､学習者を支援していくというプロセス自体を研究対象とし、より良い教育実践を検討していくべきだというものであり、会話教育を行う際にも重要となる。さらに、会話授業で学習者にどのようなことを学ばせる機会を与えるか設計したり、教育実践で学習者にどのようなフィードバックを与えて支援していくかを考えたりすることも重要である。そうした設計・具体化・支援のための指標となる日本語の会話の特徴を教師自身がまず十分把握しておくべきだろう。

したがって、図 22-1 のような会話教育のための「研究と実践の連携」が重要であると言える（中井, 2005; 2008; 2012; 2017; 中井・夏, 2021）。まず、「a. 授業前の研究とその成果の活用」としては、実際に学習者と母語話者などのインターアクションがどのように行われているかという「会話データ分析」を行う（研究）。「会話データ分析」には、調査として会話データを収集して厳密に分析して研究論文にまとめるものだけでなく、日常の会話の特徴を観察して検討してみることや、会話データ分析を行う文献を読

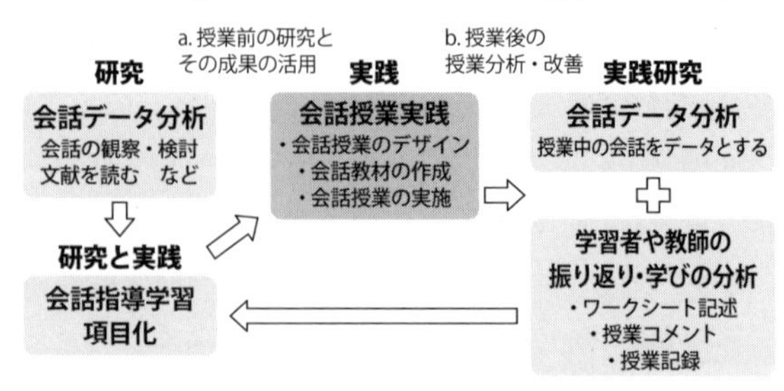

図 22-1　会話教育のための「研究と実践の連携」

むことなども含まれる。そして、会話データ分析から得られた会話の特徴を「会話指導学習項目化」してリストとしてまとめる(研究と実践)[1)]。その上で、「会話授業実践」として、「会話授業のデザイン」を行い、授業活動に必要な「会話教材の作成」をし、「会話授業の実施」をする(実践)。一方、「b. 授業後の授業分析・改善」としては、授業中の会話をデータとして「会話データ分析」を行う他、学習者によるワークシートの記述、授業に対する学習者のコメントや、教師の授業記録などをもとに「学習者や教師の振り返り・学びの分析」を行う(実践研究)。これにより、学習者の学びや授業の改善点を明らかにするとともに、次のより良い実践に繋げるために、さらなる会話データ分析や会話指導学習項目化を行っていくといった循環を進めていくことができるのである。

このように、会話教育のための「研究と実践の連携」は、「会話データ分析―会話指導学習項目化―会話授業実践―実践研究」の連携を繰り返し行っていきながら、より良い教育を目指すものである。会話授業実践を理論的・実証的に強固に支えるために、会話データ分析、会話指導学習項目化、実践研究といった研究を行うことが重要であると言える。

3. 会話データ分析による視点の広がり

前述の通り、より良い会話教育実践のためには、教師が会話データ分析を行うことが重要である。会話データ分析は、前節図 22-1 の「a. 授業前の研究とその成果の活用」の「研究」部分に位置する。会話データ分析を行うことによって、会話の特徴をより客観的に観察・分析する視点を広げることが可能となるからである。会話を分析する視点が広がれば、より幅広く独自性のある会話教育実践や教材作成ができる。さらに、より多角的な視点から学習者の会話を

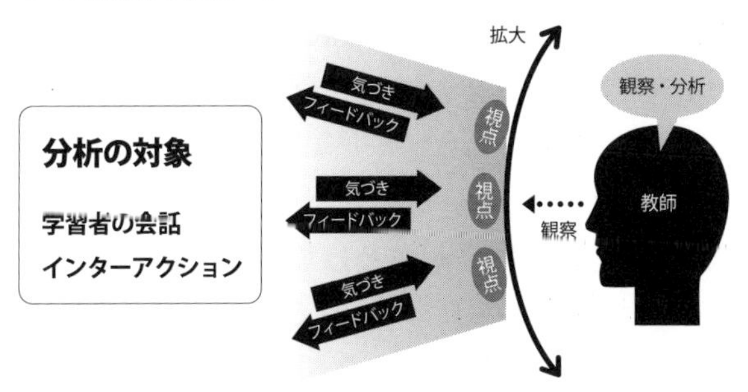

図 22-2 教師による会話の分析とフィードバックの視点

1) 会話教育のための指導学習項目は、中井他(2004)、中井(2012)を参照のこと。

冷静に観察・分析し、優れた点や改善点などについて適切にフィードバックが与えられると言える（図 22-2）。

会話データ分析の視点を広げるためには、第 1 章でも述べたように、学習者が日常生活で日本語に触れる場面の会話を録音・録画し、実際にそこで何が行われているのか、教師としてどのような手当てができるのかについて分析するという研究の姿勢を持つのがよい。その際、その会話が成功した要因は何か、どのような談話技能が用いられていたのかを分析してみる。あるいは、会話がうまくいかなかった要因は何か、文法や発音による誤解が原因なのか、または、談話技能が効果的に用いられていなかったためなのかを分析してみるのもよい。また、学習者による要因だけでなく、会話相手の教師や日本語母語話者、あるいは、他の学習者による要因もあわせて検討してみるべきである。さらに、会話の中で、どのような言語がどのような音声や非言語行動とともに用いられていたか総合的に分析していく視点も養われるべきだろう。中井他（2022）では、こうした会話データ分析の手法を学びながら実際に会話データ分析の練習が行える活動が教材化されており、日本語教員養成の一環として活用できるだろう。

さらに、教師が会話教育の全体的な指導学習項目を把握することで、学習者を取り巻く会話場面を即座に分析しやすくなり、また、フィードバックする観点がより広く豊かなものになると考えられる。一方で、会話データ分析の知見を積み重ねることで、指導学習項目もより広がり、会話教育実践もより豊かなものになると言えよう。

4. 会話教育実践を対象とした実践研究

4.1 教室活動内の会話をデータとした分析

会話教育実践を振り返り、より良いものに改善していくためには、実践研究が必要である。実践研究は、第 2 節図 22-1 の「b. 授業後の授業分析・改善」の部分に位置する。会話教育実践を対象とした実践研究を行う際、教室活動で学習者同士、学習者と教師、学習者と授業ボランティアなどがどのような会話を実際に行っているかを録音・録画して分析することがある。これにより、学習者の学びや授業活動の改善点などを探り出し、次の実践に活かすことができる。以下、実際に学習者と授業ボランティアが参加する会話の分析の結果と、それをどのように次の会話教育実践に活かしたかについて、中井（2012）の例を取り上げる。

教師は初級後半の会話授業で質問表現の強化練習（第13章参照）を行った。これは、初級後半の学習者が質問表現などを用いて聞き手として、会話相手の話をうまく引き出して会話を展開させていくのが難しいという会話データ分析の結果を踏まえている（第1章参照）。そして、この活動では、学習者と授業ボランティア（日本語母語話者）の間に質問の仕方のルールを設けた。具体的には、学習者が授業ボランティアに一方的に質問表現を用いて、相手のことについて質問する。それに対して、相手の授業ボランティアは、1文だけで答えるようにし、また、逆に学習者に対して質問をしてはいけないというものであった。

そして、教師がこうした練習活動の会話を撮影し、質問表現がどのように使われているか分析を行ったところ、学習者が質問表現を多く用いて会話相手の授業ボランティアの話を引き出し、積極的に話題を展開させている様子が見られた。しかし、質問表現で開始する話題が、「大学」→「遊び」→「大学の友人」→「夏休みの予定」→「北海道旅行」→「洋楽鑑賞」→「英語学習」→「学年」というように、短く頻繁に変わってしまっており、唐突な印象を与えてしまっていた。このような頻繁な話題転換を起こす質問表現は、会話に積極的に参加しているとは言え、せっかく聞き出した相手の話への興味があまりないようにも見えてしまう可能性がある。

そこで、教師は質問表現による学習者の話題展開の仕方に問題があることに気づき、次の授業で学習者全員に対してフィードバックを行った。まず、教師が質問表現によって話題を頻繁に転換してしまう悪い例を示した。その後に、1つの質問表現によって話題を開始し、その話題について詳しく掘り下げていったり、関連のある話題に展開させていったりするような質問表現の良い例を見せた。そして、後者の方法で質問をして話題を展開させていく会話練習活動を行うように学習者に指示した。

その後、再度、学習者と授業ボランティアの練習活動を撮影し、質問表現と話題の展開を分析した。その結果、「海外旅行」→「韓国のどこに行ったか」→「韓国はどうだったか」→「何を見物したか」→「一番好きなところはどこか」→「ミョンドンはどんなところか」→「買い物をしたか」→「韓国料理が好きか」→「辛いものが好きか」という相互に関連した話題について詳細に聞いていくものになっていた。これは、教師が話題の関連性に気を付けるように指示したことを受けて、学習者が前回の質問表現の練習活動を振り返って、改善を試みようとした結果だと考えられる。

このように、授業内での実際の会話練習活動中の会話を撮影して分析することにより、教師自身も授業の運営・説明で足りないところに気づき、次なる実践で補うべき示唆が得られる。一方、学習者も、自身や他の学習者の会話データを見ながらフィードバックを受けたりすることにより、客観的に自分達の会話の特徴を知り、改善を試みることができる。さらに、教師がこのような学習者が参加する会話の分析、授業でのフィードバックを経た後、次学期の新たな授業で同じ質問表現の練習活動を行う際に、質問表現による話題展開の方法のバリエーションについて分かりやすく図示した教材を提示して、より詳細に説明するなどの工夫ができるだろう。

4.2 学習者による会話授業についてのコメントの分析

会話教育実践を対象とした実践研究には、4.1 で見た教室内の会話の分析だけでなく、学習者のワークシート記述や授業に対するコメントの他、教師の授業記録などをデータとして分析を行うものもある。これにより、学習者の学びや授業の改善点を明らかにして、次のより良い実践に繋げることができる。これも第 2 節図 22-1 の「b. 授業後の授業分析・改善」の部分に位置する。以下、授業に対するコメントの分析の例を取り上げる[2)]。

まず、会話授業の全コース終了後に、各学習者に対して授業の感想を聞くアンケート調査を行い、授業の良かった点、良くなかった点、改善案、および授業中に行った各会話練習活動について感想を自由記述で書いてもらう。アンケートは、日本語か教師の分かる言語で記入してもらう。そして、必要であれば、アンケート記述をもとに、個別に学習者にインタビューを行い、さらに詳しいコメントを聞き出すのもよい。こうした学習者によるコメントから、各活動や教材などの有効性や不足点が把握でき、次の授業改善の参考となる。例えば、学習者からのコメントとしては、「たくさんの大切な表現を学び、それを実際に練習する機会がクラスの中であった」、「授業ボランティアと話せて良かった」などがあり、表現をまとめた教材と実際使用の機会や、

2) 具体的なコメントの例と分析は、中井（2012）を参照のこと。

授業ボランティアの有効性が分かり、より強化していく必要性が確認できる。一方、改善案として「毎週のテーマについて、友達と一緒に会話して録音して、提出する宿題があるといいです」などが学習者から出されることもあり、次の授業実践の参考になる。

学習者だけでなく、授業に参加していた授業ボランティアや授業見学に来ていた他の教師などの第三者にも、アンケートやインタビューを行うのも、より多角的な視点からの意見が聞けて参考になる。例えば、授業ボランティアからは、「会話のリーダーシップをとってくれる留学生がいて楽だった。自分だけで会話を盛り上げるのは難しく、留学生と協力するのが大切だと感じました」、「毎回同じ学生とばかりしゃべってしまうので、ある程度強制的に組み分けをしたほうがよいと思います」などのコメントが得られることがあり、今後の授業改善のヒントとなりうるだろう。

さらに、教師が日々の教育実践自体を会話データ分析の視点から観察・分析して、そこで何が起こっているのか、学習者の学びが授業の中でどのように起こっているのか、その問題点は何か、次の授業でそれらをどう活かし、改善していけばよいのかについて考え続けることも大切だろう。これらの会話授業を振り返り、次の実践に繋げる営みは、実践研究として欠かせないものであると言える。

5. まとめ

以上、会話教育のための「研究と実践の連携」の重要性について述べた上で、会話データ分析によって会話の特徴を分析する視点を広げること、および、授業を改善していくための実践研究の方法の例について述べた。こうした「研究と実践の連携」を行っていくことによって、自律的に自己研鑽していける教師になれるのではないかと考える。

今後も会話教育を行う教師によって、日本語の会話の分析が盛んに行われ、そこから得られた会話に特有の言語的、非言語的な指導学習項目をもとに、教材作成や教育実践が行われていくことが望まれる。そして、分析した会話の特徴や会話指導学習項目を発表したり論文としてまとめたり、あるいは、それらを活かした会話教材を開発し、出版したりすることによって、それらの知見を教師間で共有して充実させていくことが理想であろう。

やってみよう！

(1) 会話教育で扱う会話場面（例：初対面会話、買い物、依頼など）を選んで、その場面の会話データを収集し、どのような特徴があるか分析してみましょう。

(2) (1)で分析した会話の特徴をもとに、会話指導学習項目を作成してみましょう。可能なら、教材も作ってみましょう。

【付記】本章は、中井（2010, pp. 192-216; 2012）をもとに加筆修正を行った。

参考文献

中井 陽子（2005）「会話教育のための指導学習項目」『話しことば教育における学習項目（日本語教育ブックレット 7）平成 16 年度国立国語研究所日本語教育短期研修・報告書』国立国語研究所, 10-33.

中井 陽子（2008）「会話教育のための会話分析と実践の連携」『日本語学　特集　話し言葉の日本語　臨時増刊号』27（5）, 238-248.

中井 陽子（2010）「作って使った後で」尾﨑 明人, 椿 由紀子, 中井 陽子（著）関 正昭, 土岐 哲, 平高 史也（編）『日本語教育叢書「つくる」会話教材を作る』第 3 章, スリーエーネットワーク, 192-216.

中井 陽子（2012）『インターアクション能力を育てる日本語の会話教育』ひつじ書房

中井 陽子（2017）「『研究と実践の連携』の必要性」中井 陽子（編著）大場 美和子, 寅丸 真澄, 増田 将伸, 宮崎 七湖, 尹 智鉉（著）『文献・インタビュー調査から学ぶ会話データ分析の広がりと軌跡－研究から実践まで－』第 3 章, ナカニシヤ出版, 26-35.

中井 陽子, 大場 美和子, 土井 眞美（2004）「談話レベルでの会話教育における指導項目の提案－談話・会話分析的アプローチの観点から見た談話技能の項目－」『世界の日本語教育　日本語教育論集』14, 75-91. http://doi.org/10.20649/00000344（2023 年 12 月 1 日閲覧）

中井 陽子, 大場 美和子, 寅丸 真澄（2022）『会話データ分析の実際－身近な会話を分析してみる－』ナカニシヤ出版

中井 陽子, 夏 雨佳（2021）「談話技能教育における『研究と実践の連携』の循環プロセス－中国人日本語学習者と日本人学生が参加するオンライン会話倶楽部の活用に焦点を当てて－」『東京外国語大学国際日本学研究』1, 84-102.
https://tufs.repo.nii.ac.jp/records/5646（2023 年 12 月 1 日閲覧）

細川 英雄（2005）「実践研究とは何か－『私はどのような教室をめざすのか』という問い－」『日本語教育』126, 4-14.

プロジェクト①　会話授業を観察しよう！

★日本語の会話授業に参加して観察したことについて、報告しましょう。

1）参加する授業を探す。

・授業見学をさせてもらう。
・授業ボランティアとして参加し、学習者の会話相手になったり、日本語学習の支援をしたりする。
・オンライン交流会などに参加し、学習者と交流を行う。
・元日本語学習者の場合は、自身が受けた日本語の会話授業を振り返る。

2）日本語の会話授業に参加しながら、以下の点について観察し、ワークシート【会話授業の参加レポート】に記入する。

・氏名、実施日、日本語レベル、担当教員、授業名、学習者数
・授業内容、教科書名、学習課
・着目して分析した点
・学習者の様子
・新しい発見・気づいたこと
・自身の日本語授業で取り入れたいこと

★日本語の授業に参加する際の注意事項

・授業に参加する際は、開始時間までに教室に入る。遅刻・欠席はしないこと。
・教室に入ったら、私語など、授業の妨げになることはしない。
・日本語学習者との交流には積極的に参加する。
・日本語学習者との交流を楽しみながら、授業をよく観察する。

会話授業の参加レポート

氏名：＿＿＿＿＿＿＿＿＿＿

実施日：　　年　　月　　日（　　）　時　　分 ～　　時　　分

日本語レベル：＿＿＿＿＿　　担当教員：＿＿＿＿＿先生

授業名：＿＿＿＿＿＿＿＿＿＿＿＿＿＿＿　　学習者数：＿＿＿＿＿人

授業の内容：　教科書『　　　　　　　　　』　　課

着目して分析した点

学習者の様子

新しい発見・気づいたこと

自身の日本語授業で取り入れたいこと

プロジェクト② ロールプレイのフィードバックをしよう！

★第 8 章「ロールプレイ」、第 14 章「会話練習活動のフィードバック方法」などを参考に、以下のように、実際のロールプレイのフィードバックをしてみましょう。後日、レポートとしてまとめ、報告・提出してもよいでしょう。

(1) ロールプレイの動画を視聴し、教師としてフィードバックする練習をしてみる。

(2) グループになり、実際にロールプレイをして、教師としてフィードバックする練習を行う。ロールカードは、市販のものでも、自身で作成してもよい。その後、ロールプレイ演者として感じたことや工夫点、難しかった点などについて、振り返りを行う。

(3) (2) と同様に、日本語以外の外国語でロールプレイを行い、振り返りを行う。

(4) 実際の学習者を相手にロールプレイをして、フィードバックする練習を行う。その後、学習者にロールプレイやフィードバックの感想を聞く。学習者の承諾が得られれば、ロールプレイを録音・録画・文字化し、やり取りを詳細に分析してみてもよい。

★フィードバックの際の注意事項

・まずはロールプレイ演者の良い点を見つけて褒めるようにすること。
・褒めた後に、こうすればより良くなるという改善点を指摘するようにする。
・威圧的にならないように注意し、建設的なコメントをするように心がける。

プロジェクト③　会話授業をデザインしよう！

★本書で学んだことを踏まえて、独自の会話授業をデザインしましょう。

1）グループ・メンバー作り

・アイデアやテーマが似ている人で集まる。
・一緒に作業をしたい人、一緒に作業がしやすい人で集まる。

2）作業内容

・インターアクションが活発に起こるような独自の会話授業をデザインし、それに必要な会話教材を作成する。
・日本や学習者の生活や文化を扱ったテーマをもとに、学習者のニーズや環境にあわせた授業デザインを作成する。自身の会話データ分析などの研究成果を活かしてみてもよい。会話活動を中心に、４技能を総合的に用いる活動をデザインしてもよい。

■本書の紹介例） モデル会話、ストーリー性のある文型練習、ロールプレイ、インタビュー活動、会話による交流、会話練習活動（コミュニケーションの基本的な機能、会話のフロアー、談話技能）、発音、ナラティブ、話し合い、アニメ・映画・テレビ番組・演劇を活かした活動、問題解決型プロジェクト、外国人介護人材への会話教育、オンラインで行う会話教育

■その他：

活動例） 誘い・断り、敬語練習、就職面接、料理の説明、町の紹介、観光場所の紹介、ゲーム、フィールドトリップ、総合的な活動（会話、読解、聴解、作文）など

場面例） 学校案内、食堂、パーティー、初対面、挨拶、雑談、ホームステイ、コンビニ、アルバイト、市役所、不動産屋など

・授業デザインの形式：
（1）授業概要（国内・海外／日本語レベル／大学生・高校生・中学生・小学生・ビジネスパーソン・生活者、学習者数など）
※授業期間は、１～３コマ分、あるいは１学期分でもよい。

（2）授業目標（言語能力、社会言語能力、社会文化能力といったインターアクション能力育成を意識して）

（3）授業の流れ

①導入・動機付け・事前準備　＋教材

②活動（練習、実際使用のアクティビティー）　＋教材

③振り返り・フィードバック・評価　＋教材

※教材は、紙媒体、現物、デジタル媒体、写真、映像など。

・参照：第1章「会話と会話能力」、第2章「会話教育のための授業デザインと実践」、その他の章、教師用指導書、文法参考書など

3）グループ活動

（1）グループで、どのような会話授業や教材作成に興味があるか、あるいは、どのような会話教材を作成したことがあるかについて話し合う。

（2）【「会話授業デザイン」ワークシート】の項目に沿って、記入例も参照しながら、会話授業デザインを検討する。

■どのような会話授業をデザインするか

・授業タイトル

・学習者の背景（日本語レベル・身分）

・学習の目的（どんな能力を育成するか）

・扱う会話の種類・機能（第1章 図1-1参照）

・インターアクション能力育成のための指導学習項目
（言語能力、社会言語能力、社会文化能力）

■どのような授業の流れにするか

・活動・指導学習項目・成果・教材など

・参考にする理論（第2章参照）

【インターアクションの対象】

【コミュニケーション機能】

【言語的アクティビティ／実質的アクティビティ】

【FACT ／ ACT、メタ認知】

【認知的成果／行動的成果】【指導中心／支援中心】

【練習／実際使用】【計画性／即興性】

4）グループ発表

・内容：会話授業のデザインと会話教材の説明、および、授業活動の一部の簡単なデモンストレーションをする。

・時間：１グループ 20 分間＋質疑応答 10 分間程度（時間は適宜調整）

・発表資料：授業デザインと教材をスライド、写真などで提示する。

・発表の感想シート：各グループの発表について、各自、所定のシートに記入する。

5）レポート作成・提出

以下の項目について、各自レポートを作成して提出する。

①授業デザイン　最終版　（枚数自由）

・グループ発表の反省点、もらったコメントをもとに修正を加えたもの

②作成教材（枚数自由）

・グループ発表の反省点、もらったコメントをもとに修正を加えたもの

③グループ発表を行った感想・もらったコメントから考えたこと

（１～２頁程度）

1. どんなことを意識して（目指して）授業デザイン・教材を作成し、デモンストレーションを行ったか
2. うまくいった点・難しかった点・デモンストレーションをしてみて気づいた点
3. 改善案・今後の課題

「会話授業デザイン」ワークシート　記入例

メンバー氏名	○○太郎、xx△子	
授業タイトル	映画と演劇で学ぶ日本語	
学習者の背景	日本語レベル（初級 中級 上級）	
	身分（子供 大学生 社会人　その他：　　　　）	
学習の目的 (どんな能力を育成するか)	日本の映画視聴と演劇を通して (1) 語彙・表現、内容などを理解する能力 (2) 言語的・非言語的、文化的・社会的な情報について口頭や文章で伝える能力 (3) 映像を分析してディスカッションする能力 (4) 豊かな言語的・非言語的な表現力を育成すること	
扱う会話の種類・機能	対話、議論、物語、スピーチ、説明、雑談など	
インターアクション能力育成のための指導学習項目	言語能力	語彙：生活用語、ストーリーの説明のための単語 文法：話を生き生きさせる、文末表現 音声：リズム、声の調子
	社会言語能力	点火：会話の始め方 セッティング：話す人の順番 参加者：属性、性格、誰と誰が話すか バラエティ：スピーチレベル、言葉の調子、キャラクター演出 内容：話題の性質 形：直接的・間接的な話し方 媒体：非言語表現、服装、視覚的補助 操作：相手に協力を求める 運用：メタメッセージの送り方
	社会文化能力	知識習得：日本の映画のテーマ、構成を知る、日本の家族愛を知る 行動実行：映画のテーマを分析・考察し、解釈・意見を伝え合う
授業の流れ （活動・指導学習項目・成果・教材など）		【インターアクションの対象】 【コミュニケーション機能】 【言語的アクティビティ／実質的アクティビティ】 【FACT／ACT、メタ認知】 【認知的成果／行動的成果】【指導中心／支援中心】 【練習／実際使用】【計画性／即興性】
1．映画視聴 ・ディクテーション（教材①） ・アフレコ ・単語クイズ（教材②） ・ストーリーテリング ・映画のテーマのディスカッション（教材③）		学ぶ対象、自己、教師、仲間の学習者とのインターアクション 事実関係の機能 言語的アクティビティ ACT／FACT 行動的成果、指導中心／支援中心、練習
2．演劇上演 ・シナリオ作成 ・台詞練習 ・演劇上演本番		教師、仲間の学習者、観客とのインターアクション 様々な機能 実質的アクティビティ ACT、行動的成果、支援中心、練習

「会話授業デザイン」ワークシート

<table>
<tr><td>メンバー氏名</td><td colspan="2"></td></tr>
<tr><td>授業タイトル</td><td colspan="2"></td></tr>
<tr><td rowspan="2">学習者の背景</td><td colspan="2">日本語レベル（初級　中級　上級）</td></tr>
<tr><td colspan="2">身分（子供　大学生　社会人　その他：　　　　　　　　　　　　）</td></tr>
<tr><td>学習の目的
(どんな能力を育成するか)</td><td colspan="2"></td></tr>
<tr><td>扱う会話の種類・機能</td><td colspan="2"></td></tr>
<tr><td rowspan="3">インターアクション能力育成のための指導学習項目</td><td>言語能力</td><td>語彙：
文法：
音声：</td></tr>
<tr><td>社会言語能力</td><td>点火：
セッティング：
参加者：
バラエティ：
内容：
形：
媒体：
操作：
運用：</td></tr>
<tr><td>社会文化能力</td><td>知識習得：
行動実行：</td></tr>
</table>

授業の流れ （活動・指導学習項目・成果・教材など）	【インターアクションの対象】 【コミュニケーション機能】 【言語的アクティビティ／実質的アクティビティ】 【FACT ／ ACT、メタ認知】 【認知的成果／行動的成果】【指導中心／支援中心】 【練習／実際使用】【計画性／即興性】

おわりに

以上、本書では、日本語の会話教育に焦点を当て、より豊かな会話授業をデザインして実践するための理論と実践例について、多様な観点から述べました。本書を手に取ってくださった皆様の会話授業がより充実したものになるヒントが得られたようでしたら、光栄です。

日本語教育叢書つくるシリーズが絶版になるという知らせを聞いて、『会話教材を作る』（2010）の著者の 1 人である中井は、絶壁に立ったような気分になりました。この本は、これまで多くの日本語教員養成課程の受講生の方々や、現役日本語教師の方々に読んでいただき、第 4 刷まで発行していただきました。そして、中井自身もこれまで日本語教員研修会や講演などで紹介させていただくとともに、学部や大学院の授業でも指定教科書として扱ってこれを土台に学生とともに会話教育について議論を重ねてきました。この本がもう使えなくなるというのは、自身のアイデンティティーの一部が削がれるような思いでした。

しかし、発行から既に 12 年経ち、その間に社会のめざましい変化とともに、日本語教育の事情も変化しました。中井自身がこの 10 年余りの間に行ってきた実践もより広がり、それらを整理してまとめなおしていく時期が来ているのだとも実感しました。そこで、出版社に新たな企画として相談したところ、幸いにも出版できることになり、本当に救われた気持ちになるとともに、新たな挑戦ができることの喜びが溢れてきました。

今回の企画を進めるに当たっては、中井の実践だけでは、会話教育の広い分野を扱いきれないと思い、以前からご縁があり、多様な会話教育の分野の研究と実践を行われている方々にお声をかけ、各章を執筆していただけることとなりました。その結果、『会話教材を作る』がより大幅に観点を広げ、バージョンアップして『日本語の会話授業のデザインと実践－基礎から発展へ－』と生まれ変わり、皆様の元にお届けできるようになりました。お忙しい中、執筆をお引き受けくださった著者の皆様、本当にありがとうございました。

第 3 章、第 4 章、第 8 章をご執筆くださった鎌田先生とは、『会話教材を作る』を学部の授業で長年使ってくださっていたことから、お近付きになることができました。そして、先生にぜひとも本書に新たな知見をご提供いただきたいという強い思いを抱き、それを現実にしていただくことができました。大場氏とは、まだ日本語教育経験が浅い頃に日本語教育現場で知り合ってから、共同研究をしながら励まし合ってきました。外国人介護人材の研究をされているということもあり、本書の会話教育の幅をより広げて議論できるように、執筆をお願いしました。寅丸氏と尹氏は、早稲田大学で研究と教育を行っていたご縁で、今も継続して共同研究などをする機会を得ています。伊達氏と相場氏とは、東京外国語大学で日本語教育プログラムの担当をご一緒しています。伊達氏には、2023年4月に韓国日語教育学会で会話教育に関するワークショップも共に担当していただきました。相場氏とは、秋田の国際教養大学の時からの知り合いです。皆様との素晴らしいご縁に感謝いたします。

なお、本書は、以下の助成金の成果をまとめたものです。

・2023～2025年度科学研究費（基盤研究（C））「会話データによるインターアクションの問題分析と運用能力育成のための教材開発」
（23K00604、研究代表者：中井陽子）

・東京外国語大学2023年（令和5年）度競争的経費
「会話教育の授業デザインを学ぶための教材開発」

・東京外国語大学2023年（令和5年）度競争的経費（国際日本学）
「日本語話者の自己実現と社会参加を支える会話教育の再考」

さらに、本書の発行に当たっては、様々な方々のご協力を得ました。まず、スリーエーネットワーク第一編集部の佐野智子氏、溝口さやか氏には編集作業において大変お世話になりました。また、本書を作成するに当たり、有益なコメントや校正補助をしてくださった東京外国語大学の大学院生の夏雨佳氏、木村桃子氏、校正補助の中井啓二氏にも感謝いたします。さらに、『会話教材を作る』をもとに授業で議論する際に、貴重な意見をくださった東京外国語大学の学生の皆様にも感謝申し上げます。皆様のご意見を参考に、本書をより磨き上げることができました。

多くの方々のご協力のもと、新たに生み出すことができた本書がより多くの読者の皆様に刺激を与えられる一冊になることを願います。

2024年3月

中井 陽子

》索引

著者

鎌田 修（かまだ おさむ） 第3章、第4章、第8章 執筆

南山大学人文学部特任研究員。高校英語教諭を経て1977年渡米、ピッツバーグ大学、アムハースト・カレッジ、アイオワ大学など、数々の大学にて日本語教育に従事、92年帰国後京都外国語大学、南山大学にて教授。2017年定年退職後、特任研究員。マサチューセッツ大学にて博士号取得。著書に『日本語の引用』ひつじ書房、共著に『On Japanese and How to Teach It』『生きた素材で学ぶ中級から上級への日本語』ジャパンタイムズ、『OPIによる会話能力の評価』凡人社、『日本語プロフィシェンシー研究の広がり』ひつじ書房など。

大場 美和子（おおば みわこ）第20章 執筆

昭和女子大学大学院文学研究科准教授。筑波大学・大学院で日本語教育や会話データ分析について学び、接触場面の会話データ分析を行う。筑波大学、城西国際大学、群馬大学、神田外語大学、広島女学院大学などで留学生に対する日本語教育、学部•大学院での日本語教員養成を行っている。千葉大学大学院人文社会科学研究科にて博士号取得。著書に『接触場面における三者会話の研究』ひつじ書房など。

寅丸 真澄（とらまる ますみ）第17章 執筆

早稲田大学日本語教育研究センター教授。早稲田大学大学院日本語教育研究科の文章・談話研究室において談話分析を学び、博士号取得。国内の様々な大学で留学生の自己実現を支援するための日本語教育やキャリア教育、日本語自律学習支援、日本語教員養成を行っている。著書に『学習者の自己形成・自己実現を支援する日本語教育』ココ出版など。

尹 智鉉（ユン ジヒョン）第5章、第21章 執筆

中央大学文学部教授。韓国の梨花女子大学校を卒業後、早稲田大学大学院日本語教育研究科に留学し、博士号取得。主に、ICTを活用した学習環境づくりやCMC（Computer Mediated Communication）の教育的活用について研究と実践を重ねている。著書に『遠隔の日本語教育とeラーニング—テレビ会議システムを介した遠隔チュートリアルの可能性—』早稲田大学出版部など。

伊達 宏子（だて ひろこ）第15章 執筆

東京外国語大学大学院国際日本学研究院准教授。高校英語教諭を経て、北海道大学大学院で日本語教育を学び、東京大学大学院の音声工学の研究室で日本語学習者の韻律分析を行う。オンライン日本語アクセント辞書（OJAD）の開発、音声研究、日本語教育、日本語教員養成などに従事。中国語・ビルマ語に関心を持っている。東京大学大学院新領域創成科学研究科にて博士号取得。主要論文に「OJADを用いた音読練習による日本語韻律自然性の向上に関する実験的検証」『音声研究』など。

相場 いぶき（あいば いぶき）第19章 執筆

東京外国語大学世界言語社会教育センター特任助教。高校英語講師を経て、国際教養大学専門職大学院にて日本語教育学修士号取得。国際教養大学、米国のディキンソン大学、国際基督教大学などで日本語教育に従事し、プロジェクト型の日本語教育実践を重ねている。共著に『タスクベースで学ぶ日本語　中級1・2・3』スリーエーネットワーク。

編著者
中井 陽子（なかい ようこ）
東京外国語大学大学院国際日本学研究院教授。米国のミネソタ大学大学院で会話データ分析、および日本語教育学を学ぶ。帰国後は早稲田大学、群馬大学、関東学院大学、拓殖大学、国際教養大学、お茶の水女子大学、聖心女子大学、中国の東北師範大学など、国内外の様々な大学で日本語教育と日本語教員養成を行っている。早稲田大学大学院日本語教育研究科にて博士号取得。著書に『インターアクション能力を育てる日本語の会話教育』ひつじ書房、共著に『文献・インタビュー調査から学ぶ会話データ分析の広がりと軌跡ー研究から実践までー』ナカニシヤ出版、『会話データ分析の実際ー身近な会話を分析してみるー』ナカニシヤ出版、『エピソードとタスクから描く私のキャリアプラン』凡人社
執筆：はじめに、第1章、第2章、第6章、第7章、第9章〜第14章、第16章、第18章、第22章、プロジェクト①・②・③、第1部〜第5部概要、おわりに

イラスト
二階堂 ちはる

装丁・本文デザイン
ベーシック 畑中 猛

日本語の会話授業のデザインと実践
ー基礎から発展へー

2024年3月13日 初版第1刷発行

編著者 中井陽子
著 者 鎌田修 大場美和子 寅丸真澄
尹智鉉 伊達宏子 相場いぶき
発行者 藤嵜政子
発 行 株式会社スリーエーネットワーク
〒102-0083 東京都千代田区麹町3丁目4番
トラスティ麹町ビル2F
電話 営業 03（5275）2722
編集 03（5275）2725
https://www.3anet.co.jp/
印 刷 三美印刷株式会社

ISBN978-4-88319-944-0 C0081